DISCIPLINA SEM DRAMA

DISCIPLINA SEM DRAMA

GUIA PRÁTICO PARA AJUDAR NA EDUCAÇÃO, DESENVOLVIMENTO E COMPORTAMENTO DOS SEUS FILHOS

DANIEL J. SIEGELC E TINA PAYNE BRYSON

Tradução
Cássia Zanon

nVersos

Todos os detalhes de identificação, inclusive os nomes, foram modificados, exceto aqueles pertencentes aos membros das famílias dos autores. Este livro não tem a intenção de substituir o aconselhamento de profissionais treinados.

Diretor Editorial e de Arte
Julio César Batista

Produção Editorial e Capa
Carlos Renato

Revisão
Marina Ruivo, Elisete Capellossa e Sueli Bergmanhs

Ilustrações
Leah Pearlman

Editoração Eletrônica
Equipe nVersos

Dados Internacionais de Catalogação na Publicação (CIP)
(Câmara Brasileira do Livro, SP, Brasil)

Siegelc, Daniel J.
Disciplina sem drama / Daniel J. Siegelc, Tina Payne Bryson ; tradução Cássia Zanon. -- São Paulo : nVersos, 2016.

Título original: No-drama discipline : the whole-brain way to calm the chaos and nurture your child's developing mind.
ISBN 978-85-8444-158-7

1. Criação de crianças 2. Crianças - Desenvolvimento 3. Pais I. Bryson, Tina Payne. II. Título.

16-07427 CDD-649.1

Índices para catálogo sistemático:
1. Educação de filhos : Educação familiar 649.1

1ª edição - 2016
1ª reimpressão - 2018
2ª reimpressão - 2019

Esta obra contempla o Acordo Ortográfico da Língua Portuguesa
Impresso no Brasil
Printed in Brazil

nVersos Editora
Rua Cabo Eduardo Alegre, 36
01257-060 - São Paulo - SP
Tel.: (11) 3995-5617
www.nversos.com.br
nversos@nversos.com.br

SUMÁRIO

ANTES DE VOCÊ LER ESTE LIVRO: UMA PERGUNTA

Pense na seguinte situação: uma tigela de cereal é atirada do outro lado da cozinha, espalhando leite e sucrilhos por toda a parede.

O cachorro vem correndo do quintal e está, inexplicavelmente, pintado de azul.

Um de seus filhos ameaça bater no irmão mais novo.

Você recebe uma ligação da direção da escola pela terceira vez no mês.

O que você faz?

Antes de responder, queremos pedir que se esqueça completamente de tudo o que sabe sobre disciplina. Esqueça o que você acha que a palavra significa e o que ouviu sobre como os pais devem reagir quando os filhos fazem algo que não deveriam fazer.

Em vez disso, faça uma pergunta a si mesmo: você está aberto a, pelo menos, pensar em uma abordagem diferente de disciplina? Uma abordagem que o ajude a atingir suas metas de curto prazo, como fazer seu filho agir da maneira certa, na hora certa; até suas metas de longo prazo, tais como tornar seus filhos pessoas felizes, bem-sucedidas, gentis, responsáveis e autodisciplinadas?

Se respondeu sim às duas perguntas, este livro é para você.

INTRODUÇÃO

DISCIPLINA RELACIONAL SEM DRAMA: COMO ESTIMULAR A COOPERAÇÃO E CONSTRUIR O CÉREBRO DA CRIANÇA

Você não está só.

Se você se sente perdido quando se trata de fazer os filhos brigarem menos entre si ou falarem de maneira mais respeitosa; se não consegue evitar que seu filho pequeno suba na estante nem fazer que ele se vista antes de atender a porta; se você se sente frustrado por precisar repetir a mesma frase sem parar ("Rápido! Você vai se atrasar para a escola!") ou por ter de se envolver em mais uma batalha quanto à hora de dormir, de fazer o dever de casa ou sobre o tempo que ele passa no computador; se já viveu qualquer uma dessas frustrações, você não está só.

Na verdade, você não é diferente de ninguém. Sabe o que você é? Um pai ou uma mãe. Um ser humano e, além de tudo, um pai ou uma mãe.

É difícil descobrir como disciplinar nossos filhos. Simplesmente, é difícil. Com muita frequência, acontece assim: eles não agem da forma como deveriam. Nós ficamos bravos. Eles ficam contrariados. Lágrimas rolam. (Às vezes, as lágrimas são dos filhos.).

É exaustivo. É irritante. Todo o drama, a gritaria, as mágoas, as culpas, a tristeza, a desconexão emocional.

Você já se perguntou, depois de uma interação especialmente angustiante com seus filhos: "Eu não consigo fazer melhor do que isso? Eu não consigo me controlar melhor e ser um pai ou uma mãe mais competente? Eu não consigo disciplinar, de maneira a acalmar a situação, em vez de criar mais caos?".

Você quer que o mau comportamento pare, mas quer reagir de uma forma que valorize e melhore o relacionamento com seus filhos.

Quer construir o relacionamento, não prejudicá-lo. Quer diminuir o drama, não aumentá-lo.

Você pode fazer isso.

Na verdade, esta é a mensagem principal deste livro: é possível disciplinar de uma maneira cheia de respeito e aprendizado, mas também com limites claros e consistentes. Em outras palavras: você pode se sair melhor. Você pode disciplinar com afetividade e respeito, e com pouco drama e conflito — e, no processo, pode auxiliar no desenvolvimento de habilidades que melhorem a capacidade de seus filhos de tomar boas decisões, de pensar nos outros e de agir de modo a prepará-los para o sucesso e a felicidade, durante toda a vida.

Nós falamos com milhares de pais de todo o mundo, ensinando-os sobre o funcionamento básico do cérebro e como isso afeta o relacionamento deles com seus filhos, e percebemos o quanto eles estão ávidos em se relacionar com as crianças de maneira mais respeitosa e eficaz. Os pais estão cansados de gritar tanto, de ver os filhos tão contrariados e de continuarem a se comportar mal. Esses pais não sabem que tipo de disciplina utilizar, sabem apenas as que não querem usar. Eles querem disciplinar de modo gentil e carinhoso, mas se sentem exaustos e sobrecarregados quando se trata de conseguir que os filhos façam o que deveriam fazer. Querem uma forma de disciplina que funcione e que os faça se sentirem bem.

Neste livro, vamos apresentar a abordagem da disciplina que chamamos de "Cérebro por inteiro e sem drama", oferecendo princípios e estratégias que acabarão com a maior parte do drama e das grandes emoções que tipicamente caracterizam a disciplina. Como resultado disso, sua vida como pai ou mãe ficará mais simples como; a forma como você cria seus filhos se tornará mais eficaz. Mais importante do que isso, você criará no cérebro de seus filhos conexões que irão construir habilidades emocionais e sociais que lhes servirão agora e ao longo de suas vidas — ao mesmo tempo que fortalecerá seu relacionamento com eles.

O que esperamos que você descubra é que os momentos em que a disciplina se faz necessária são, na realidade, alguns dos momentos mais importantes da criação dos nossos filhos, os momentos em que temos a oportunidade de formá-los com mais determinação. Quando surgirem esses desafios — e eles surgirão —, você será capaz de encará-los não apenas como as temidas situações de disciplina cheias de raiva, frustração e drama, mas como oportunidades de se conectar com seus filhos e redirecioná-los para o comportamento que atende melhor a eles e a toda a sua família.

Para quem é educador, terapeuta ou treinador — ou seja, também responsável pelo crescimento e o bem-estar de crianças e adolescentes —, informamos que essas técnicas funcionam igualmente para alunos, pacientes e clientes ou equipes. Descobertas recentes e importantes sobre o cérebro nos proporcionaram uma visão profunda das crianças, do que elas precisam e de como discipliná-las de forma a promover o desenvolvimento mais adequado. Escrevemos este livro para qualquer pessoa que se importe com uma criança e esteja interessada em estratégias cientificamente comprovadas e eficazes para ajudá-las a se desenvolverem bem. Vamos usar os termos "pai ou mãe" ao longo de todo o livro, mas se você for avô ou avó, professor ou qualquer pessoa importante na vida de uma criança, este livro também é para você. Nossas vidas têm mais significado com a colaboração, e a união entre adultos e crianças pode começar desde os primeiros dias de vida de uma criança até a fase adulta. Esperamos que todas as crianças tenham cuidadores que reflitam sobre a maneira como interagem com elas e, quando necessário, as disciplinem de modo a promover suas habilidades e melhorar seu relacionamento com elas.

RECUPERANDO A PALAVRA "DISCIPLINA"

Vamos começar com o verdadeiro objetivo da disciplina. Quando seu filho se comporta mal, o que você faz? O castigo é a sua meta principal? Em outras palavras: o objetivo é punir?

Claro que não. Quando estamos irritados, podemos ter a impressão de que queremos punir nossos filhos. Irritação, impaciência, frustração ou simplesmente insegurança nos fazem sentir isso. É totalmente compreensível — até mesmo comum. Mas depois que nos acalmamos e limpamos o ovo cru dos cabelos de todo mundo, sabemos que o castigo não é a nossa meta principal.

Então, o que é que realmente queremos? Qual é o objetivo da disciplina?

Bem, vamos começar com uma definição formal. A palavra "disciplina" vem diretamente do latim *disciplina*, que até o século 11 foi usada para se referir a ensinar, aprender e dar instruções. Assim, desde o princípio, "disciplinar" significa "ensinar".

Hoje em dia, a maioria das pessoas associa apenas punições ou castigos à prática da disciplina. É como a mãe com o filho de 18 meses que perguntou ao Dan: "Estou ensinando muitas coisas ao Sam, mas quando começo a discipliná-lo?". A mãe achava que precisava tratar dos comportamentos do filho e imaginou que disciplinar seria castigar.

Enquanto estiver lendo o restante deste livro, queremos que mantenha em mente o que Dan explicou: que sempre que disciplinamos nossos filhos, nosso objetivo global não é punir ou castigar, mas ensinar. A raiz de "disciplina" é a palavra discípulo, que significa "aluno", "pupilo" e "aprendiz". Um discípulo, aquele que recebe a disciplina, não é um prisioneiro nem alguém sendo punido, mas aquele que aprende por meio de instruções. A punição pode interromper um comportamento no curto prazo, mas ensinar oferece habilidades que duram a vida toda.

Pensamos muito se deveríamos usar a palavra "disciplina" em nosso título. Não tínhamos certeza de como chamar esta prática de estabelecer limites estando ainda envolvidos emocionalmente com nossos filhos, ou seja, que nome daríamos a esta abordagem que foca no ensino e no trabalho com as crianças, ajudando-as a construir habilidades necessárias para tomar boas decisões.

Decidimos que iríamos recuperar o significado original da palavra "disciplina", retomando a discussão para diferenciar disciplina de punicão.

Essencialmente, queremos que os cuidadores comecem a pensar em disciplina como uma das coisas mais amorosas e protetoras que se pode fazer pelas crianças. Nossos filhos precisam aprender habilidades tais como inibir impulsos, administrar sentimentos de raiva e levar em consideração o impacto de seus comportamentos sobre os outros. Eles precisam aprender questões essenciais sobre vida e relacionamentos, e se você for capaz de lhes fornecer isso, estará oferecendo um presente importante não apenas para os seus filhos, mas para toda a sua família e até mesmo para o resto do mundo. É sério. Não se trata apenas de uma hipérbole. A disciplina sem drama, como descreveremos nas páginas seguintes, ajudará seus filhos a se tornarem as pessoas que eles querem ser, a melhorarem sua capacidade de autocontrole, a respeitarem os outros, a terem relacionamentos profundos e a viverem vidas corretas e éticas. Apenas pense no impacto causado nas gerações futuras à medida que seus filhos criem outros filhos com esses mesmos dons e habilidades! Tudo começa com repensar o que disciplina realmente significa, recuperando a palavra como um termo que não signifique punição ou controle, e sim ensinamento e construção de habilidades — e de fazer isso com amor, respeito e conexão emocional.

O DUPLO OBJETIVO DA DISCIPLINA SEM DRAMA

A disciplina eficaz visa a dois objetivos principais. O primeiro é, evidentemente, fazer com que nossos filhos cooperem e façam a coisa certa. No calor do momento, quando nossos filhos estão atirando brinquedos para longe, em um restaurante, sendo grosseiros ou se recusando a fazer o dever de casa, simplesmente queremos que ajam de outra forma. Queremos que parem de atirar os brinquedos.

Queremos que se comuniquem de maneira respeitosa. Queremos que façam o dever de casa.

Com uma criança pequena, atingir o primeiro objetivo, o de cooperação, pode envolver fazê-la segurar sua mão ao atravessar a rua ou ajudá-la a largar um produto que ela agita no supermercado, pensando que é uma espada. Já para uma criança maior, pode significar resolver problemas, como realizar as tarefas de casa com mais rapidez, ou aprender a respeitar seus irmãos e amigos.

Você perceberá que repetiremos várias vezes ao longo do livro, que cada criança é diferente e que nenhuma abordagem ou estratégia de criação de filhos funcionará todas as vezes. Mas o objetivo mais óbvio em todas essas situações é obter cooperação e ajudar a criança a se comportar de maneira aceitável (como usar palavras gentis ou pôr as roupas sujas no cesto) e a evitar comportamentos inaceitáveis (como colocar chiclete embaixo da carteira). Este é o objetivo de curto prazo da disciplina.

Para muitas pessoas, este é o único objetivo: obter cooperação imediata. Elas querem que os filhos parem de fazer o que não deveriam estar fazendo e comecem a fazer o que deveriam. É por isso que pais usam com tanta frequência frases como: "Pare com isso, agora!" e o eterno "Porque sim!".

Mas, de verdade, nós queremos mais do que uma simples cooperação, não é? É claro que queremos evitar que a colher do café da manhã se transforme em uma arma. É claro que queremos promover ações gentis e respeitosas e reduzir os insultos e a agressividade.

Mas existe um segundo objetivo que é tão importante quanto o primeiro e, embora obter cooperação seja o objetivo de curto prazo, o segundo objetivo demanda um longo prazo. Ele se concentra em instruir nossos filhos de maneira a desenvolver habilidades e a capacidade de lidar com resiliência vem situações desafiadoras e frustantes, desencadeando tempestades emocionais que podem fazê-los perder o controle. Trata-se de habilidades internas que podem ser utilizadas além do comportamento imediato, em uma variedade de situações. Este segundo objetivo importante da disciplina tem a ver com ajudar as crianças a desenvolverem autocontrole e uma "bússola" moral, para que, mesmo quando não tenham uma figura de autoridade por perto, sejam ponderadas e conscientes. Tem a ver com ajudá-las a crescer e se tornarem pessoas gentis e responsáveis, capazes de terem relacionamentos de sucesso e vidas expressivas.

Chamamos essa abordagem de "Cérebro por inteiro" porque, como explicaremos, quando usamos a totalidade de nossos cérebros como pais, podemos nos concentrar tanto nos ensinamentos externos imediatos quanto nas lições internas de longo prazo. E quando nossos filhos recebem esta forma de ensinamentos intencionais, eles também passam a usar seus cérebros de maneira completa.

Ao longo das gerações, surgiram inúmeras teorias sobre como ajudar nossos filhos a "crescerem bem". Houve a escola do "não poupar a vara por amor aos filhos" e seu oposto, a escola do "livres para ser você e eu". Mas, nos últimos vinte anos, mais ou menos, durante a chamada "década do cérebro" e nos anos que se seguiram, os cientistas descobriram uma imensa quantidade de informações sobre como funciona o cérebro, e isso tem muito a nos dizer sobre disciplina amorosa, respeitosa, consistente e eficaz.

Agora, sabemos que a forma de ajudar uma criança a se desenvolver ao máximo é ajudá-la a criar conexões em seu cérebro — seu cérebro completo — que desenvolvam habilidades que conduzam a melhores relacionamentos, melhor saúde mental e vidas mais expressivas. Podemos chamar isso de esculpir ou alimentar o cérebro. Qualquer que seja a expressão que você prefira, o mais importante é o resultado obtido: por meio das palavras que usamos e das ações que realizamos, os cérebros das crianças mudarão e estarão em eterno processo de construção, conforme elas passem por novas experiências.

Uma disciplina eficaz implica não apenas a interrupção de um comportamento ruim ou a promoção de um bom comportamento, mas também estimular habilidades e fomentar nos cérebros de nossos filhos as conexões que os ajudarão a tomar melhores decisões e a lidar com suas próprias emoções, no futuro, de maneira natural, pois será assim que seus cérebros estarão programados. Nós estamos ajudando-os a compreender o que significa lidar com as emoções, a controlar os próprios impulsos, a levar os sentimentos dos outros em consideração, a pensar em consequências, a tomar decisões conscientes e muito mais. Nós estamos ajudando-os a desenvolver seus cérebros e a se tornarem pessoas que serão amigos melhores, irmãos melhores, filhos melhores, seres humanos melhores. Então, um dia, serão eles próprios pais melhores.

Como um bônus disso tudo, quanto mais ajudarmos os cérebros de nossos filhos, menos precisaremos lutar para atingir o objetivo de curto prazo para obter cooperação. Estimular a cooperação e construir o cérebro: este é o duplo objetivo — o externo e o interno — que a abordagem da disciplina "Cérebro por inteiro" levará, sempre de maneira amorosa e eficaz. É a criação de filhos com o cérebro em mente!

REALIZANDO NOSSOS OBJETIVOS: DIZENDO NÃO PARA O MAU COMPORTAMENTO, MAS SIM PARA O FILHO

Como os pais costumam atingir seus objetivos de disciplina? O mais comum é que seja por meio de ameaças e punições. Crianças se comportam mal, e a reação imediata dos pais é oferecer consequências com duas pedras nas mãos.

Os filhos agem, os pais reagem, então, os filhos reagem. Enxaguar, ensaboar, repetir. E para muitos pais — provavelmente, para a maioria deles — consequências (junto com uma boa dose de gritos) são, basicamente, a principal estratégia de disciplina: pausas para pensar, surras, retirada de um privilégio, castigos e assim por diante. Não é de admirar que haja tanto drama! Mas, como vamos explicar, é possível disciplinar de uma forma que não seja necessário apelar para castigos, em primeiro lugar.

Você destruiu o castelo de areia do seu irmão. Pausa para pensar.

Você faltou com o respeito. Vá para a cama mais cedo.

Indo mais longe na questão, consequências e reações punitivas são, na verdade, contraproducentes, não apenas em termos de construção cerebral, mas também quando se trata de fazer os filhos cooperarem. Com base em nossas experiências pessoais e clínicas, assim como nos mais recentes dados científicos sobre o cérebro em desenvolvimento, podemos dizer que castigar automaticamente não é a melhor forma de atingir objetivos de disciplina.

E qual é? Esta é a base da abordagem da "disciplina sem drama", e ela se resume a uma simples frase: conectar e redirecionar.

CONECTAR E REDIRECIONAR

Mais uma vez, cada criança, assim como cada situação na criação de filhos, é diferente. Mas uma constante que é verdadeira em quase todos os casos é que o primeiro passo para se estabelecer uma disciplina eficiente é nos conectarmos emocionalmente com nossos filhos. Nosso relacionamento com eles deveria ser a prioridade em tudo o que fazemos. Quer estejamos brincando com eles, conversando com eles, rindo com eles ou, até mesmo, disciplinando-os, queremos que vivenciem, em um nível profundo, toda a força de nosso amor e afeto, seja nos momentos em que estejamos elogiando um ato de bondade ou tratando de um mau comportamento. Conexão significa que damos a nossos filhos nossa atenção, que os respeitamos o suficiente para escutá-los, que valorizamos suas contribuições para a solução de problemas e que estamos ao lado deles — quer gostemos da forma como estão agindo ou não.

Quando disciplinamos, queremos nos unir a nossos filhos de uma maneira profunda, que demonstre o quanto os amamos. Na verdade, quando nossos filhos estão se comportando mal, significa que estão precisando se conectar conosco. Reações disciplinadoras deveriam se basear na idade, no temperamento e no estágio de desenvolvimento da criança, junto com o contexto da situação. Porém, a principal norteadora de toda interação disciplinar deveria ser a comunicação clara da profunda conexão entre pais e filhos. O relacionamento vence qualquer comportamento, em particular.

No entanto, conexão não é a mesma coisa que permissividade. Conectarmo-nos com nossos filhos durante a disciplina não significa deixá-los fazer tudo o que quiserem. Na verdade, é o oposto disso e, se realmente amamos nossos filhos e damos a eles o que necessitam oferecendo limites claros e consistentes, criaremos uma estrutura propícia para seu desenvolvimento e atingiremos parte de nossa expectativa em relação a eles. Os filhos precisam compreender como o mundo funciona: o que é admissível e o que não é. Uma compreensão bem definida de regras e limites os ajuda a obter sucesso em relacionamentos e em outras áreas de suas vidas. Quando aprendem sobre estrutura na segurança de suas casas, terão mais capacidade de florescer em ambientes externos — escola, trabalho, passeios —, onde enfrentarão diversas expectativas para apresentarem um comportamento adequado. Nossos filhos precisam de experiências repetidas que lhes permitam desenvolver estruturas cerebrais que os ajudem a não pensar em qualificações, contendo, assim, os impulsos de reagirem contra os outros de maneira agressiva, aprendendo, desta forma, a lidar com flexibilidade quando não conseguirem o que desejam. A ausência de limites é, na verdade, muito estressante, e crianças estressadas são mais reativas. Assim, quando dizemos não e estabelecemos limites para nossos filhos, nós lhes ajudamos a descobrir previsibilidade e segurança que, sem limites, seria caótico. E nós construímos conexões cerebrais que permitem que nossos filhos lidem bem com as dificuldades no futuro.

Em outras palavras, uma conexão profunda e empática pode e deve ser combinada com limites claros e firmes que criam a estrutura necessária na vida das crianças. É aí que entra o "redirecionamento". Depois que nos conectamos com nossos filhos e os ajudamos a se acalmar para que consigam nos escutar e compreender completamente o que estamos dizendo, podemos, então, redirecioná-los para um comportamento mais adequado e ajudá-los a ver uma maneira melhor de lidar consigo mesmos.

Mas tenha em mente que o redirecionamento raramente será bem-sucedido se as emoções da criança estiverem exaltadas. Castigos e lições são ineficientes enquanto a criança estiver irritada e incapaz de ouvir as lições que você estiver oferecendo. É como tentar ensinar um cachorro a sentar quando ele estiver brigando com outro cachorro. Um cachorro brigando não vai sentar. Mas se você conseguir ajudar uma criança a se acalmar, a receptividade surgirá e permitirá que ela compreenda o que você está tentando lhe dizer, muito mais rapidamente do que se você apenas a punisse ou passasse um sermão.

É o que explicamos quando as pessoas perguntam sobre as exigências de conexão com as crianças. Alguns podem dizer: "Esta parece ser uma forma respeitosa e amorosa de disciplina a longo prazo, e entendo que isto ajudará meus filhos a compreenderem, mais adiante, como acatá-las de maneira mais fácil. Mas, qual é! Eu tenho um emprego! E outros filhos! E preciso preparar o jantar, levar as crianças para as aulas de piano, balé e esportes e uma centena de outras coisas para fazer. Mal consigo manter a cabeça para fora d'água do jeito que está! Como vou conseguir encontrar o tempo extra necessário para conectar e redirecionar ao disciplinar?".

Nós entendemos isso. De verdade. Nós dois trabalhamos, nossos esposos trabalham e ambos somos pais comprometidos. Não é fácil. Mas o que aprendemos enquanto praticamos os princípios e as estratégias que discutiremos nos capítulos seguintes é que "disciplina sem drama" não é uma espécie de luxo disponível apenas para pessoas com todo tipo de tempo extra nas mãos. (Na verdade, sequer temos certeza de que esse tipo de pais realmente exista.)

Não é que a abordagem do "Cérebro por inteiro" exija que você arranje um monte de tempo extra para envolver seus filhos em discussões sobre a maneira correta de fazer as coisas. Na verdade, a "disciplina sem drama"apresenta momentos e situações comuns do dia a dia da criação dos filhos, e os utiliza como oportunidade desde alcançá-los para ensinar-lhes o que é importante. Você pode achar que gritar "Pare com isso!" ou "Pare de fazer manha!" ou decretar uma pausa imediata para pensar seria mais rápido, mais simples e mais eficiente do que se conectar com os sentimentos de uma criança. Mas como explicaremos em breve, prestar atenção às emoções do seu filho levará a mais calma e cooperação, e isso acontecerá mais rapidamente do que uma explosão dramática do pai ou da mãe, ocasionando um descontrole total das emoções.

E aqui está a melhor parte. Quando evitamos aumentar o caos e o drama em situações disciplinares — em outras palavras, quando combinamos limites claros e consistentes com empatia amorosa —, todos saem ganhando. Por quê? Em primeiro lugar, uma abordagem sem drama do "Cérebro por inteiro" torna a vida mais fácil tanto para os pais quanto para os filhos. Em momentos de alto estresse — por exemplo, quando seu filho ameaça jogar o controle remoto da TV no vaso sanitário poucos segundos antes do último episódio da temporada da sua série preferida —, você pode acionar a parte superior e pensante do cérebro dele, em vez de apelar para a parte inferior e mais reativa. (Explicaremos essa estratégia detalhadamente, no capítulo 3.) Como resultado, você será capaz de evitar grande parte dos gritos e choros e da raiva que a disciplina costuma causar, sem falar em manter o controle remoto seco e conseguir ligar no seu programa favorito, muito antes de ele começar.

Mais importante do que tudo isso, conectar e redirecionar irão, para colocar da maneira mais simples possível, ajudar seus filhos a se tornarem seres humanos melhores, tanto agora quanto quando eles chegarem na vida adulta. Isso construirá as habilidades internas de que eles precisarão ao longo de suas vidas. Eles não só passarão de um estado reativo para um lugar receptivo em que podem realmente aprender — essa é a parte externa, de cooperação — como também serão construídas conexões em seus cérebros. Essas conexões permitirão que eles se transformem cada vez mais em pessoas que sabem se controlar, pensar nos outros, regular suas emoções e fazer boas escolhas. Você os estará ajudando a construir uma bússola interna com a qual eles podem contar. Em vez de simplesmente dizer-lhes o que fazer e exigir que se conformem com suas solicitações, você estará dando a eles experiências que fortaleçam suas funções executivas e desenvolvam habilidades. Essa é a parte interna, de construção cerebral.

A pesquisa é muito clara neste ponto. Filhos que obtêm os melhores resultados na vida — em termos emocionais, relacionais e mesmo educacionais — têm pais que os criam com um alto grau de conexão e são carinhosos, ao mesmo tempo que comunicam e mantêm limites claros e altas expectativas. Seus pais se mantêm consistentes enquanto interagem com eles de uma forma que comunique amor, respeito e compaixão. Como resultado, os filhos são mais felizes, se saem melhor na escola, se envolvem em menos problemas e vivem relacionamentos mais significativos.

Você nem sempre será capaz de disciplinar de uma forma que conecte e redirecione ao mesmo tempo. Nós também não fazemos isso de maneira plena com nossos filhos. Mas quanto mais nos conectamos com eles e os redirecionamos, menos dramas vemos quando reagimos ao seu mau comportamento. Melhor ainda, eles aprendem mais, constroem relacionamentos melhores, desenvolvem habilidades de resolução de conflitos e vivem um relacionamento ainda mais sólido conosco enquanto crescem e se desenvolvem.

SOBRE O LIVRO

O que está envolvido na criação de uma estratégia de disciplina que seja forte em relacionamento e tenha pouco drama? É o que o restante do livro irá explicar. O Capítulo 1, "RePENSANDO a disciplina", faz algumas perguntas sobre o que é disciplina, ajudando-lhe a identificar e desenvolver sua própria abordagem, tendo as estratégias sem drama em mente. O Capítulo 2, "Seu cérebro sobre disciplina", discute o cérebro em desenvolvimento e seu papel na disciplina. O Capítulo 3, "Do ataque de birra à tranquilidade", focará no aspecto "conexão" da disciplina, enfatizando a importância de comunicar que amamos e abraçamos nossos filhos por quem eles são, mesmo em meio a um momento disciplinador. O Capítulo 4 continua com este tema, oferecendo estratégias e sugestões específicas para realizar a conexão com os filhos, para que eles consigam se acalmar o suficiente para nos escutar e aprender, tomando decisões melhores tanto a curto quanto a médio prazo.

Então, chega o momento de redirecionar, que é o foco do Capítulo 5. A ênfase estará em ajudá-lo a lembrar da definição de disciplina (ensinar), dois princípios-chave (esperar até seu filho estar pronto e ser consistente, mas não rígido) e três resultados desejados (percepção, empatia e reparação). O Capítulo 6 concentra-se em estratégias específicas de redirecionamento, que você pode usar para atingir o objetivo imediato de obter cooperação e para ensinar aos filhos sobre percepção pessoal, empatia relacional e dar passos na direção de realizar boas escolhas. O capítulo de conclusão do livro oferece quatro mensagens de esperança que têm a intenção de ajudá-lo a tirar a pressão de si mesmo no que diz respeito à disciplina. Como iremos explicar, todos nos atrapalhamos quando disciplinamos. Somos todos humanos. Não existe isso de "pais perfeitos". Mas, se fizermos um modelo de como lidar com nossos erros e, então, repararmos o relacionamento, mesmo nossas reações imperfeitas ao mau comportamento podem ser valiosas e dar a nossos filhos oportunidades de lidar com situações difíceis e, portanto, desenvolver novas habilidades. (Ufa!) A "disciplina sem drama" não se trata de perfeição. Trata-se de conexão pessoal e reparação de falhas quando elas, inevitavelmente, ocorrerem.

Você verá que incluímos uma seção de "Mais recursos", no final do livro. Esperamos que a leitura desse material adicional agregue mais experiência e o ajude a implementar as estratégias de "conexão e redirecionamento" em sua própria casa. O primeiro documento chamamos de "Ficha para a geladeira". Ele contém os conceitos mais fundamentais do livro, apresentados de forma que você possa se lembrar dos mais importantes princípios e estratégias "sem drama". Sinta-se livre para copiar essa ficha e pendurar na sua geladeira, colar no painel do seu carro ou colocá-la em qualquer outro lugar que possa ser útil.

Em seguida, você verá uma seção chamada "Quando um especialista em criação de filhos perde as estribeiras", que conta histórias de quando nós, Dan e Tina, pegamos o pior caminho em nossos próprios papéis como pais, em vez de disciplinarmos a partir de uma "abordagem sem drama do cérebro por inteiro". Ao compartilhar estas histórias com você, simplesmente queremos reconhecer que nenhum de nós é perfeito e que todos cometemos erros com nossos filhos. Esperamos que você dê risada enquanto lê e não nos julgue muito severamente.

Em seguida, vem "Um recado aos cuidadores de nossos filhos". Essas páginas são exatamente o que você poderia esperar: um recado que você pode dar às outras pessoas que tomam conta de seus filhos. A maioria de nós conta com avós, babás, amigos e outras pessoas para nos ajudar a criá-los. Este recado relaciona uma lista simples e breve com os princípios mais importantes da "disciplina sem drama". É parecido com a "Ficha para a geladeira", mas é escrita para alguém que não leu este livro. Dessa forma, você não precisa pedir para seus sogros comprarem e lerem todo o livro (embora ninguém esteja impedindo você de fazer isso, se quiser!).

Depois do recado aos cuidadores, você verá uma lista chamada "Vinte erros de disciplina que até mesmo ótimos pais cometem". É mais um conjunto de lembretes para ajudá-lo a pensar nos princípios e questões que levantamos nos demais capítulos. O livro, então, se encerra com um trecho de nosso livro anterior, *O cérebro da criança*. Ao ler o trecho, você pode ter uma ideia do que queremos dizer quando falamos sobre criação de filhos a partir de uma perspectiva do "Cérebro por inteiro". Não é necessário que você leia esse trecho para compreender o que apresentamos aqui, mas ele está lá, caso você queira se aprofundar nessas ideias e aprender outros conceitos e estratégias para construir os cérebros de seus filhos e guiá-los na direção da sanidade, da felicidade e da resiliência.

Nosso objetivo geral, neste livro, é passar uma mensagem de esperança que transformará a forma como as pessoas compreendem e praticam a disciplina. Uma das partes menos agradáveis de trabalhar com crianças — a disciplina — pode, na verdade, ser uma das mais significativas e não precisa ser cheia de drama e reatividade constantes tanto para você quanto para seu filho. O mau comportamento das crianças realmente pode ser transformado em conexões melhores tanto em seu relacionamento quanto dentro do cérebro do seu filho. Disciplinar, a partir de uma perspectiva do "Cérebro por inteiro", permitirá que você mude completamente a forma como pensa sobre as interações com seus filhos quando eles se comportam mal e reconheça esses momentos como oportunidades para construir habilidades que os ajudarão agora e na vida adulta, fora o fato de que a vida se tornará mais fácil e mais agradável para toda a família.

1 REPENSANDO A DISCIPLINA

Aqui estão algumas declarações verdadeiras que ouvimos de pais com quem trabalhamos. Alguma delas lhe diz alguma coisa?

Quando fico bravo, normalmente, eu simplesmente reajo. Às vezes, minha atitude é boa, mas, outras vezes, termino sendo tão imaturo quanto ele. Se meu filho agisse como eu, eu lhe daria uma pausa para pensar.

Me disseram o que eu **NÃO** devo fazer – bater, gritar, etc. Mas eu não sei exatamente o que **FAZER**, em vez de ameaçar com castigos ou dar uma pausa para pensar.

Esses comentários soam familiares? Muitos pais se sentem assim. Eles querem lidar bem com as coisas quando os filhos estão se esforçando para fazer a coisa certa, mas, com muita frequência, acabam simplesmente reagindo a uma situação em vez de trabalhar a partir de um conjunto claro de princípios e estratégias. Eles mudam para o piloto automático e abrem mão do controle de suas decisões sobre a criação dos filhos.

O piloto automático pode ser uma ótima ferramenta quando se está pilotando um avião. Basta acionar um botão, sentar, relaxar e deixar que o computador leve você aonde foi programado para ir. Mas quando se trata de disciplinar os filhos, trabalhar a partir de um piloto automático pré-programado não é muito bom. Ele pode nos levar para dentro de qualquer formação de nuvens escuras e tempestuosas que possam estar se aproximando, o que quer dizer que pais, filhos e quem estiver por perto terão um caminho turbulento.

Em vez de sermos reativos, nós queremos ser proativos com relação a nossos filhos. Nós queremos tomar a iniciativa, fazendo escolhas conscientes baseadas em princípios sobre os quais pensamos e concordamos antecipadamente. Tomar a iniciativa significa considerar várias opções e depois escolher a que mais se aproxime do resultado que pretendemos alcançar. Para a "disciplina sem drama", isso significa aliar os objetivos externos de curto prazo — relacionados ao comportamento em si —, aos objetivos internos de longo prazo — relacionados às habilidades que serão levadas para a vida toda. Digamos, por exemplo, que seu filho de 4 anos bate em você. Talvez ele esteja com raiva porque você disse que precisa terminar um *e-mail* antes de brincar de Lego com ele, e ele reagiu batendo nas suas costas. (É sempre surpreendente que uma pessoa tão pequena possa provocar tanta dor, não é?)

O que você faz? Se você está no piloto automático, não está trabalhando a partir de uma filosofia específica para lidar com o mau comportamento, você simplesmente reage, sem muita reflexão ou intenção. Talvez você o tenha segurado, possivelmente com mais força do que deveria, e dito a ele, entre dentes: "Bater não é legal!". Então, pode ter dado a ele algum tipo de castigo, como ir para o quarto para pensar.

Esta é a pior reação possível que um pai pode ter? Não, não é. Mas poderia ser melhor? Claro que poderia. Para isso, é necessário compreender claramente o que você quer fazer quando seu filho se comporta mal.

Este é o objetivo deste capítulo: ajudá-lo a compreender a importância de trabalhar a partir de uma filosofia intencional e de ter uma estratégia clara e consistente para reagir ao mau comportamento. Como dissemos na introdução, os dois objetivos da disciplina são, a curto prazo, promover o bom comportamento externo e, a longo prazo, construir a estrutura interna do cérebro para desenvolver as habilidades de relacionamento. Tenha em mente que, no final das contas, disciplina diz respeito a ensinar. Então, quando você cerra os dentes, cospe uma regra e impõe uma consequência, isso funcionará quando você quiser ensinar seu filho a não bater, por exemplo?

Bem, sim e não. Isso pode alcançar o efeito de curto prazo de impedi-lo de bater em você. Medo e punição podem ser eficazes no momento, mas não funcionam a longo prazo. E medo, punição e drama são realmente o que queremos usar como motivadores primários de nossos filhos? Se forem, nós ensinamos que poder e controle são as melhores ferramentas para conseguir que os outros façam o que queremos que façam.

Mais uma vez, é completamente normal apenas reagir quando ficamos com raiva, especialmente quando alguém nos provoca dor física ou emocional. Mas há reações melhores, reações que podem alcançar os mesmos objetivos de curto prazo para reduzir a probabilidade do comportamento indesejado no futuro, ao mesmo tempo que habilidades são construídas. Então, em vez de apenas temer a sua reação e inibir um impulso no futuro, criando uma associação de medo, seu filho passará por uma experiência de aprendizado que cria uma habilidade interna. E todo esse aprendizado pode ocorrer simultaneamente à redução do drama na interação e ao fortalecimento de sua conexão com ele.

Vamos falar sobre como você pode reagir para tornar a disciplina uma reação construtora de habilidades, em vez de uma reação que cause medo.

AS TRÊS PERGUNTAS: POR QUÊ? O QUÊ? COMO?

Antes de reagir ao mau comportamento, tire um instante para se fazer três perguntas simples:

1. *Por que meu filho está agindo dessa maneira?* Quando estamos com raiva, nossa resposta pode ser "Porque ele é um pirralho mimado", ou "Porque ele está tentando me irritar!". Mas quando nossa abordagem é feita com curiosidade em vez de suposições, olhando mais profundamente para o que está acontecendo por trás de um mau comportamento específico, conseguimos compreender que nosso filho estava tentando expressar ou fazer alguma coisa, mas simplesmente não lidou adequadamente com isso. Se compreendermos isso, conseguiremos reagir de maneira mais eficiente — e compassiva.
2. *Que lição eu quero ensinar, neste momento?* Mais uma vez, o objetivo da disciplina não é impor um castigo. Nós queremos ensinar uma lição — seja sobre autocontrole ou a importância de compartilhar, seja sobre a forma de agir de maneira responsável ou qualquer outra coisa.
3. *Como posso ensinar melhor esta lição?* Levando em consideração a idade e o estágio de desenvolvimento de uma criança (ele se deu conta de que o megafone estava ligado quando o levou ao ouvido do cachorro?), como podemos comunicar do modo mais eficiente o que queremos transmitir? Com muita frequência, reagimos ao mau comportamento como se castigos fossem o objetivo da disciplina. Às vezes, sequências naturais resultam da decisão de uma criança, e a lição é ensinada sem que precisemos fazer muita coisa. Mas, normalmente, há maneiras mais eficientes e amorosas de ajudar nossos filhos a compreenderem o que estamos tentando comunicar do que simplesmente impor consequências padrão.

Ao fazer a nós mesmos essas três perguntas — por quê — o quê — como — quando nossos filhos fazem algo de que não gostamos, conseguimos sair mais facilmente do piloto automático. Isso quer dizer que teremos muito mais probabilidade de reagir de uma maneira que seja eficiente para interromper o comportamento a curto prazo, a mesmo tempo que ensinamos lições maiores e duradouras para a vida inteira e habilidades que constroem o caráter e preparam os filhos para tomar boas decisões no futuro.

Vamos falar mais sobre como essas três perguntas podem nos ajudar a reagir ao filho de 4 anos que nos bate quando estamos enviando um *e-mail*. Quando você ouvir o tapa e sentir a impressão de dor em formato de mãozinha nas suas costas, talvez leve um instante para se acalmar e não reagir. Não é sempre fácil, não é? Na verdade, nossos cérebros são programados para interpretar dor física como ameaça, o que ativa o circuito neural que pode nos tornar mais reativos e nos colocar em modo de "luta". Por isso, é preciso algum esforço, às vezes muito esforço, para manter o controle e praticar a "disciplina sem drama". Nós precisamos superar nosso cérebro reativo primitivo quando isso acontece. Nada fácil. (Aliás, isso fica muito mais difícil de fazer se estamos com privação de sono, com fome, sobrecarregados ou se não estamos priorizando nossos cuidados pessoais.). Essa pausa entre reativo e responsivo é o começo da escolha, da intenção e da habilidade como pais.

Então, o mais rapidamente possível, você vai querer tentar fazer uma pausa e se fazer as três perguntas. Você poderá ver com muito mais clareza o que está ocorrendo na sua interação com o seu filho. Toda situação é única e depende de muitos fatores diferentes, mas as respostas às perguntas podem parecer um pouco com isso:

1. *Por que meu filho está agindo dessa maneira?* Ele bateu em você porque queria a sua atenção e não estava conseguindo. Parece bem típico de uma criança de 4 anos, não? Desejável? Não. Adequado em termos de desenvolvimento? Absolutamente. Esperar é difícil para uma criança dessa idade, e grandes sentimentos emergem, tornando isso ainda mais difícil. Ela ainda não tem idade suficiente para se acalmar com a eficácia ou a rapidez necessária para não fazer drama. Você quer que ela apenas se acalme e declare, com compostura: "Mamãe, eu estou me

sentindo frustrado por você estar me pedindo para continuar esperando, e eu estou tendo um forte impulso agressivo de bater em você, mas eu escolhi não fazer isso e, portanto, estou usando minhas palavras". Mas isso não vai acontecer. (Seria muito engraçado se acontecesse.). Nesse momento, bater é a estratégia padrão do seu filho para expressar seus grandes sentimentos de frustração e impaciência, e ele precisa de algum tempo e de prática de construção de habilidades para aprender tanto a lidar com o adiamento de gratificação quanto a administrar a raiva adequadamente. Foi por isso que ele bateu em você.

Isso soa muito menos pessoal, não? Nossos filhos não costumam nos atacar apenas porque são grosseiros ou porque sejamos um fracasso como pais. Geralmente, eles nos atacam porque ainda não têm a capacidade de regular seus estados emocionais e controlar seus impulsos. E eles se sentem seguros o bastante conosco para saber que não perderão nosso amor, mesmo quando agem da pior maneira. Na verdade, quando uma criança de 4 anos não bate e age "perfeitamente" o tempo todo, ficamos preocupados sobre os laços dessa criança com seus pais. Quando os filhos sentem que estão ligados aos pais de maneira segura, eles se sentem confiantes o bastante para testar esse relacionamento. Em outras palavras, o mau comportamento dele é, frequentemente, um sinal da confiança e da segurança que ele sente com você. Muitos pais percebem que seus filhos "guardam tudo para eles", comportando-se muito melhor na escola ou com outros adultos do que em casa. É por isso. Essas explosões são sinais de segurança e confiança, em vez de apenas uma forma de rebeldia.

2. *Que lição eu quero ensinar, neste momento?* A lição não é que o mau comportamento merece um castigo, mas que há maneiras mais inteligentes de atrair sua atenção e de lidar com a raiva, em vez de recorrer à violência. Você quer que seu filho aprenda que bater não está certo e que há outras maneiras adequadas de expressar seus sentimentos mais íntimos.

3. *Como posso ensinar melhor esta lição?* Embora impor ao seu filho uma pausa para pensar ou um castigo não garanta que ele vá pensar duas vezes antes de bater, há uma alternativa melhor. E se você se conectasse com ele, puxando-o para você e deixando-o saber que ele tem toda a sua atenção? Assim, você poderia reconhecer seus sentimentos e servir de modelo sobre como comunicar essas emoções: "É difícil esperar. Você quer muito que eu brinque com você e está bravo que eu esteja no computador. É isso mesmo?". Muito provavelmente, você receberá um "Sim!" irritado, como resposta. Isso não é algo ruim. Ele saberá que tem a sua atenção. E você também terá a atenção dele. Agora, você pode falar com ele e, conforme ele se acalma e consegue escutar melhor, faça contato visual, explique que nunca é certo bater e fale sobre algumas alternativas que ele poderia escolher — como usar as palavras para expressar sua frustração — da próxima vez em que quiser sua atenção.

EM VEZ DE APENAS REAGIR

Vá fazer uma pausa para pensar!

Esta abordagem funciona com filhos maiores, também. Vamos pensar em um dos problemas mais comuns enfrentados pela maioria dos pais: brigas para fazer o dever de casa. Imagine que sua filha de 9 anos esteja tendo dificuldades na hora de estudar e que vocês estejam sempre andando em círculos. Pelo menos uma vez por semana ela entra em crise. Ela fica tão frustrada que acaba em lágrimas, gritando com você e chamando os professores de "maus", por darem deveres de casa tão difíceis, e a si mesma de "burra", por ter dificuldades. Depois dessas declarações, ela enterra o rosto nos braços e chora convulsivamente sobre a mesa.

FAÇA AS TRÊS PERGUNTAS

Por que ela bateu em mim?
O que eu quero ensinar a ela neste momento?
Como posso ensinar melhor a lição?

Para um pai ou uma mãe, essa situação pode ser tão enlouquecedora quanto levar um tapa nas costas de uma criança de 4 anos de idade. Uma reação no piloto automático seria ceder à frustração e, no calor da raiva, argumentar com a sua filha e dar um sermão, culpando-a por administrar mal o próprio tempo e não prestar atenção suficiente durante as aulas. Você, provavelmente, conhece o sermão: "Se você tivesse começado mais cedo, quando eu falei para você começar, você já teria terminado". Nós nunca ouvimos uma criança respondendo a este sermão com: "Você tem razão, papai. Eu realmente deveria ter começado quando você pediu. Vou assumir a responsabilidade por não ter começado quando deveria e aprendi a lição. Vou simplesmente começar meu dever de casa mais cedo, amanhã. Obrigada por me ajudar quanto a isso".

Em vez do sermão, e se você fizesse as perguntas por quê-o quê-como?

1. *Por que minha filha está agindo dessa maneira?* Mais uma vez, as abordagens disciplinadoras irão mudar dependendo de quem é a sua filha e como é a personalidade dela. Talvez o dever de casa seja uma dificuldade para ela, o que a faz se sentir frustrada, como se fosse uma batalha que jamais conseguirá vencer. Talvez haja alguma coisa que pareça difícil ou intensa demais e a faça se sentir mal consigo mesma, ou talvez ela apenas esteja precisando de mais atividade física. Os principais sentimentos, aqui, poderiam ser frustração e sensação de impotência.
   Ou talvez a escola não costume ser tão difícil para ela, mas ela tenha tido uma crise porque está cansada e se sentindo sobrecarregada, nesse dia. Ela acordou cedo, passou seis horas na escola, depois teve uma reunião das escoteiras que durou até a hora do jantar. Agora que comeu, precisa sentar à mesa da cozinha e resolver frações durante quarenta e cinco minutos? Não é de admirar que ela esteja quase perdendo o controle. Isso é muita exigência para uma criança de 9 anos de idade (ou mesmo para um adulto!). Isso não quer dizer que ela ainda não precise fazer seu dever de casa, mas pode mudar a sua perspectiva — e a sua reação — quando você se der conta do contexto em que ela está inserida.
2. *Que lição eu quero ensinar, neste momento?* Talvez você queira ensinar sobre gestão eficaz do tempo e responsabilidade. Ou sobre escolher as atividades das quais participar. Ou sobre como lidar com a frustração.
3. *Como posso ensinar melhor esta lição?* Definitivamente, um sermão quando ela já está incomodada não é a melhor abordagem. Este não é um momento de ensino, porque as partes emocionais e reativas do cérebro dela estão furiosas, sobrecarregando o pensamento mais tranquilo e racional e as partes receptivas de seu cérebro. Então, em vez disso, talvez você queira ajudá-la com suas frações e apenas atravessar esta crise particular: "Sei que é muita coisa esta noite e que você está cansada. Você consegue fazer isso. Eu sento

com você e acabamos juntos". Então, depois de ela se acalmar e vocês dois dividirem uma tigela de sorvete — ou quem sabe até mesmo no dia seguinte —, vocês podem discutir se ela está com a agenda muito lotada, se está tendo dificuldade para compreender um conceito, ou se ela está conversando com os colegas na aula e levando para casa deveres de sala de aula sem terminar, o que significa mais dever de casa. Faça perguntas a ela e resolvam os problemas juntos para descobrir o que está acontecendo. Pergunte o que está atrapalhando seu dever de casa, por que ela acha que não está funcionando direito e quais seriam as sugestões dela. Olhe para toda a experiência como uma oportunidade de colaborar para melhorar a experiência do dever de casa. Ela pode precisar de alguma ajuda para apresentar soluções, mas envolva-a no processo o máximo possível.

Lembre-se de escolher um momento em que você e sua filha estejam com um estado de espírito bom e receptivo, então, comece dizendo alguma coisa como: "A história do dever de casa não está funcionando bem, não é? Aposto como conseguimos encontrar um jeito melhor de lidar com isso. O que você acha que pode funcionar?". (Aliás, no Capítulo 6, em que discutimos estratégias de redirecionamento sem drama, nós lhe daremos sugestões específicas e práticas para ajudá-lo com esse tipo de conversa.)

Como filhos diferentes exigirão respostas diferentes às perguntas por quê-o quê-como, não estamos dizendo que qualquer uma dessas respostas específicas serão aplicáveis a seus filhos, em algum momento. A ideia é olhar para a disciplina de uma nova maneira, repensá-la. Você pode ser orientado por uma filosofia geral quando interage com seus filhos, em vez de simplesmente reagir quando ele fizerem algo de que você não goste. As perguntas por quê, o quê, como nos fornecem estratégias para passar da criação reativa do filhos para uma criação receptiva e intencional, levando em consideração o cérebro por inteiro.

EM VEZ DE PASSAR SERMÃO

Se você tivesse começado mais cedo... Você precisa ser mais responsável... Você não presta atenção às aulas?

FAÇA AS TRÊS PERGUNTAS

Porque será que minha filha está tendo dificuldades? O que eu quero ensinar, e como posso ensinar da melhor maneira?

Claro, você nem sempre terá tempo para refletir sobre as três perguntas. Quando uma luta de brincadeira na sala de estar se transforma em uma briga sangrenta, ou quando você tem gêmeas pequenas atrasadas para o balé, não é tão fácil obedecer a um protocolo de três perguntas. Nós entendemos isso. Pode parecer completamente irrealista pensar que você teria tempo para ter tanta visão mental no calor do momento.

Não estamos dizendo que você fará isso perfeitamente todas as vezes, nem que será imediatamente capaz de pensar na sua reação quando seus filhos ficarem chateados. Mas quanto mais você pensar em praticar esta abordagem, mais natural e automática ela se tornará, de modo a oferecer uma avaliação rápida, para que você reaja com uma resposta intencional. Ela pode até mesmo se tornar o seu padrão, a sua estratégia principal. Com a prática, essas perguntas podem ajudar você a se manter proativo e receptivo diante das interações previamente indutoras de reações. Perguntar por quê — o quê — como pode ajudar a criar uma noção interna de clareza, mesmo diante do caos externo.

Como resultado, você receberá o bônus de precisar disciplinar cada vez menos, porque não apenas estará moldando o cérebro do seu filho para que ele tome decisões melhores e aprenda a conexão entre seus sentimentos e seu comportamento, como estará em maior sintonia com o que está acontecendo com ele — por que ele faz o que faz —, o que quer dizer que você terá mais capacidade de orientá-lo antes das coisas piorarem. Além disso, você será mais capaz de ver as coisas a partir da perspectiva dele, o que permitirá que você reconheça quando ele precisa da sua ajuda, em vez da sua ira.

NÃO CONSEGUIR X NÃO QUERER: DISCIPLINA NÃO É ALGO PADRONIZADO

Falando de maneira simples, fazer as perguntas por quê-o quê-como nos ajuda a lembrar quem são nossos filhos e do que eles precisam. As perguntas nos desafiam a termos consciência da idade e das necessidades únicas de cada indivíduo. Afinal, o que funciona para uma criança pode ser exatamente o oposto do que o irmão dela precisa. E o que funciona para uma criança, em determinado período, pode não funcionar para a mesma criança dez minutos depois. Por isso, não pense em disciplina como uma solução padronizada. Em vez disso, lembre-se do quanto é importante disciplinar esta criança, neste momento.

Com bastante frequência, quando disciplinamos no piloto automático, reagimos a uma situação muito mais a partir do nosso estado de espírito geral, do que de acordo com o que nosso filho precisa naquele momento, em particular. É fácil esquecer que nossos filhos são apenas isso — filhos — e acabamos esperando um comportamento além da capacidade de desenvolvimento deles. Por exemplo, não podemos esperar que um menino de quatro anos lide bem com suas emoções quando está irritado porque a mãe ainda está no computador mais do que podemos esperar que uma menina de nove anos não pire por causa do dever de casa, de vez em quando.

Recentemente, Tina viu uma mãe e uma avó fazendo compras. Elas estavam com um menininho que parecia ter cerca de 15 meses de idade, afivelado ao carrinho de compras. Enquanto as mulheres olhavam para bolsas e sapatos, o menininho chorava sem parar, claramente querendo sair do carrinho. Ele precisava se movimentar, caminhar e explorar. Sem pensar muito, as cuidadoras lhes entregavam objetos para distraí-lo, o que apenas servia para frustrá-lo ainda mais. O menininho não sabia falar, mas a mensagem dele era clara: "Vocês estão pedindo demais de mim! Eu preciso que vocês vejam do que eu preciso!". O comportamento e o choro triste dele eram completamente compreensíveis.

Vocês estão pedindo demais de mim! Estou tentando dizer o que eu preciso!

Na verdade, nós deveríamos supor que os filhos, às vezes, serão reativos e apresentarão um comportamento "de confronto".

Em termos de desenvolvimento, como ainda não estão trabalhando com cérebros completamente formados (como explicaremos no Capítulo 2), eles são, literalmente, incapazes de atender às nossas expectativas o tempo todo. Isso significa que, quando disciplinamos, devemos sempre levar em consideração a capacidade de desenvolvimento, o temperamento particular e o estilo emocional, bem como o contexto situacional de uma criança.

Uma distinção valiosa é a ideia de não conseguir x não querer. A frustração dos pais diminui radical e drasticamente quando distinguem entre um não conseguir e um não querer. Às vezes, deduzimos que nossos filhos não irão se comportar como queremos que se comportem quando, na realidade, eles simplesmente não conseguem, pelo menos não naquele momento, em particular.

A verdade é que um grande percentual de mau comportamento tem mais a ver com não conseguir do que com não querer. Da próxima vez que seu filho estiver tendo dificuldade para se controlar, pergunte a si mesmo: "A forma como ele está agindo faz sentido, considerando a idade dele e as circunstâncias?". Com muito mais frequência do que imaginamos, a resposta será sim. Resolva problemas da casa durante horas com uma criança de 3 anos no carro, e ela vai ficar agitada. Uma criança de 11 anos que tenha ficado acordada até tarde, na noite anterior, e depois teve de acordar cedo para ir à escola, provavelmente terá uma crise em algum momento do dia. Não porque ela não quer se controlar, mas porque ela não consegue.

Nós falamos sobre isso com os pais o tempo todo. Foi especialmente eficaz com um pai solteiro que visitou Tina, em seu consultório. Ele já não sabia mais o que fazer porque, apesar de seu filho de 5 anos claramente demonstrar a capacidade de agir adequadamente e tomar boas decisões, às vezes ele tinha crises pelas menores coisas. Eis como Tina abordou a conversa:

Comecei tentando explicar ao pai que, às vezes, o filho dele não conseguia regular a si mesmo, o que queria dizer que ele não estava escolhendo ser voluntarioso ou desafiador. A linguagem corporal do pai em reação à minha explicação foi clara. Ele cruzou os braços e se recostou na cadeira. Embora não tenha literalmente revirado os olhos, ficou claro que ele não tinha a intenção de fundar um fã-clube meu. Então, eu disse: "Estou com a impressão de que você não está concordando comigo".

Ele respondeu: "Isso simplesmente não faz sentido. Às vezes, ele se sai muito bem, até mesmo ao lidar com grandes decepções. Como na semana passada, quando não pôde ir ao jogo de hóquei. No entanto, há situações em que ele perde completamente a cabeça por não poder usar a xícara azul porque ela está suja! Não tem a ver com o que ele não consegue fazer. Ele só é mimado e precisa de uma disciplina mais rígida. Ele precisa aprender a obedecer. E ele consegue fazer isso! Ele já provou que consegue escolher totalmente como se controla.".

Decidi correr um risco terapêutico — fazendo algo fora do normal sem saber muito bem como me sairia. Assenti e então perguntei: "Aposto como você é um pai amoroso e paciente a maior parte do tempo, certo?".

Ele respondeu: "Sim, a maior parte do tempo. Às vezes, é claro, não sou".

Tentei passar um pouco de humor e divertimento no tom de voz ao dizer: "Então, você consegue ser paciente e amoroso, mas às vezes escolhe não ser?". Felizmente, ele sorriu, começando a entender aonde eu estava indo. Então, pressionei. "Se amasse seu filho, você não faria escolhas melhores e seria um bom pai o tempo todo? Por que você está escolhendo ser impaciente ou reativo?". Ele começou a assentir com a cabeça e abriu um sorriso ainda maior, reconhecendo meu senso de humor ao mesmo tempo que entendia meu ponto.

> Continuei. "O que é que dificulta ser paciente?". Ele respondeu: "Bom, depende de como eu estou me sentindo, tipo, se estou cansado ou se tive um dia difícil no trabalho ou coisa parecida".
>
> Sorri e disse: "Você sabe aonde estou querendo chegar com isso, não sabe?".

Claro que ele sabia. Tina continuou explicando que a capacidade de uma pessoa de lidar bem com situações e tomar boas decisões pode variar conforme as circunstâncias e o contexto de determinada situação. Simplesmente por sermos humanos, nossa capacidade de nos controlarmos bem não é estável e constante. E esse é, certamente, o caso de uma criança de 5 anos de idade.

O pai compreendeu claramente o que Tina estava dizendo: que é um engano supor que apenas porque seu filho conseguia se controlar bem em um momento ele sempre seria capaz de fazer isso. E que quando o filho não administrava bem seus sentimentos e comportamentos, não significava que ele era mimado e precisava de uma disciplina mais rígida. Em vez disso, ele precisava de compreensão e ajuda e, através de conexão emocional e estabelecimento de limites, o pai conseguiria aumentar e expandir a capacidade do filho. A verdade é que, para todos nós, nossa capacidade varia, levando em consideração nosso estado de espírito e o estado físico, e esses estados são influenciados por muitos fatores — especialmente no caso de um cérebro em desenvolvimento, em uma criança em desenvolvimento.

Tina e o pai conversaram mais, e ficou claro que ele havia compreendido completamente o que ela estava querendo dizer. Ele entendeu a diferença entre não conseguir e não querer. Viu que estava impondo ao filho pequeno expectativas rígidas e inadequadas (padronizadas) em termos de desenvolvimento, assim como à irmã do menino. Esta nova perspectiva deu a ele a capacidade de desligar seu piloto automático parental e começar a trabalhar para tomar decisões intencionais e imediatas com os filhos, mesmo que os dois tenham personalidades e necessidades particulares, em momentos diferentes. O pai se deu conta de que ele não apenas podia estabelecer limites claros e firmes, como também poderia fazer isso de uma maneira ainda mais eficiente e respeitosa, porque estaria levando em consideração o temperamento e a capacidade variante, de acordo com o contexto. Como resultado, ele seria capaz de atingir ambos os objetivos disciplinares: ver menos a falta de cooperação geral do filho e ensinar a ele importantes habilidades e lições de vida que o ajudariam a se transformar em um homem.

Este pai estava aprendendo a desafiar certas suposições em seu próprio pensamento, como a de que o mau comportamento é sempre uma oposição voluntariosa em vez de um momento de dificuldade enquanto se tenta gerenciar sentimentos e comportamentos. Conversas futuras com Tina o levaram a questionar não apenas essa suposição, como também a ênfase em fazer o filho e a filha obedecerem a ele incondicionalmente e sem exceção. Sim, ele queria que sua disciplina estimulasse, mesmo que minimamente, a cooperação dos filhos. Mas obediência completa e sem questionamento? Ele queria que seus filhos crescessem obedecendo cegamente a todo mundo, durante toda a vida? Ou preferiria que eles desenvolvessem suas personalidades e identidades individuais, aprendendo, no caminho, o que significa se dar bem com outras pessoas, observar limites, tomar boas decisões, ter autodisciplina e enfrentar situações difíceis, pensando por si mesmos? Mais uma vez, ele entendeu o que ela estava querendo dizer, e isso fez toda a diferença para seus filhos.

Outra suposição que este pai começou a desafiar dentro de si mesmo foi a de que existe uma bala de prata ou uma varinha mágica que possa ser usada para resolver qualquer problema ou preocupação comportamental. Nós queríamos que existisse uma panaceia dessas, mas não existe. É tentador comprar a ideia de uma prática disciplinar que prometa funcionar o tempo todo e em todas as situações, ou mudar radicalmente uma criança, em alguns dias. Mas a dinâmica da interação com os filhos é sempre muito mais complexa do que isso. Questões comportamentais simplesmente não podem ser resolvidas com uma abordagem padronizada, que possa ser aplicada a todos os ambientes, circunstâncias ou crianças.

Agora, vamos dedicar alguns minutos a discutir as duas técnicas disciplinadoras padronizadas mais comuns nas quais os pais se baseiam: surras e pausas para pensar.

SURRAS E O CÉREBRO

Uma reação do piloto automático a que vários pais recorrem é a surra. Frequentemente, nos perguntam qual nossa posição sobre o assunto.

Embora sejamos realmente grandes defensores de limites, ambos somos fortemente contra surras. A punição física é um tema complexo e extremamente pesado, e uma discussão completa do tema, dos diversos contextos em que a punição física ocorre e dos impactos negativos das surras vai além da abrangência deste livro. Mas, com base em nossa perspectiva neurocientífica e em literatura de pesquisa, nós acreditamos que surras são contraproducentes quando se trata de construir relacionamentos respeitosos com nossos filhos, ensinar as lições que queremos que eles aprendam e estimular o desenvolvimento ideal. Nós também acreditamos que os filhos devem ter o direito de serem livres de qualquer forma de violência, especialmente nas mãos das pessoas em que mais confiam para protegê-los.

Sabemos que existem todos os tipos de pais, todos os tipos de filhos e todos os tipos de contextos em que a disciplina ocorre. E nós, certamente, compreendemos que a frustração, junto com o desejo de fazer a coisa certa para os filhos, leva alguns pais a usarem a surra como uma estratégia de disciplina. Mas pesquisas demonstram de maneira consistente que mesmo quando os pais são carinhosos, amorosos e cuidadosos, dar surras nos filhos não apenas é menos efetivo na mudança de comportamentos a longo prazo, como é associado com resultados negativos em muitos domínios. É verdade que há muitas abordagens de disciplina sem surras que podem ser tão danosas como bater. Isolar os filhos por longos períodos de tempo, humilhá-los, assustá-los berrando ameaças e usar outras formas de agressão verbal ou psicológica são exemplos de práticas disciplinadoras que ferem suas mentes, mesmo quando seus pais jamais tenham tocado fisicamente neles.

Nós, portanto, encorajamos os pais a evitar qualquer abordagem disciplinadora que seja agressiva, provoque dor ou crie medo ou terror. Para começar, é contraproducente. A atenção da criança é desviada do próprio comportamento e de como modificá-lo para a reação do cuidado ao comportamento, o que quer dizer que a criança não pensa mais em suas próprias ações. Em vez disso, ela pensa apenas em como injusto e mau seu pai foi ao magoá-la — ou mesmo em como seu pai foi assustador naquele momento. A reação dos pais, assim, mina os dois principais objetivos da disciplina — modificar o comportamento e construir o cérebro —, porque desperdiça uma oportunidade para a criança pensar no próprio comportamento e até mesmo sentir alguma culpa ou algum remorso saudável.

Outro problema importante com o ato de bater é o que acontece com a criança psicológica e neurologicamente. O cérebro interpreta dor como ameaça. Então, quando um pai provoca dor física em uma criança, ela enfrenta um paradoxo biológico que não pode ser solucionado. Todos nascemos com um instinto de procurar nossos cuidadores em busca de proteção quando nos ferimos ou sentimos medo. Mas quando nossos cuidadores são também a fonte da dor e do medo, quando o pai provocou o estado de terror dentro da criança pelo que ela fez, pode ser muito confuso para o cérebro dela. Um circuito faz a criança tentar fugir do pai que está provocando a dor. Outro circuito faz a criança ir para a figura de apego em busca de segurança. Então, quando o pai é a fonte do medo ou da dor, o cérebro pode se tornar desorganizado em seu funcionamento, uma vez que não há solução. Nós chamamos isso, no extremo, de uma forma de apego desorganizado. O hormônio do estresse, o cortisol, liberado nesse estado interno tão desorganizado e com experiências interpessoais de raiva e terror, pode levar a impactos negativos de longa duração sobre o desenvolvimento do cérebro, uma vez que o cortisol é tóxico para este e inibe seu crescimento saudável. Punições duras e severas podem até mesmo levar a importantes mudanças no cérebro, como a morte de conexões ou de células cerebrais.

Outro problema com a surra é que ela ensina à criança que o pai não tem uma estratégia eficaz além de provocar dor física. Esta é uma lição direta que todo pai deveria levar profundamente em consideração: nós queremos ensinar nossos filhos que a forma de resolver um conflito é provocar dor física, especialmente sobre alguém indefeso, que não pode revidar?

Olhando pelas lentes do cérebro e do corpo, nós sabemos que os humanos são instintivamente programados para evitar a dor. E é também a mesma parte do cérebro que mede a dor física que processa a rejeição social. Provocar dor física também é criar rejeição social no cérebro da criança. Como os filhos não podem ser perfeitos, nós vemos a importância das descobertas indicando que, embora bater frequentemente interrompa um comportamento em um momento particular, isso não é tão eficaz para mudar o comportamento a longo prazo. Em vez disso, os filhos apenas ficarão melhores em esconder o que fizeram. Em outras palavras, o perigo é que os filhos farão qualquer coisa para evitar a dor da punição física (e a rejeição social), o que, frequentemente, significará mais mentiras e omissões — e não comunicação colaborativa e abertura ao aprendizado.

Um ponto final sobre o ato de bater tem a ver com qual parte do cérebro queremos contar e desenvolver com a nossa disciplina. Como explicaremos no próximo capítulo, pais têm a opção de envolver a parte superior e pensante do sábio cérebro da criança, ou a parte reptiliana, inferior e mais reativa. Se você ameaçar ou atacar fisicamente um réptil, que tipo de resposta acha que receberá? Imagine uma cobra encurralada cuspindo em você. Não há nada de sábio ou de conexão em ser reativo.

Quando somos ameaçados ou atacados fisicamente, nosso cérebro reptiliano ou primitivo assume o controle. Nós entramos em um modo adaptável de sobrevivência, frequentemente chamado de "lutar, fugir ou paralisar". Nós também podemos desmaiar, uma reação que ocorre com alguns quando se sentem totalmente indefesos. Da mesma maneira, quando fazemos nossos filhos sentirem medo, dor e raiva , ativamos um aumento no fluxo de energia e informações para o cérebro primitivo e reativo, em vez de direcionar o fluxo para as regiões receptivas, pensantes, mais sofisticadas e potencialmente sábias do cérebro que permitem que os filhos tomem decisões saudáveis e flexíveis e lidem bem com suas emoções.

Você quer provocar a reatividade no cérebro primitivo do seu filho ou fazer o cérebro pensante e racional dele ficar receptivo e abertamente envolvido com o mundo? Quando ativamos os estados reativos do cérebro, perdemos a chance de desenvolver sua parte pensante. É uma oportunidade perdida. Além disso, nós temos muitas outras opções mais efetivas para disciplinar — estratégias que dão aos filhos prática no uso do cérebro do "andar de cima" (cujo conceito explicaremos melhor no Capítulo 2), para que ele fique mais forte e mais bem desenvolvido, significando que eles serão muito mais capazes de serem pessoas responsáveis, que fazem a coisa certa com mais frequência. (Falaremos mais sobre isso nos Capítulos 3 a 6.)

E AS PAUSAS PARA PENSAR? ELAS NÃO SÃO UMA FERRAMENTA DISCIPLINAR EFICAZ?

Hoje em dia, a maioria dos pais que decide que não quer bater nos filhos parte do princípio de que as pausas para pensar são a melhor alternativa disponível. Mas são mesmo? Elas nos ajudam a alcançar nossos objetivos disciplinares?

Em termos gerais, nós achamos que não.

Conhecemos muitos pais amorosos que usam pausas para pensar como a principal técnica disciplinar. Mas, depois de explorar as pesquisas, conversar com milhares de pais e criar nossos próprios filhos, chegamos a diversos motivos para pensarmos que as pausas para pensar não são a melhor estratégia de disciplina. Em primeiro lugar, quando pais usam pausas para pensar, costumam usá-las em excesso e, frequentemente, quando estão com raiva. No entanto, pais podem dar aos filhos experiências mais positivas e significativas que alcancem melhor nossos objetivos duplos de estimular a cooperação e construir o cérebro. Conforme iremos explicar mais detalhadamente no próximo capítulo, conexões cerebrais são formadas a partir de experiências repetidas. E o que uma pausa para pensar dá a uma criança? Isolamento. Mesmo que você consiga impor uma pausa para pensar de maneira carinhosa, você quer que as experiências repetidas do seu filho quando ele cometer um erro seja passar um tempo sozinho, o que é frequentemente vivenciado, especialmente por filhos pequenos, como rejeição?

Não seria melhor fazê-lo vivenciar o que significa fazer as coisas do jeito certo? Então, em vez de uma pausa para pensar, talvez você possa pedir que ele pratique como lidar com uma situação de maneira diferente. Se ele estiver sendo desrespeitoso no tom de voz ou nas palavras, você pode pedir que ele tente novamente e comunique o que quer dizer, respeitosamente. Se ele vem sendo cruel com o irmão, pode pedir que encontre três coisas gentis para fazer para ele antes de dormir. Dessa maneira, a experiência repetida de comportamento positivo começa a ser programada no cérebro dele. (Mais uma vez, abordaremos isso com mais profundidade nos capítulos seguintes.)

Em resumo, tempos para pensar frequentemente não conseguem alcançar seus objetivos, que devem fazer com que seus filhos se acalmem e reflitam sobre seus comportamentos. Pela nossa experiência, pausas para pensar apenas deixam os filhos com mais raiva e mais desregulados, deixando-os menos capazes de se controlar ou de pensar no que fizeram. Além disso, com que frequência você acha que os filhos usam as pausas para pensar para refletir sobre seus comportamentos? Nós temos uma notícia para você: a principal coisa sobre a qual os filhos refletem enquanto estão em uma pausa para pensar é em como os pais são maus por tê-los deixado lá.

Quando os filhos estão refletindo sobre a sorte terrível de terem pais tão maus e injustos, estão perdendo uma oportunidade de construir percepção, empatia e habilidades de percepção e solução de problemas. Colocá-los em uma pausa para pensar os priva de uma chance de serem tomadores de decisão ativos e empáticos e que têm o poder de descobrir as coisas. Nós queremos dar a eles oportunidades de serem solucionadores de problemas, de tomarem boas decisões e serem confortados quando estiverem desmoronando. Você pode fazer um bem tremendo a seus filhos simplesmente perguntando: “Que ideias você tem para fazer as coisas de um jeito melhor e resolver este problema?”. Se receberem a chance depois de estarem calmos, os filhos, normalmente, farão a coisa certa e aprenderão durante o processo.

O QUE OS PAIS ESPERAM DAS PAUSAS PARA PENSAR:

Eu fiz errado mesmo, mas vou fazer melhor no futuro. Esta pausa para pensar realmente me fez perceber isso.

O QUE REALMENTE ACONTECE DURANTE AS PAUSAS PARA PENSAR:

Eu tenho os piores pais do mundo.

Além disso, com bastante frequência, as pausas para pensar não são relacionadas a um comportamento específico, o que seria fundamental para um aprendizado efetivo. Fazer uma montanha de papel higiênico significa ajudar a limpar. Andar de bicicleta sem capacete significa que, em vez de simplesmente pular na bicicleta e sair andando, durante duas semanas é necessário que haja uma checagem de segurança toda vez que a bicicleta sair da garagem. Deixar um taco em um treino de beisebol significa precisar emprestar o taco de um colega até o outro aparecer. Essas são respostas conectadas dos pais que estão claramente relacionadas com o comportamento. Elas não são, de forma alguma, punitivas ou de retaliação. Servem para ensinar lições aos filhos e para ajudá-los na compreensão sobre como fazer as coisas certas. Portanto, pausas para pensar não se relacionam de maneira clara com a má decisão ou com a reação fora de controle da criança. Como resultado, não são tão eficazes em termos de mudança de comportamento.

Mesmo quando os pais têm boas intenções, pausas para pensar são, frequentemente, usadas de maneira inadequada. Talvez queiramos pausas para pensar para dar aos filhos uma chance de se acalmar e de se recompor para conseguirem sair do caos interno para uma situação de calma e cooperação. Mas, na maior parte das vezes, os pais usam pausas para pensar de maneira punitiva, em que o objetivo não é ajudar a criança a voltar para seu padrão tranquilo ou a aprender uma lição importante, mas puni-la pelo mau comportamento. O aspecto calmante e educador da pausa para pensar se perde completamente.

Mas o maior motivo pelo qual questionamos o valor das pausas para pensar tem a ver com a profunda necessidade de conexão das crianças. Frequentemente, o mau comportamento é resultado do fato de a criança estar sobrecarregada emocionalmente, assim, ela acaba expressando suas necessidades ou seus sentimentos de maneira agressiva, desrespeitosa ou não colaborativa. Ela pode estar com fome ou cansada ou talvez haja algum outro motivo pelo qual ela seja incapaz de ter autocontrole e de tomar uma boa decisão, naquele momento. Talvez a explicação seja simplesmente que ela tem 3 anos de idade e seu cérebro não é sofisticado o bastante para compreender e expressar calmamente seus sentimentos. Então, em vez de fazer o melhor para comunicar sua imensa decepção e raiva por não haver mais suco de uva, ela começa a atirar brinquedos em você.

EM VEZ DE UMA PAUSA PARA PENSAR PADRONIZADA...

FAÇA SEU FILHO PRATICAR O ATO DE FAZER BOAS ESCOLHAS

O que você poderia fazer para acertar isso?

É durante esses momentos que a criança mais precisa da nossa presença tranquila e do nosso conforto. Obrigá-la a se afastar e ficar sentada sozinha pode parecer abandono para uma criança, especialmente se ela já estiver se sentindo fora do controle. Isso pode, até mesmo, passar a mensagem sutil de que quando ela não está "fazendo a coisa certa", você não quer ficar perto dela. Você não quer passar a mensagem de que terá um relacionamento com ela quando ela estiver "boazinha" ou feliz, mas sonegará seu amor e afeto quando não estiver. Você gostaria de ficar nesse tipo de relacionamento? Não sugeriríamos a nossos adolescentes que talvez fosse melhor evitar amigos ou companheiros que lhes tratem assim quando eles cometem um erro?

É ESTA A MENSAGEM QUE VOCÊ QUER PASSAR PARA O SEU FILHO?

Eu só quero estar com você quando você se comportar.

Não estamos dizendo que pausas curtas para pensar sejam a pior técnica de disciplina possível, que elas traumatizam ou que nunca há momentos para serem usadas. Se feitas adequadamente, com uma conexão amorosa, como sentar com a criança e conversar ou reconfortá-la — que pode ser chamada de "pausa para acalmar" —, um tempo para se tranquilizar pode ser útil aos filhos. Na verdade, ensinar os filhos como fazer uma pausa e usar algum tempo para refletir internamente, um tempo para se acalmar, é fundamental para construir funções executivas que reduzem a impulsividade e alimentam o poder da atenção focada.

Mas esse tipo de reflexão é criado com relacionamento, não em isolamento completo, especialmente com crianças menores. Conforme os filhos ficam mais velhos, podem se beneficiar da reflexão interior, da pausa para acalmar, para focar a atenção deles em seus mundos interiores. É assim que eles aprendem a "ver o mar interno" e desenvolvem a capacidade de acalmar as tempestades internas. Essa pausa para acalmar é a base da visão mental, de ver a própria mente e a dos outros com percepção e empatia. E a visão mental inclui o processo de integração que permite que estados interiores sejam mudados, que se passe do caos ou rigidez para um estado interior de harmonia e flexibilidade. Visão mental — percepção, empatia e integração — é a base da inteligência social e emocional. Assim, usar a pausa para acalmar para desenvolver habilidades de reflexão interior é a forma como podemos ajudar filhos pequenos e adolescentes a construírem um circuito de habilidades tão importantes. A "disciplina sem drama" usaria uma pausa para acalmar para interromper um comportamento (o primeiro objetivo) e para validar a reflexão interior que constrói habilidades executivas (nosso segundo objetivo).

Uma estratégia proativa que pode ser eficaz é ajudar a criança a criar uma "zona de conforto" com brinquedos, livros ou um animal de estimação preferido, que ela visita quando precisa do tempo e do espaço para se acalmar. Isso é autorregulação, uma habilidade fundamental da função executiva. (Esta também é uma boa ideia para os pais. Talvez uma zona de conforto com chocolate, revistas, música, vinho tinto...) Não tem a ver com punição nem com a criança pagar pelo seu erro. Tem a ver com oferecer uma escolha e um lugar que ajude a criança a se autorregular, o que envolve se livrar da sobrecarga emocional.

Como você verá nas páginas seguintes, há dezenas de outras maneiras mais cuidadosas, construtoras de relacionamento e eficazes de responder aos filhos do que automaticamente impor a eles uma pausa para pensar como uma consequência padronizada para qualquer mau comportamento. O mesmo vale para a surra e para a imposição de consequências, de um modo geral. Felizmente, como explicaremos logo, há alternativas melhores do que dar uma surra, impor uma pausa para pensar ou retirar automaticamente um brinquedo ou um privilégio. Alternativas que são lógicas e naturalmente relacionadas ao comportamento da criança, constroem o cérebro e mantêm uma forte conexão entre o pai ou a mãe e a criança.

QUAL É A SUA FILOSOFIA DE DISCIPLINA?

O ponto principal que comunicamos neste capítulo é o de que os pais precisam ser proativos na forma como respondem aos maus comportamentos de seus filhos. Em vez de reagir dramática ou emocionalmente, ou reagir a qualquer infração com uma estratégia padronizada que ignora o contexto da situação ou o estágio de desenvolvimento de uma criança, os pais podem trabalhar a partir de princípios e estratégias que ao mesmo tempo combinem com seu sistema de crenças e respeitem os filhos como os indivíduos que são.

A "disciplina sem drama" foca não apenas em tratar as circunstâncias imediatas e o comportamento de curto prazo, mas também em construir habilidades e criar conexões no cérebro que, a longo prazo, ajudarão os filhos a fazer escolhas cuidadosas e a lidar bem com suas emoções, o que significará precisar cada vez menos de disciplina.

Como você está se saindo com isso? O quanto você é intencional quando disciplina seus filhos?

Tire um instante agora e pense sobre a sua reação normal ao comportamento dos seus filhos. Você automaticamente bate, impõe uma pausa para pensar ou grita? Você tem alguma outra estratégia imediata para quando seus filhos se comportam mal? Talvez você simplesmente faça o que seus pais faziam — ou exatamente o oposto. A questão real é: quanto da sua estratégia disciplinar vem de uma abordagem intencional e consistente em vez de simplesmente reagir ou se basear em velhos hábitos e mecanismos padrão?

Eis algumas perguntas para fazer a si mesmo enquanto pensa em sua filosofia de disciplina geral:

1. *Eu tenho uma filosofia de disciplina?* O quanto sou objetivo e consistente quando não gosto de como meus filhos estão se comportando?
2. *O que estou fazendo está funcionando?* Minha abordagem me permite ensinar a meus filhos as lições que desejo ensinar, tanto em termos de comportamento imediato, quanto em como eles crescem e se desenvolvem como seres humanos? E eu estou achando que preciso tratar cada vez menos de comportamentos, ou estou precisando disciplinar os mesmos comportamentos sem parar?
3. *Eu me sinto bem em relação ao que estou fazendo?* Minha abordagem de disciplina me ajuda a aproveitar mais meu relacionamento com meus filhos? Geralmente, eu penso em momentos de disciplina e me sinto satisfeito com a forma como me comportei? Eu frequentemente me pergunto se há uma maneira melhor de educar?
4. *Meus filhos se sentem bem em relação à minha filosofia de disciplina?* A disciplina dificilmente será popular, mas meus filhos compreendem minha abordagem e sentem o meu amor? Eu estou comunicando e apresentando respeito de uma forma que permite que eles ainda se sintam bem em relação a si mesmos?
5. *Eu me sinto bem em relação às mensagens que estou comunicando aos meus filhos?* Há vezes em que ensino lições que não quero que eles internalizem — por exemplo, que obedecer ao que eu digo é mais importante do que fazer a coisa certa? Ou que força e controle são as melhores maneiras de conseguir que as pessoas façam o que queremos? Ou que eu só quero estar perto deles quando eles são agradáveis?
6. *Quanto da minha abordagem se parece com a dos meus pais? Como meus pais me disciplinaram?* Consigo lembrar de uma experiência específica de disciplina e de como ela fez eu me sentir? Eu

estou apenas repetindo velhos padrões? Estou me rebelando contra eles?

7. *A minha abordagem já levou meus filhos a pedirem desculpas com sinceridade?* Embora isso não aconteça regularmente, minha abordagem, pelo menos, deixa a porta aberta para isso?
8. *Minha abordagem permite que eu assuma responsabilidades e peça desculpas pelos meus próprios atos?* O quanto sou aberto com meus filhos em relação ao fato de que cometo erros? Estou disposto a apresentar a eles o que significa assumir os próprios erros?

Como você se sente agora, tendo feito essas perguntas a si mesmo? Muitos pais sentem arrependimento, culpa, vergonha ou até mesmo desesperança quando reconhecem o que não vem funcionando, e se preocupam que possam não estar fazendo as coisas da melhor maneira possível. Mas a verdade é que você fez o melhor que pôde. Se pudesse ter feito melhor, teria feito. Conforme aprende novos princípios e estratégias, o objetivo não é repreender a si mesmo por oportunidades perdidas, mas tentar criar novas oportunidades. Quando sabemos mais, fazemos mais. Há coisas que nós, como especialistas, aprendemos ao longo dos anos, mas que gostaríamos de saber ou de ter pensado quando nossos filhos eram bebês. Os cérebros de nossos filhos são extremamente plásticos — eles modificam a estrutura como reação às experiências vividas —, e nossos filhos podem responder muito rapidamente e de maneira produtiva a novas experiências. Quanto mais compaixão você é capaz de sentir por si mesmo, mais compaixão é capaz de sentir por seu filho. Mesmo os melhores pais percebem que sempre haverá vezes em que eles poderão ser mais intencionais, efetivos e respeitosos em relação a como disciplinam os filhos.

Nos capítulos seguintes, nosso objetivo é ajudá-lo a pensar no que deseja para seus filhos quando se trata de orientá-los e ensiná-los. Nenhum de nós jamais será perfeito. Mas nós podemos dar passos na direção de apresentar a calma e o autocontrole quando nossos filhos aprontam. Nós podemos fazer as perguntas por quê-o quê-como. Nós podemos evitar as técnicas disciplinares padronizadas. Nós podemos oferecer as duas metas de moldar comportamentos externos e aprender habilidades internas. E nós podemos trabalhar na redução do número de vezes em que simplesmente reagimos (ou temos uma reação exagerada) a uma situação e em aumentar as vezes que respondemos a partir de uma sensação clara e receptiva do que acreditamos que nossos filhos precisam — em cada momento particular, e enquanto eles atravessam a infância rumo à adolescência e à vida adulta.

2 SEU CÉREBRO E A DISCIPLINA

A manhã de Liz estava indo muito bem. As duas filhas haviam tomado o café da manhã, todos estavam vestidos, e ela e o marido, Tim, estavam saindo para levar as crianças às respectivas escolas. Então, de repente, quando Liz fez uma afirmação aparentemente trivial ao fechar a porta da casa atrás de si — "Nina, você entra no carro do papai, e Vera, você entra no carro da mamãe" —, tudo desmoronou.

Tim e a filha de 7 anos deles, Vera, já estavam indo na direção da entrada da garagem, e Liz estava trancando a porta da frente quando um grito apavorante logo atrás dela fez seu coração dar um pulo. Ela rapidamente se virou para ver Nina, sua filha de 4 anos, parada no último degrau da varanda, gritando "Não!", em um tom impressionantemente ensurdecedor. Liz olhou para Tim, então para Vera, e ambos encolheram os ombros, com os olhos arregalados de perplexidade. O "Não!" longo e intenso de Nina havia sido substituído por um estridente som de "Não! Não! Não!", repetido ininterruptamente, de maneira muito alta. Liz, rapidamente, ajoelhou-se e puxou Nina para ela, com os gritos da filha felizmente diminuindo e se transformando em soluços.

— Querida, o que foi? — Liz perguntou. Ela estava atônita com aquela explosão. — O que foi?

Nina continuou chorando, mas conseguiu dizer:

— Você levou a Vera ontem!

Mais uma vez, Liz olhou para Tim, que havia ido até as duas e encolhido os ombros com um intrigado ar de "não faço ideia". Liz, ainda com os ouvidos doendo, tentou explicar: — Eu sei, querida. Isso é porque a escola da Vera fica bem ao lado do meu trabalho.

Nina puxou a mão da mãe e berrou:

— Mas agora é a minha vez!

Agora que sabia que a filha não estava em perigo, Liz respirou fundo e perguntou-se rapidamente quantos decibéis um grito agudo precisaria atingir para quebrar um vidro.

Vera, tipicamente antipática quando se tratava das aflições da irmã, anunciou impacientemente:

— Mamãe, eu vou me atrasar.

Antes que descrevamos como Liz lidou com esta clássica situação de criação de filhos, precisamos apresentar alguns fatos simples sobre o cérebro humano e a forma que eles podem impactar nossas decisões disciplinares quando nossos filhos se comportam mal ou, neste caso, simplesmente perdem o controle de si mesmos. Vamos começar com três descobertas básicas sobre o cérebro — nós as chamaremos de os três "Cs cerebrais" — que podem ser imensamente benéficas quando se trata de ajudar você a disciplinar efetivamente e com menos drama, sempre ensinando a seus filhões lições importantes sobre autocontrole e relacionamentos.

"C" CEREBRAL Nº 1: *CHANGING* (O CÉREBRO ESTÁ MUDANDO)

O primeiro "C" cerebral — o de que o cérebro está mudando (*changing*, em inglês) — parece simples, mas suas implicações são enormes e ele deveria informar sobre praticamente tudo o que fazemos com nossos filhos, incluindo disciplina.

O cérebro de uma criança é como uma casa em construção. O cérebro do andar de baixo é feito do tronco cerebral e da região límbica que, juntos, formam as partes mais baixas do cérebro, frequentemente chamado de "cérebro reptiliano" e o "velho cérebro mamífero". Essas regiões mais baixas existem dentro do crânio desde aproximadamente o nível do nariz até a parte de cima do pescoço, e parte dele, o tronco cerebral, está bem desenvolvido no nascimento. Nós consideramos este cérebro do andar de baixo muito mais primitivo, porque é responsável por nossas operações neurais e mentais mais fundamentais: emoções fortes, instintos, tais como proteger nossos filhos, e funções básicas como respirar, regular ciclos de sono e digestão. O cérebro do andar de baixo é o que faz uma criança pequena atirar um brinquedo ou morder alguém quando não consegue as coisas do jeito que quer. Pode ser a fonte de nossa reatividade, e seu lema é um apressado "Preparar! Atirar! Fogo!" — e, frequentemente, pula a parte do "preparar" e "atirar", completamente. Foi o cérebro do andar de baixo de Nina que assumiu quando soube que a mãe não a levaria para a escola.

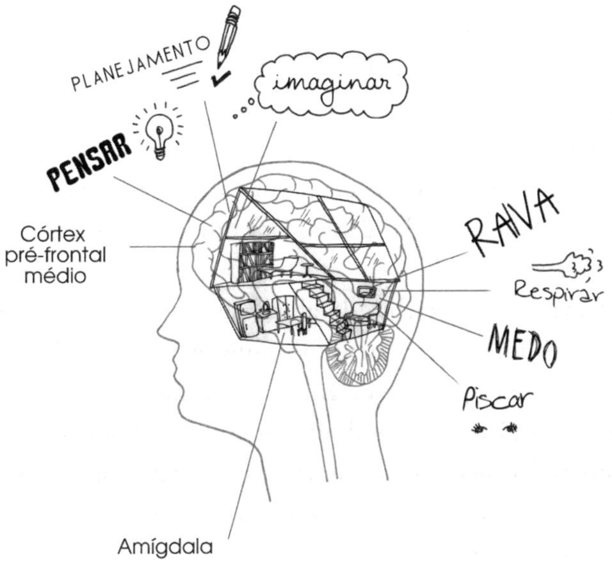

Como você bem sabe, se é pai ou mãe, o cérebro do andar de baixo, com todas suas funções primitivas, é muito vivo e esperto, mesmo nos filhos menores. O cérebro do andar de cima, porém, que é responsável pelos pensamentos mais sofisticados e complexos, está subdesenvolvido no nascimento e começa a crescer durante a primeira infância e a infância. O cérebro do andar de cima é constituído do córtex cerebral, que é a camada mais externa do cérebro, e se situa diretamente atrás da testa, continuando até a parte de trás da cabeça, como uma meia cúpula cobrindo o cérebro do andar de baixo, abaixo dele. Às vezes, as pessoas se referem ao córtex como a "casca exterior do cérebro".

Ao contrário do primitivo cérebro do andar de baixo, com todas as suas funções rudimentares, o cérebro do andar de cima é responsável por uma lista de habilidades de pensamento, emocionais e de relacionamentos que nos permitem ter vidas equilibradas e significativas e relacionamentos saudáveis, além de contribuir com outras funções, como:

- planejamento e tomada de decisão saudáveis;
- regulação das emoções e do corpo;
- percepção pessoal;
- flexibilidade e adaptabilidade;
- empatia;
- moral.

Essas são exatamente as qualidades que desejamos ajudar a incutir em nossos filhos, e todas demandam um cérebro do andar de cima bem desenvolvido.

O problema é que o cérebro do andar de cima leva tempo para se desenvolver. Muito tempo. Sentimos informar — especialmente se hoje foi a terceira vez, esta semana, que seu filho de 12 anos de idade deixou o arquivo do dever de casa no armário da escola — que o cérebro do andar de cima, na verdade, não estará completamente formado até a pessoa ter vinte e poucos anos. Isso não significa que não haja o que fazer no caminho — simplesmente significa que enquanto o cérebro da criança está sendo construído, o cérebro adolescente está em um período de remodelagem, e estará mudando as estruturas básicas do cérebro do andar de cima que foram criadas nos primeiros doze anos de vida. Dan explora tudo isso em seu livro, *Cérebro adolescente*, para e sobre adolescentes. A ótima notícia é que saber sobre o cérebro — para você e o seu filho pequeno ou adolescente — pode mudar a forma como cada um de vocês aborda o aprendizado e o comportamento. Quando sabemos sobre o cérebro, conseguimos orientar nossas mentes — como prestamos atenção, como pensamos, como nos sentimos, como interagimos com os outros — com maneiras que apoiem o desenvolvimento sólido e saudável do cérebro, ao longo da vida.

O que tudo isso quer dizer é que por mais que queiramos que nossos filhos se comportem de forma consistente, como se fossem adultos completamente desenvolvidos e conscienciosos, com lógica funcional confiável, equilíbrio emocional e moralidade, eles simplesmente não conseguem porque ainda são muito jovens. Pelo menos não o tempo todo. Como resultado disso, precisamos agir de acordo e ajustar nossas expectativas. Nós queremos virar para nossa filha de 9 anos de idade e perguntar, enquanto consolamos a de 5 anos cujo olho foi atingido por um dardo, disparado de uma proximidade enfurecedora: "O que você estava pensando?"?

A resposta dela, é claro, será: "Eu não sei" ou "Eu não estava pensando". E muito provavelmente ela estará certa. O cérebro do andar de cima dela não estava participando quando ela mirou na pupila da irmã, assim como o cérebro do andar de cima não estava participando no dia anterior, quando ela exigiu que a festa da prima fosse cancelada porque ela estava doente e não poderia participar da festa. O ponto principal é que, não importa o quanto seu filho é inteligente, responsável ou consciencioso, é injusto esperar que ele sempre se comporte bem ou sempre diferencie uma escolha boa de uma ruim. Isso é impossível até mesmo para adultos.

Um bom exemplo desse desenvolvimento gradual pode ser encontrado em uma região particular do cérebro do andar de cima chamado junção têmporo-parietal direita (TPJ).

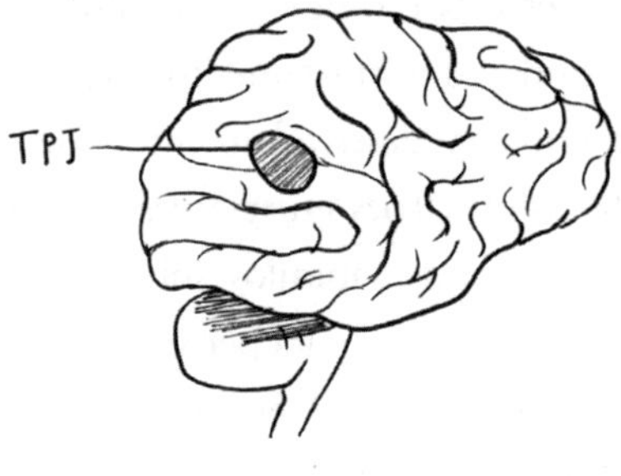

A TPJ direita desempenha um papel especial quando se trata de nos ajudar a compreender o que está acontecendo na mente do outro. Quando vemos uma situação ou um problema como outra pessoa veria, a TPJ direita se torna ativa e trabalha com regiões no córtex pré-frontal, logo atrás da testa, basicamente para permitir que tenhamos empatia em relação ao outro. Esta e outras regiões integram o que é chamado de "circuito de mentalização", porque estão envolvidas na visão mental — isto é, em ver a mente dos outros e mesmo as nossas próprias! Nós conseguimos construir visão mental em nossos filhos ao orientá-los na direção da percepção, da empatia e do pensamento moral. A empatia, é claro, afeta nossas vidas morais e relacionais de maneiras significativas e básicas. Nós estamos dispostos a dar uma folga ao nosso filho se ele tinha uma boa intenção quando aprontou. Estamos dispostos a dar a alguém o benefício da dúvida se acreditamos em seus motivos.

Uma criança, porém, que ainda está se desenvolvendo e cujo cérebro do andar de cima — que inclui sua TPJ direita e as regiões pré-frontais — ainda está em construção, frequentemente será incapaz de considerar os motivos e as intenções quando olhar para uma situação ou problema. Decisões éticas serão muito mais claras, e preocupações com questões relacionadas à justiça e equidade serão muito mais bem definidas. Nina, por exemplo, não estava interessada em discutir informações contextuais sobre o quanto a escola da irmã ficava perto do trabalho da mãe. Essa informação lógica e factual era irrelevante para ela. Ela se importava apenas com o fato de que a irmã havia ido para a escola com a mãe no dia anterior, e a equidade diria que Nina deveria ir com ela naquele dia. Assim, para Liz compreender o ponto de vista da filha, ela precisava perceber que Nina estava vendo os acontecimentos pelas lentes de seu cérebro do andar de cima ainda em desenvolvimento, que ainda não era sempre capaz de considerar informações situacionais e contextuais.

Como explicaremos nos capítulos subsequentes, quando usamos nossos circuitos de visão mental para perceber a mente por trás do comportamento de nossos filhos, nós ensinamos a eles como perceber a mente deles próprios e dos outros. A visão mental é uma habilidade que pode ser ensinada, e que está no cerne de ser empático, perspicaz, moral e compassivo. A visão mental é a base da inteligência social e emocional, e nós podemos apresentar isso a nossos filhos conforme os ajudamos a orientar o desenvolvimento de seus cérebros em modificação.

O ponto é que quando criamos filhos e, especialmente, quando disciplinamos, precisamos nos esforçar muito para compreender o ponto de vista e o estágio de desenvolvimento em que eles estão, e o que eles são capazes de fazer. É assim que usamos nossas próprias habilidades de visão mental para ver a mente por trás do comportamento de nossos filhos. Nós não só reagimos às ações externas deles, como também nos sintonizamos com a mente por trás do comportamento. Nós também devemos nos lembrar de que a capacidade deles muda quando eles estão se sentindo cansados, com fome ou sobrecarregados.

Compreender este "C" cerebral, em particular, de que o cérebro está mudando e ainda se desenvolvendo, pode nos levar a um lugar onde podemos ouvir nossos filhos com mais compreensão e compaixão e compreender melhor por que eles estão incomodados e tendo dificuldade de se controlar. É simplesmente injusto supor que eles estão tomando decisões usando cérebros completamente formados e funcionando perfeitamente, e que conseguem ver o mundo como nós vemos.

Pense na lista de funções pelas quais o cérebro do andar de cima é responsável. Essa é uma descrição realista do caráter de qualquer criança? É claro que adoraríamos ver nossos filhos demonstrar essas qualidades em todos os momentos de suas vidas. Quem não iria querer um filho que planeja com antecedência e toma boas decisões, controla suas emoções e seu corpo e exibe flexibilidade, empatia e autocompreensão de maneira consistente, agindo a partir de um senso de moral bem desenvolvido? Mas isso simplesmente não vai acontecer. Pelo menos não o tempo todo. Dependendo da criança e da idade, talvez nem mesmo frequentemente.

Então, isso é uma desculpa para mau comportamento? Nós precisamos simplesmente fingir que não vemos quando nossos filhos se comportam mal? Certamente que não. Na verdade, o cérebro em desenvolvimento de uma criança é simplesmente mais um motivo pelo qual precisamos estabelecer limites claros e ajudá-la a compreender o que é aceitável. O fato de que ela não tem um cérebro do andar de cima funcionando de maneira consistente, o que oferece limitações internas que orientam seu comportamento, significa que ela precisa receber limitações externas. E adivinhe de onde essas limitações externas devem vir: dos pais e de outros cuidadores, e das orientações e expectativas que eles comunicam a ela. Nós precisamos ajudar a desenvolver o cérebro do andar de cima de nossos filhos — junto com todas as habilidades que ele torna possível — e, ao fazer isso, talvez precisemos agir como um cérebro do andar de cima externo no caminho, trabalhando com eles e ajudando-os a tomar decisões que eles ainda não são totalmente capazes de tomar sozinhos.

Em breve, falaremos sobre esta ideia em uma profundidade muito maior e ofereceremos sugestões práticas para fazer isso acontecer. Por ora, porém, apenas mantenha este "C" cerebral em mente: como o cérebro de uma criança está mudando e se desenvolvendo, nós precisamos moderar nossas expectativas e compreender que desafios emocionais e comportamentais são, simplesmente, parte do processo. É claro que ainda devemos ensinar e esperar um comportamento respeitoso. Mas, ao fazer isso, precisamos sempre ter em mente que o cérebro está mudando e está em desenvolvimento. Depois que compreendermos e aceitarmos esta realidade fundamental, seremos muito mais capazes de reagir de uma maneira que respeite a criança e o relacionamento, cuidando, ainda, de quaisquer comportamentos de que precisemos tratar.

"C" CEREBRAL Nº 2: *CHANGEABLE* (O CÉREBRO É MUTÁVEL)

O segundo "C" cerebral é extremamente empolgante e oferece esperança a pais de todo lugar: o cérebro não está apenas mudando, e se desenvolve com o tempo, como também é mutável e pode ser moldado intencionalmente pela experiência. Muitos dos textos atuais sobre o cérebro trazem o conceito de "neuroplasticidade", que se refere à forma como o cérebro muda fisicamente com base em experiências pelas quais passamos. Segundo os cientistas, o cérebro é plástico, ou moldável. Sim, a própria arquitetura física do cérebro muda com base no que acontece conosco.

Talvez você tenha ouvido falar sobre estudos científicos que trazem provas de neuroplasticidade. No livro *O cérebro da criança*, nós falamos sobre uma pesquisa mostrando centros auditivos maiores nos cérebros de animais que dependem da audição para caçar, e estudos mostrando que, para violinistas, as regiões do córtex que representam a mão esquerda — que dedilha as cordas do instrumento em velocidades impressionantes — são maiores do que o normal.

Outros estudos recentes demonstram que crianças que são ensinadas a ler música e tocar teclado passam por significativas mudanças em seus cérebros e têm uma capacidade avançada do que é chamado de "mapeamento sensório espacial". Em outras palavras, quando as crianças aprendem até mesmo os fundamentos de tocar piano, seus cérebros se desenvolvem de maneira diferente dos cérebros das crianças que não aprendem, assim, elas conseguem compreender melhor seus próprios corpos; se relacionando com os objetos ao seu redor. Nós vimos resultados semelhantes em estudos com pessoas que meditam. Exercícios de atenção plena produzem mudanças literais nas conexões do cérebro, afetando significativamente a qualidade de adaptação de uma pessoa com outras pessoas a situações difíceis.

A EXPERIÊNCIA MUDA, LITERALMENTE, O CÉREBRO

Evidentemente que isso não significa que todas as crianças devem ter aulas de piano nem que todo mundo deve meditar (embora não desestimulemos nenhuma das atividades!). A questão é que a experiência de ter aulas, participando de práticas de atenção plena (como tocar violino ou mesmo praticar caratê), muda fundamental e fisicamente o cérebro plástico — especialmente enquanto ele está se desenvolvendo na infância e na adolescência, e mesmo ao longo de nossas vidas.

Para dar um exemplo mais extremo, abuso no começo da infância pode deixar as pessoas vulneráveis às doenças mentais mais tarde, na fase adulta. Estudos recentes usaram ressonância magnética funcional (fMRI), ou exames cerebrais, para descobrir mudanças específicas em determinadas regiões do chamado hipocampo, nos cérebros de jovens adultos que haviam sofrido abusos.

Eles experimentam taxas mais altas de depressão, vícios e transtorno do estresse pós-traumático (TEPT). Os cérebros deles mudaram fundamentalmente em resposta ao trauma que enfrentaram quando crianças.

A neuroplasticidade tem enormes ramificações para o que fazemos como pais. Se experiências repetidas realmente mudam a arquitetura física do cérebro, torna-se de suma importância que sejamos intencionais em relação às experiências que proporcionamos aos nossos filhos. Pense nas formas como você interage com eles. Como você se comunica com eles? Como você os ajuda a refletir sobre suas ações e seus comportamentos? O que você ensina a eles sobre relacionamentos — sobre respeito, confiança e esforço? A que oportunidades você os expõe? Quais pessoas importantes você introduz em suas vidas? Tudo o que eles veem, ouvem, sentem, tocam ou mesmo cheiram impacta o cérebro deles e, portanto, influencia a forma como eles veem e interagem com seu mundo — incluindo a família, os vizinhos, estranhos, amigos, colegas de escola e até eles próprios.

Tudo isso acontece no nível celular, em nossos neurônios e nas conexões entre nossas células cerebrais chamadas sinapses. Uma forma como os neurocientistas expressaram a ideia é que "neurônios que disparam juntos se ligam juntos".

Esta frase, conhecida como "axioma de Hebb", batizado com o nome do neuropsicólogo canadense Donald Hebb, basicamente explica que, quando os neurônios disparam simultaneamente em resposta a uma experiência, eles se conectam uns aos outros, formando uma rede. E quando uma experiência é repetida sucessivamente, ela aprofunda e fortalece as conexões entre esses neurônios. Então, quando eles disparam juntos, eles se ligam juntos.

Neurônios Que
Disparam SE
LIGAM JUNTOS

O famoso fisiologista Ivan Pavlov estava fazendo as pazes com esta ideia quando descobriu que seus cães salivavam não apenas quando comida de verdade aparecia diante deles, mas também quando ele tocava a sineta do jantar para eles irem comer. Os "neurônios de salivação" dos cachorros se ligaram, ou se tornaram funcionalmente ligados aos "neurônios da sineta de jantar". Um exemplo mais recente do mundo animal aparece toda vez que os San Francisco Giants jogam uma partida noturna no AT&T Park. Perto do final de cada jogo, surgem revoadas de gaivotas, prontas para um banquete de sobras de cachorros-quentes, amendoins e biscoitos depois que o estádio ao lado da baía esvazia. Biólogos ficam intrigados quanto a como exatamente as aves sabem que o jogo está terminando. Será o barulho maior da multidão? A diferença nas luzes do estádio? Uma coisa parece clara, porém: as aves foram condicionadas, ou preparadas, a esperar comida depois do final do jogo. Neurônios dispararam juntos e depois se ligaram juntos.

O axioma de Hebb é o que faz uma criança pequena levantar as mãos e dizer: "Segure você?", quando quer ser levantada no colo. Ela mal compreende o significado exato das palavras e evidentemente ainda não descobriu direito como usar os pronomes. Mas ela sabe que quando lhe perguntaram: "Você quer que eu segure você?", foi levantada no colo. Então, quando ela quer ser levantada no colo, ela pergunta: "Segure você?" disparando e ligando.

Neurônios serem ligados juntos pode ser uma coisa boa. Uma experiência positiva com um professor de matemática pode levar a conexões neurais que ligam matemática com prazer, realização e sentir-se bem em relação a si mesmo, como aluno. Mas o oposto é igualmente verdadeiro. Experiências negativas com um instrutor estúpido, uma prova com tempo marcado e a ansiedade que a acompanha podem formar conexões no cérebro que criam um sério obstáculo à apreciação não apenas de matemática e de números, mas de provas e até mesmo da escola, de um modo geral.

A questão é simples, mas fundamental de ser compreendida: experiências levam a mudanças na arquitetura do cérebro. Na prática, então, queremos ter a neuroplasticidade em mente quando tomamos decisões sobre como interagimos com as crianças e como elas passam seu tempo. Nós queremos levar em consideração quais conexões neurais estão se formando e como elas irão funcionar, no futuro.

Por exemplo, que filmes você quer que seus filhos vejam e quais atividades quer que eles passem horas realizando? Sabendo que o cérebro plástico será alterado com a experiência, talvez fiquemos menos confortáveis com horas passadas assistindo a determinados programas de televisão ou jogando videogames violentos. Talvez prefiramos estimular nossos filhos a se envolverem em atividades que constroem suas capacidades de relacionamentos e de compreensão de outras pessoas — quer isso signifique passar tempo com amigos, jogando com a família ou participando de esportes e outras atividades em grupo que lhes estimulem a trabalhar em equipe. Podemos, por exemplo, num dia de férias escolares, estimulá-los a dar novas funções a objetos conhecidos, tais como cordas, fitas adesivas, polias etc., para que eles se sintam motivados a procurar por novas formas de diversão. Nós não podemos, nem queremos, proteger ou resgatar nossos filhos de todas as adversidades e experiências negativas. Essas experiências desafiadoras são uma parte importante de crescer e desenvolver resiliência, junto com a aquisição de habilidades internas necessárias para enfrentar o estresse e o fracasso e reagir com flexibilidade. O que podemos fazer é ajudar nossos filhos a compreender suas experiências para que aqueles desafios tenham mais probabilidade de serem codificados no cérebro conscientemente como "experiências de aprendizado", em vez de associações inconscientes ou mesmo traumas que os limitem no futuro. Quando pais discutem experiências e memórias com os filhos, estes tendem a ter melhor acesso às memórias dessas experiências. Crianças cujos pais conversam com elas sobre seus sentimentos também desenvolvem uma inteligência emocional mais robusta e podem, portanto, perceber e compreender melhor os sentimentos próprios e os dos outros. Neurônios que disparam juntos se ligam juntos, mudando o cérebro mutável.

Tudo volta para o ponto de que o cérebro muda em resposta à experiência. O que você quer que seus filhos vivenciem que afetará seus cérebros mutáveis? Que conexões cerebrais você quer criar? E, mais dentro do tema deste livro: sabendo que o cérebro de uma criança é mutável, como você quer reagir ao mau comportamento? Afinal, as experiências repetidas de seus filhos com disciplina também estarão programando os cérebros deles.

"C" CEREBRAL Nº 3: *COMPLEX* (O CÉREBRO É COMPLEXO)

Já vimos que o cérebro está mudando (*changing*) e é mutável (*changeable*). Ele é também complexo, e é nosso terceiro "C" cerebral. O cérebro é multifacetado, com diferentes partes responsáveis por tarefas diferentes. Algumas partes são responsáveis pela memória; outras, pela linguagem; outras, pela empatia; e assim por diante.

Este terceiro "C" cerebral é uma das realidades mais importantes para se ter em mente quando se trata de disciplina. A complexidade do cérebro significa que quando nossos filhos estão chateados ou agindo com modos de que não gostamos, podemos apelar para "partes" diferentes de seus cérebros, para regiões diferentes e formas como o cérebro funciona, com diferentes reações dos pais ativando diferentes circuitos. Nós podemos, portanto, apelar para uma parte do cérebro para obter um resultado, e outra parte para obter um resultado diferente.

Por exemplo, vamos voltar para os cérebros do andar de cima e do andar de baixo. Se seu filho estiver desabando e fora de controle, a qual parte do cérebro você preferiria apelar? À parte primitiva e reativa? Ou a que é sofisticada e capaz de lógica, compaixão e autocompreensão? Nós tentamos nos conectar com a parte que reage como um réptil reagiria — na defensiva e com ataques — ou com a que tem o potencial de se acalmar, resolver problemas e até mesmo pedir desculpas? A resposta é óbvia. Nós queremos envolver a receptividade do cérebro do andar de cima, em vez de provocar a reatividade do cérebro do andar de baixo. Então, as partes superiores do cérebro conseguem se comunicar e ajudam a superar as partes inferiores, mais impulsivas e reativas.

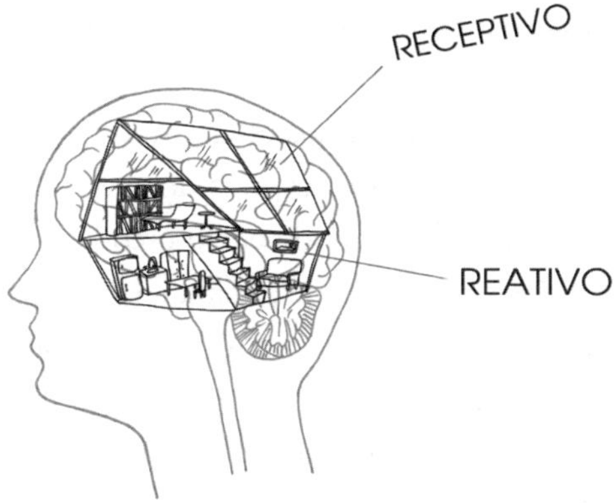

Quando disciplinamos com ameaças — seja explicitamente, por meio de palavras, ou implicitamente, por meio de elementos não verbais assustadores, como nosso tom de voz, nossa postura e nossas expressões faciais —, nós ativamos os circuitos de defesa do cérebro reptiliano reativo do andar de baixo de nossos filhos. Chamamos isso de "cutucar o lagarto", e não recomendamos a prática porque quase sempre leva a uma crescente de emoções negativas, tanto para os pais quanto para os filhos. Quando seu filho de 5 anos tem um ataque de birra no mercado e você vai sobre ele, aponta o dedo e insiste entre os dentes cerrados para que ele "se acalme imediatamente", você está cutucando o lagarto. Você está disparando uma reação do andar de baixo, que quase nunca irá levar a qualquer lugar produtivo para qualquer pessoa envolvida. O sistema sensorial do seu filho absorve a sua linguagem corporal e as suas palavras e identifica a ameaça, que, biologicamente, aciona os circuitos neurais que permitem que ele sobreviva a uma ameaça do ambiente — lutar, fugir, paralisar ou desmaiar. O cérebro do andar de baixo entra em ação, preparando-se para reagir rapidamente, em vez de considerar completamente as alternativas em um estado mais responsivo e receptivo. Os músculos dele ficam tensos enquanto ele se prepara para se defender e, se necessário, atacar com paralisação e luta. Ou ele pode fugir correndo, ou cair, em um desmaio. Cada um desses é um caminho de reatividade do cérebro do andar de baixo. E o circuito de autocontrole pensante e racional do cérebro do andar de cima dele se desliga, tornando-se indisponível naquele momento. Este é o segredo — nós não conseguimos estar em um estado reativo do andar de baixo e em um estado receptivo do andar de cima, ao mesmo tempo. A reatividade do andar de baixo predomina.

Nesta situação, você pode apelar para o cérebro do andar de cima mais sofisticado do seu filho e permitir que ele ajude a dominar o cérebro do andar de baixo, que é mais reativo. Ao demonstrar respeito por seu filho, educando-o com muita empatia e mantendo a abertura para discussões colaborativas e ponderadas, você comunica "sem ameaça", de modo que o cérebro reptiliano pode relaxar sua reatividade. Ao fazer isso, você ativa os circuitos do andar de cima, incluindo o extremamente importante córtex pré-frontal, que é responsável por tomadas de decisão tranquilas e controle de emoções e impulsos. É assim que passamos da reatividade à receptividade. E é isso que queremos ensinar nossos filhos a fazer.

Então, em vez de exigir ferozmente que seu filho de 5 anos se acalme, você pode ajudar a acalmar e tranquilizar o cérebro do andar de baixo e, no lugar dele, acionar o cérebro do andar de cima, ao convidá-lo gentilmente a ficar fisicamente perto de você e ouvir sobre o que quer que seja que o esteja incomodando. (Se estiver em um local público e seu filho estiver perturbando todos ao redor, talvez seja necessário levá-lo para fora enquanto tenta apelar para o cérebro do andar de cima dele.)

Uma pesquisa apoia esta estratégia de envolver o cérebro do andar de cima em vez de enfurecer o cérebro do andar de baixo. Nós vimos, por exemplo, que quando uma pessoa vê uma foto de um rosto com expressão de raiva ou medo, aumenta a atividade em uma região do cérebro do andar de baixo chamada amígdala, que é responsável por processar e expressar rapidamente emoções fortes, especialmente raiva e medo. Uma das principais funções da amígdala é manter-se alerta sempre que somos ameaçados, permitindo que ajamos rapidamente. Curiosamente, o fato de ver uma fotografia de uma pessoa com raiva ou assustada provoca a ativação da amígdala de quem está vendo a foto. Na verdade, mesmo se a pessoa vir a foto muito rapidamente a ponto de não ter consciência de tê-la visto, uma reação subliminar, instintiva e emocional faz com que a amígdala dispare ou se torne ativa.

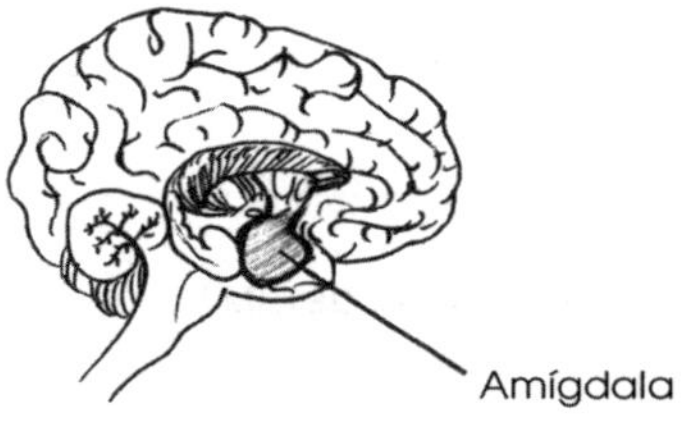

O que é ainda mais fascinante sobre este estudo é que quando as pessoas rotulavam a emoção na imagem e a nomeavam como medo ou raiva, suas amígdalas tornavam-se imediatamente menos ativas. Por quê? Porque parte do cérebro do andar de cima — uma parte chamada córtex pré-frontal ventrolateral — assumia o controle com a rotulação e então processava a emoção, permitindo que a parte pensante e analítica do cérebro assumisse o controle e tranquilizasse as regiões inferiores irritadas, em vez de permitir que o cérebro do andar de baixo reativo e emocional dominasse e ditasse os sentimentos e as reações da pessoa. Este é um exemplo clássico da estratégia "nomear para disciplinar" que discutimos detalhadamente em *O cérebro da criança*. Ao simplesmente nomear uma emoção, uma pessoa sente seus níveis de medo e raiva diminuírem. É assim que o cérebro do andar de cima consegue acalmar o cérebro do andar de baixo. E essa é uma habilidade que pode durar a vida inteira.

EM VEZ DE ENFURECER O CÉREBRO DO ANDAR DE BAIXO:

Acalme-se imediatamente!

ENVOLVA O CÉREBRO DO ANDAR DE CIMA:

É difícil, não é? Você pode me falar sobre o que está sentindo?

É isso que queremos fazer por nossos filhos quando eles ficam irritados e se comportam mal: ajudá-los a envolver o cérebro do andar de cima deles. A parte pré-frontal do cérebro do andar de cima tem fibras calmantes que conseguem tranquilizar as regiões inferiores quando elas estão reativas. O segredo é desenvolvê-las bem em nossos filhos e ativá-las em um momento de aflição, primeiro se conectando, antes de redirecionar. Nós queremos que nossos filhos desenvolvam a habilidade interna de se tranquilizar e refletir sobre o que está acontecendo por dentro.

Pense nas funções do cérebro do andar de cima: boa tomada de decisão, controle sobre as emoções e o corpo, flexibilidade, empatia, autocompreensão e moralidade. Esses são os aspectos do caráter de nossos filhos que queremos desenvolver, certo? Como observamos em *O cérebro da criança*, queremos envolver o cérebro do andar de cima em vez de enfurecer o cérebro do andar de baixo. Envolver, não enfurecer. Quando enfurecemos o cérebro do andar de baixo, isso normalmente ocorre porque nossa amígdala também está disparando. E adivinhe o que a amígdala quer fazer. Vencer! Então, quando a amígdala tanto no pai quanto no filho está disparada na velocidade máxima, com ambos querendo vencer, virtualmente será sempre uma batalha dramática que termina com os dois lados perdendo. Ninguém irá vencer, e as vítimas relacionais encherão o campo de batalha. Tudo porque nós enfurecemos o andar de baixo em vez de envolver o andar de cima.

Para usar uma metáfora diferente, é como se você tivesse um controle remoto para seu filho e tivesse o poder, pelo menos até certo ponto, de determinar que tipo de resposta receberá quando vocês dois interagirem. Aperte o botão envolver — o botão "acalmar-se e pensar" — e você apelará ao cérebro do andar de cima, ativando uma resposta tranquilizadora. Mas aperte no botão enfurecer — o botão "perder o controle e aumentar as emoções" — usando ameaças e exigências, e você, praticamente, estará implorando para a parte da briga no cérebro entrar em ação. Você cutucará o lagarto e obterá uma resposta reptiliana e reativa. Você decide qual botão apertar.

BATALHA DAS AMÍGDALAS: NINGUÉM VENCE

Lembre-se, nada disso é para liberar os pais da responsabilidade de estabelecer limites e comunicar claramente as expectativas. Nós lhe daremos muitas sugestões práticas para fazer isso nas próximas páginas. Mas enquanto estabelece esses limites e comunica essas expectativas, você tornará as coisas muito mais fáceis para você, para o seu filho e para quem quer que esteja no alcance dos gritos, e apelará para o *self* mais sábio e receptivo do cérebro do andar de cima do seu filho, em vez de sua reatividade de lagarto do cérebro do andar de baixo.

O que é ainda mais empolgante é o que acontece depois de apelarmos para o cérebro do andar de cima. Quando é envolvido repetidamente, ele se fortalece. Neurônios que disparam juntos se ligam juntos. Então, quando uma criança está em um estado mental irritado e nós convidamos o cérebro do andar de cima para se tornar ativo, criamos uma ligação funcional entre aquele estado desregulado e uma ativação da parte de seu cérebro que a traz de volta a um estado bem regulado. Provavelmente, nós podemos aumentar essas fibras calmantes que se estendem do cérebro do andar de cima pré-frontal até o cérebro do andar de baixo.

Isso quer dizer que quanto mais apelamos para a natureza mais integrada de nosso filho — quanto mais pedimos que ele pense antes de agir ou leve em consideração os sentimentos de outra pessoa, quanto mais pedimos que ele aja com ética ou empatia —, mais ele usará o cérebro do andar de cima e mais forte ele irá se tornar, porque está construindo conexões e se tornando mais integrado com as regiões do andar de baixo. Usar seu cérebro do andar de cima tornará cada vez mais seu caminho acessível e seu padrão automático, mesmo quando as emoções estiverem a toda. Como resultado, ele se tornará cada vez melhor em tomar decisões, lidar com as próprias emoções e se importar com os outros.

APLICANDO OS "CS CEREBRAIS"

Vamos falar, agora, sobre em que os três "Cs" cerebrais — *changing* (mudando), *changeable* (mutável) e *complex* (complexo) — se parecem em ação. Quando Nina perdeu o controle na escada de casa, o primeiro instinto de Liz foi explicar de maneira lógica como as decisões sobre o transporte haviam sido tomadas: "A escola da sua irmã fica bem ao lado do meu trabalho". Ela poderia ter continuado explicando que Tim tinha mais tempo para levar Nina para a escola dela e que no dia anterior Nina havia pedido para passar mais tempo com o pai. Todos esses argumentos eram verdadeiros e racionais.

No entanto, como dissemos, quando uma criança está à beira de perder o controle, a lógica frequentemente será ineficaz, às vezes, até mesmo contraproducente. Foi o que Liz reconheceu quando olhou para a filha enfurecida. Na verdade, o que ela percebeu foi o primeiro dos três "Cs" cerebrais: o cérebro de Nina estava mudando (*changing*). Ele estava se desenvolvendo. Não era desenvolvido, estava se desenvolvendo. O que queria dizer que Liz precisava ser paciente com sua menininha e não esperar que ela se controlasse de maneira consistente, como um adulto ou mesmo como qualquer outra criança. Ela respirou fundo e se esforçou para se manter calma, apesar do estresse sendo produzido pela insensata criança de 4 anos, a impaciente menina de 7 anos e o relógio que não parava de bater.

Igualmente importante nesta situação era o segundo "C" cerebral: o de que o cérebro é mutável (*changeable*). Liz compreendia que a forma como ela e o marido lidavam com cada situação com suas filhas programava os cérebros em desenvolvimento das meninas, para o bem ou para o mal. Assim, neste momento de consciência, Liz resistiu ao impulso que sentiu no momento, que era pegar a filha chorando no colo de modo apressado e até agressivo, levá-la até o carro de Tim, pisando forte no caminho, afivelar o cinto em sua cadeirinha e bater a porta.

Aliás, se você se reconhece na descrição cheia de raiva de como Liz queria lidar com a situação, você não está sozinho. Todos já estivemos lá. (Ver "Quando um especialista em criação de filhos perde as estribeiras", no final do livro.) Pais carinhosos frequentemente condenarão a si mesmos por conta de todo errinho que cometerem, ou por toda vez que perderem uma oportunidade de abordar um momento difícil, a partir de uma perspectiva do cérebro por inteiro. Nós pedimos que você escute esta crítica interna apenas pelo tempo suficiente para obter alguma consciência para que possa se sair melhor da próxima vez, mas seja generoso e perdoe a si mesmo. É claro que você quer fazer o melhor com e para os seus filhos. Mas como explicaremos detalhadamente na conclusão do livro, até mesmo erros dos pais podem ser extremamente valiosos para os filhos — nós podemos ensinar a eles que somos todos humanos e que podemos assumir a responsabilidade pelo que acontece e fazer uma reparação. Esta é uma experiência de ensino essencial para todos os filhos.

Liz era humana e mãe, logo, cometia seus erros, como todos cometemos. Mas, neste exemplo, ela disciplinou a partir de um estado de espírito sem drama com o "Cérebro" por inteiro e tomou uma decisão intencional de dedicar um tempo para estar emocionalmente presente para a filha pequena. A esta altura, a família estava menos de um minuto atrasada. E Liz se deu conta de que, embora os sentimentos de Nina parecessem dramáticos, eles eram reais. Ela precisava da mamãe dela, naquele momento. Então, Liz negou o impulso de fazer o que era mais fácil e mais rápido e, mais uma vez, puxou a filha para perto dela.

Quanto à maneira específica como ela respondeu à situação, é onde entra o terceiro "C" cerebral — *complex* (complexo). Liz compreendia a filha bem o bastante para saber que não devia enfurecer o cérebro do andar de baixo. Ele já estava ativo o suficiente. Em vez disso, ela precisava envolver o cérebro do andar de cima de Nina. O primeiro passo, porém, precisava se conectar. Antes de redirecionar, nós sempre conectamos. Foi o que Liz fez quando abraçou a filha. Sim, ela estava com pressa, mas nada positivo poderia acontecer até Nina se acalmar um pouco, o que não levou muito tempo depois de ela estar nos braços da mãe. Em apenas alguns segundos, Liz sentiu Nina respirar fundo e seu corpinho começar a relaxar.

Se Nina fosse sua filha, talvez você tivesse lidado com essa situação de outras maneiras, dependendo do seu estilo e do seu temperamento. Como Liz, seu primeiro objetivo, provavelmente, seria ajudar sua filha a se acalmar, para que o cérebro do andar de cima voltasse a atuar e ela conseguisse ouvir a razão. Talvez você precise prometer acordar mais cedo no dia seguinte para ter tempo de levá-la à escola. Ou talvez precise garantir a ela que pedirá a seu chefe se pode sair mais cedo do trabalho esta tarde para poder pegá-la na escola e ter um tempo especial apenas com ela. Ou talvez ofereça contar uma história pelo viva-voz do seu carro enquanto o pai dela a leva para a escola.

Acontece que Liz tentou diversas dessas estratégias, sem sucesso. Nenhuma inspiração criativa acertou o alvo. Nina não aceitou nada disso.

Você não gostou de saber que não usamos um exemplo em que a situação terminou perfeitamente? Você está aliviado, não está, porque sabe que as coisas nem sempre funcionam assim. Não importa com que habilidade lidemos em determinada situação e não importa o quanto mantenhamos em mente informações importantes como os três "Cs cerebrais", às vezes nossos filhos ainda não fazem as coisas da forma como gostaríamos que fizessem. Eles não recolhem seus brinquedos. Eles não pedem desculpas ao irmão, automaticamente. Eles não se acalmam. Que foi exatamente o que aconteceu aqui. Nina não quis cooperar. Ouvir o que ela estava sentindo, abraçá-la, apresentar um plano... Nada funcionou.

Mas Liz ainda precisava sair para trabalhar, e as filhas precisavam ir para a escola. Então, continuando calma e empática — este é o nosso objetivo —, ela explicou que eles precisavam ir e que Tim a levaria para a escola naquela manhã como havia sido planejado: "Eu sei que você está triste e entendo que queira ir comigo. Eu também gostaria disso. Mas, hoje, não vamos conseguir. Você quer entrar no carro ou quer que seu pai ajude você a entrar no carro, agora? O papai vai estar com você e vai conversar com você no caminho para a escola. Eu amo você e te vejo hoje à tarde". Com isso, a situação se encerrou, com Tim abraçando uma Nina aos prantos enquanto a carregava até seu carro.

Perceba o que estamos reconhecendo aqui. A "disciplina sem drama" não pode garantir que seus filhos agirão da forma como você deseja, todas as vezes em que você tratar de seus comportamentos. Definitivamente, a abordagem do "Cérebro por inteiro" lhe dá uma chance muito melhor de atingir o objetivo de curto prazo de estimular a cooperação de seus filhos. Ela também ajuda a remover, ou pelo menos reduzir, as emoções mais explosivas da situação, minimizando o drama e, assim, evitando as mágoas e os efeitos ruins de um pai gritar ou personalizar a questão. Mas ela nem sempre será eficaz para obter o comportamento exato pelo qual você está esperando. Crianças são seres humanos, afinal, que têm seus próprios desejos, emoções e planos. Elas não são computadores que programamos para fazerem o que quisermos. Mas, no mínimo, como temos certeza de que você concordará depois de ler os próximos capítulos, a "Disciplina sem drama" dá a você uma chance muito melhor de se comunicar com seus filhos por meio de maneiras que são melhores para todos, constroem confiança e respeito entre vocês e diminuem o drama, na maioria das situações de disciplina.

Além disso, a abordagem do "cérebro por inteiro" oferece uma maneira de demonstrar a nossos filhos o quanto os amamos e respeitamos, mesmo quando os disciplinamos. Eles sabem — e nós reforçamos isso inúmeras vezes ao longo de suas vidas — que quando estão irritados ou agindo de maneira inadequada, nós estaremos lá para eles. E com eles. Nós não viramos as costas para eles ou os rejeitamos quando estão aflitos. Nós não dizemos, nem mesmo sugerimos, que a felicidade deles é uma condição que eles devem atender para receber nosso amor. A "disciplina sem drama" permite que comuniquemos a nossos filhos: "Eu estou com você. Você pode contar comigo. Mesmo quando você está agindo da pior maneira e eu não estou gostando disso, eu amo você e estou aqui para você. Eu entendo que você está tendo problemas e estou aqui para você". Nenhum pai consegue passar esta mensagem o tempo todo e em todas as ocasiões. Mas nós podemos passar a mensagem consistente e repetidamente, para que nunca haja dúvida quanto a isso, na mente de nossos filhos.

Este tipo de disciplina relacional previsível, sensível e amorosa permite que os filhos se sintam seguros. Como resultado disso, eles têm a liberdade de se tornarem indivíduos independentes, cujos cérebros são programados de tal maneira que eles têm mais condições de pensar nas decisões, compreender o que realmente sentem em relação a uma situação, levar as perspectivas dos outros em consideração e chegar a uma boa conclusão. Em outras palavras, as experiências de segurança emocional e física dão a eles a capacidade de agir de maneira responsável e tomar boas decisões. No entanto, um estilo de criação de filhos focado em controle e medo, ressaltando que uma criança precisa andar na linha o tempo todo, prejudica essa sensação de segurança. Se uma criança vive em uma constante preocupação de que pode aprontar e deixar os pais infelizes ou de que ela será punida, ela não sentirá a liberdade de fazer todas as coisas que amadurecem e fortalecem seu cérebro do andar de cima: levar os sentimentos dos outros em consideração, explorar ações alternativas, compreender a si mesma e tentar tomar a melhor decisão, em determinada situação. Nós não queremos que nossa disciplina faça nossos filhos focarem toda sua energia e seus recursos neurais em nos fazer felizes ou se manterem longe de problemas. Em vez disso, queremos que nossa disciplina ajude a amadurecer os cérebros do andar de cima de nossos filhos. E é justamente isso que a "disciplina sem drama faz".

A "DISCIPLINA SEM DRAMA" CONSTRÓI O CÉREBRO

Os três "Cs cerebrais" levam a uma conclusão fundamental e inegável, que é a noção central deste capítulo: a "disciplina sem drama" realmente ajuda a construir o cérebro. É isso mesmo. Não é apenas a abordagem do cérebro por inteiro que pode neutralizar situações difíceis e pesadas com seus filhos. Ou que ela ajudará você a construir seu relacionamento com eles ao comunicar mais claramente o quanto os ama e que eles estão seguros, mesmo enquanto você estabelece limites para seus comportamentos. Tudo isso é verdade. Os princípios e estratégias de disciplina que mostraremos a você nas próximas páginas realmente oferecem todos esses benefícios, tornando a sua vida cotidiana mais fácil e menos estressante, ao mesmo tempo que alimenta seu relacionamento com seu filho.

Mas, além de tudo isso, a "disciplina sem drama" realmente constrói o cérebro de uma criança. Ela fortalece as conexões neurais entre as partes do andar de cima e do andar de baixo do cérebro, e essas conexões levam à percepção pessoal, à responsabilidade, à tomada de decisão flexível, à empatia e à moralidade. O motivo é que quando ajudamos a fortalecer as fibras conectivas entre o andar de cima e o andar de baixo, as partes superiores do cérebro ajudam na comunicação com seus filhos e na superação dos impulsos primitivos de uma criança. E nossas decisões disciplinares percorrem um longo caminho no sentido de determinar o quanto essas conexões são fortes. A forma como interagimos com nossos filhos quando eles estão incomodados afeta significativamente a forma como os cérebros deles se desenvolvem e, portanto, afeta tanto o tipo de pessoa que são, quanto a que serão no futuro. É assim que a forma como nos comunicamos com nossos filhos impacta suas habilidades internas, que são embutidas nas conexões de seus cérebros que estão mudando (*changing*), são mutáveis (*changeable*) e complexos (*complex*)!

Isso faz total sentido quando pensamos a respeito. Toda vez que damos a uma criança a experiência de exercitar seu cérebro do andar de cima, ele fica mais forte e desenvolvido de maneira mais completa. Quando fazemos a ela perguntas que envolvem percepção a respeito de si mesma, ela se torna mais perspicaz.

Quando você sente raiva,
onde a sente em seu corpo?

Como será que Janie
se sentiu quando ouviu
o que você disse?

Quando a estimulamos a sentir empatia por outra pessoa, ela se torna mais empática.

Quando damos a uma criança a oportunidade de decidir como deveria agir, em vez de simplesmente lhe dizer o que fazer, ela se torna uma melhor tomadora de decisões.

Esta é difícil.
O que você acha
que deveria fazer para
acertar as coisas?

E este é um dos maiores objetivos da criação de filhos, não é? Que nossos filhos se tornem mais perspicazes, empáticos e capazes de tomar boas decisões sozinhos. É como se diz: "Dê um peixe a um homem, e ele comerá por um dia. Ensine um homem a pescar, e ele comerá pela vida inteira". Nosso maior objetivo não é que nossos filhos façam o que queremos que eles façam porque os estamos observando ou lhes dizendo o que fazer. (Isso não seria muito prático, afinal, a menos que planejemos viver e ir trabalhar com eles pelo resto de suas vidas.) Em vez disso, queremos ajudá-los a aprender a fazer escolhas positivas e produtivas sozinhos, em qualquer situação que enfrentem. E isso significa que precisamos ver as vezes que eles se comportam mal como oportunidades para lhes dar a prática em construir habilidades importantes e ter essas experiências programadas no cérebro.

CONSTRUINDO O CÉREBRO E ESTABELECENDO LIMITES

Esta perspectiva pode mudar completamente a forma como olhamos para as oportunidades que temos de ajudar nossos filhos a fazer escolhas melhores. Quando estabelecemos limites, nós ajudamos a desenvolver as partes do cérebro do andar de cima que permitem que as crianças se controlem e regulem seus comportamentos e seus corpos.

Uma maneira de pensar nisso é que estamos ajudando-os a desenvolverem a capacidade de mudar entre os diferentes aspectos do chamado sistema nervoso autônomo. Uma parte do sistema nervoso autônomo é o ramo simpático, que podemos imaginar como o "acelerador" do sistema. Como um pedal de acelerador, ele nos faz reagir com entusiasmo a impulsos e situações, ao preparar o corpo para a ação. A outra parte é o ramo parassimpático, que serve como os "freios" do sistema e nos permite parar e regular a nós mesmos e a nossos impulsos. Manter o acelerador e os freios em equilíbrio é fundamental para a regulação emocional. Assim, quando ajudamos os filhos a desenvolverem a capacidade de se controlarem mesmo quando estão chateados, nós os estamos ajudando a aprender a equilibrar esses dois ramos do sistema nervoso autônomo.

Falando apenas em termos do funcionamento do cérebro, às vezes um acelerador ativado (que pode resultar em uma ação inadequada e impulsiva de uma criança) seguido pela aplicação súbita dos freios (na forma de estabelecimento de limites pelo pais) leva a uma reação do sistema nervoso que pode fazer a criança parar e ter uma sensação de vergonha. Quando isto acontece, a manifestação fisiológica pode ser evitar contato visual, sentir um aperto no peito e, possivelmente, uma sensação de peso no estômago. Os pais podem descrever isso dizendo que ela está "se sentindo mal em relação ao que fez".

Essa consciência inicial de se ter ultrapassado um limite é extremamente saudável e é prova do desenvolvimento do cérebro do andar de cima de uma criança. Alguns cientistas sugerem que o estabelecimento de limites que criam uma "sensação saudável de vergonha" leva a uma bússola interna para orientar comportamentos futuros. Isso significa que a criança está começando a adquirir uma consciência, ou uma voz interior, junto com uma compreensão de moralidade e autocontrole. Com o passar do tempo, enquanto seus pais a ajudam repetidamente a reconhecer os momentos em que ela precisa acionar os freios, seu comportamento começa a mudar. É mais do que simplesmente aprender que uma ação particular é ruim ou que os pais não gostam do que ela fez, então é melhor ela evitar aquela ação para não ter problemas. O que ocorre com esta criança é mais do que apenas aprender as regras de bom x mau ou aceitável x inaceitável.

Em vez disso, o cérebro dela realmente muda, e seu sistema nervoso é programado para dizer a ela o que "parece certo", o que modifica seus comportamentos futuros. Novas experiências programam novas conexões entre seus neurônios, e as mudanças nos circuitos de seu cérebro alteram fundamental e positivamente a forma como ela interage com seu mundo. A forma como os pais ajudam nesse processo é ensinando de maneira amorosa e empática quais comportamentos são aceitáveis e quais não são. É por isso que é essencial que estabeleçamos limites e que nossos filhos internalizem o "não" quando necessário, especialmente nos primeiros anos, quando os circuitos regulatórios do cérebro estão se formando. Ao ajudá-los a compreender as regras e os limites em seus respectivos ambientes, nós ajudamos a construir sua consciência.

Isto é frequentemente difícil para um pai amoroso. Nós queremos que nossos filhos sejam felizes e gostamos quando eles conseguem o que desejam. Além disso, temos consciência do quanto uma situação agradável pode degenerar rapidamente quando uma criança não consegue o que quer. No entanto, se realmente amamos nossos filhos e queremos o melhor para eles, precisamos ser capazes de tolerar a tensão e o desconforto que eles (e nós) podemos experimentar quando estabelecemos um limite. Nós queremos dizer sim a nossos filhos o mais frequentemente possível, mas, às vezes, dizer não é a coisa mais amorosa que podemos fazer.

Uma advertência, aqui: muitos pais dizem não, ou uma forma de não, com frequência demais. Eles dizem não automaticamente, mesmo quando não é necessário. Pare de tocar neste objeto. Não corra. Não derrame. Nossa questão aqui não é que queremos que nossos filhos ouçam muito a palavra "não". Na verdade, muito mais eficiente do que um não direto, é um sim com uma condição: "Sim, você pode tomar um banho mais tarde", ou "Sim, nós vamos ler outra história, mas vai ter que ser amanhã". A questão, em outras palavras, não é dizer não, mas compreender a importância de ajudar os filhos a reconhecer limites para que eles se tornem cada vez melhores em acionar os freios, "eles próprios" quando for necessário.

É importante notar uma segunda advertência aqui, também. Quando o estabelecimento de limites e o "não" são acompanhados por raiva ou comentários negativos dos pais contra uma criança, a "vergonha saudável de desenvolvimento" de uma criança simplesmente aprendendo a mudar seu comportamento se transforma em uma "vergonha tóxica" e uma humilhação mais complicadas. Uma visão propõe que a vergonha tóxica envolve não simplesmente a sensação de ter feito alguma coisa errada, que pode e precisa ser corrigida, mas a sensação dolorosa de que o *self* interior é defeituoso. E esta crença de que o *self* é estragado é considerada como uma condição imutável da criança — não um comportamento que pode ser modificado. Alguns pesquisadores consideram este movimento do "comportamento a ser mudado no futuro" para um "*self* que é fundamentalmente falho" como resultado para filhos que experimentam hostilidade repetida dos pais em resposta a seus comportamentos. A vergonha tóxica e a humilhação podem continuar ao longo da infância até a vida adulta, mesmo sob a superfície da consciência, deixando os indivíduos com um "segredo escondido" de que eles são permanente e profundamente defeituosos. Uma cascata de consequências negativas — ter problemas com relacionamentos próximos que possam revelar este segredo escondido, sentir-se indigno, sentir-se obrigado a obter sucesso na vida, mas jamais sentir-se satisfeito — pode, então, dominar a vida do indivíduo. Você, como pai, pode evitar dar a seu filho esta cascata negativa de vergonha tóxica, aprendendo a criar a estrutura necessária sem humilhá-lo. Este é um objetivo atingível, e nós temos o comprometimento de tornar este caminho disponível, se você assim escolher.

No fim, tudo se resume ao fato de que a "Disciplina sem drama" estimula as crianças a olharem para dentro delas mesmas, levar em consideração os sentimentos dos outros e tomar decisões que são muitas vezes difíceis, mesmo quando têm o impulso ou o desejo de fazer as coisas de outra maneira. Ela permite que os filhos coloquem em prática as habilidades emocionais e sociais que queremos que eles compreendam e dominem. Permite que você crie estrutura com respeito. Quando estamos dispostos a estabelecer um limite de maneira amorosa — exatamente como quando disciplinamos com a consciência de que os cérebros de nossos filhos estão mudando (*changing*), são mutáveis (*changeable*) e complexos (*complex*) —, nós ajudamos a criar conexões neurais que melhoram a capacidade deles para relacionamentos, autocontrole, empatia, percepção pessoal, moralidade e muito, muito mais. E eles podem se sentir bem sobre quem são como indivíduos ao mesmo tempo que aprendem a modificar seus comportamentos.

EM VEZ DE UM NÃO DIRETO...

Não, nós não temos tempo para uma história

TENTE UM SIM COM UMA CONDIÇÃO

Tudo isso leva a uma empolgante conclusão para os pais: todas as vezes que nossos filhos se comportam mal, eles nos dão uma oportunidade de compreendê-los melhor e de ter uma noção mais precisa do que precisam em termos de ajuda para aprender. As crianças, frequentemente, se comportam mal porque ainda não desenvolveram habilidades em uma área, em particular. Então, quando seu filho de 3 anos de idade puxa os cabelos da coleguinha porque ela pegou os biscoitos antes dele, na verdade ele está dizendo "preciso construir habilidades para esperar a minha vez". Da mesma maneira, quando seu filho de 7 anos se torna desafiador e chama você de "Seu cara de peido", depois de você dizer que está na hora de ir embora da casa do amiguinho, ele, na verdade, está dizendo "eu preciso construir a habilidade de lidar melhor comigo mesmo e de comunicar minha decepção de maneira respeitosa quando não consigo as coisas do meu jeito". Ao se comportarem mal, os filhos nos comunicam o que precisa ser trabalhado — o que ainda não foi desenvolvido ou com quais habilidades específicas eles precisam praticar.

O QUE UM PAI VÊ:

O QUE A CRIANÇA ESTÁ REALMENTE DIZENDO:

Eu preciso construir as habilidades de lidar melhor comigo mesmo quando não consigo as coisas do meu jeito.

A má notícia é que isso raramente é divertido, tanto para o filho quanto para o pai. A boa notícia é que nós conseguimos informações que, de outra forma, talvez não conseguíssemos. A notícia ainda melhor é que nós podemos dar passos intencionais no sentido de dar a nossos filhos experiências que lhes ajudem a melhorar suas habilidades de compartilhar, pensar nos outros, falar de modo gentil e assim por diante. Não estamos dizendo que quando seus filhos não lidam bem com as coisas você deve necessariamente comemorar. ("Viva! Uma oportunidade de ajudar um cérebro a se desenvolver idealmente com a minha resposta intencional!") Você, provavelmente, não vai gostar de disciplinar nem ficará esperando ansiosamente por futuros ataques de fúria.

Quando você se der conta de que esses "momentos de mau comportamento" não são apenas experiências terríveis a serem suportadas, mas, na realidade, são oportunidades de conhecimento e crescimento, você poderá recompor toda a experiência e reconhecê-la como uma chance de construir o cérebro e criar algo significativo e importante na vida do seu filho.

3

DO ATAQUE DE BIRRA À TRANQUILIDADE: CONEXÃO É O SEGREDO

Michael ouviu vozes ficando mais altas no quarto dos filhos, mas estava vendo um jogo de basquete na TV e decidiu esperar pelo intervalo antes de investigar. Grande erro.

O filho de 8 anos, Graham, e seu amigo, James, haviam passado os últimos 30 minutos organizando e categorizando cuidadosamente as centenas de peças de Lego de Graham. Ele havia usado o dinheiro da mesada para comprar uma caixa de equipamentos de pesca e havia designado um compartimento diferente para cada cabeça, torso, capacete, espada, sabre de luz, varinha e machado de Lego e todas as outras coisas que os gênios criativos da Dinamarca conseguiram imaginar. Os meninos estavam no paraíso da organização.

O problema foi que o filho de 5 anos de Michael, Matthias, estava se sentindo cada vez mais deixado de lado por Graham e James. Os três meninos haviam começado o projeto juntos, mas os mais velhos acabaram sentindo que Matthias não compreendia direito o complexo sistema de categorização deles.

Como resultado disso, não estavam permitindo que o pequeno participasse da atividade.

Eis as vozes se elevando.

Michael não conseguiu esperar o comercial. Os berros deixaram claro que ele precisava intervir imediatamente, mas ele não foi rápido o bastante. Quando ainda estava a três passos de distância do quarto dos garotos — apenas três passos! —, ouviu o som inconfundível de centenas de peças de plástico de Lego explodindo sobre um piso de madeira.

Três passos depois, ele testemunhou o caos e a carnificina. Era um massacre completo. Cabeças decapitadas enchiam todo o quarto, espalhadas ao lado de corpos sem braços e armas ao mesmo tempo medievais e futuristas. Um arco-íris de caos se estendia da porta até o armário do outro lado do quarto.

Ao lado da caixa de equipamentos, de pé, estava o filho de 5 anos de Michael bufando, olhando para ele com olhos que eram, ao mesmo tempo, desafiadores e apavorados. Michael se virou para o filho mais velho, que gritou: "Ele estraga tudo!", e saiu correndo do quarto aos prantos, seguido por um James parecendo encabulado e desconfortável.

Eis o que chamamos de momento de disciplina. Os dois meninos de Michael estavam, agora, aos berros, com um amigo apanhado no fogo cruzado, e o próprio Michael se sentia furioso. Não apenas Matthias havia destruído todo o trabalho que os meninos mais velhos haviam feito, como agora havia uma imensa bagunça a ser arrumada no quarto. (Se você já sentiu a dor de pisar em uma peça de Lego, sabe por que deixar tudo espalhado no chão não era uma opção.) E ele estava perdendo o jogo.

Michael decidiu que iria atrás dos mais velhos em um instante, e trataria primeiro de Matthias. Sua inclinação inicial foi pairar acima do filho menor, agitando o dedo em riste no rosto dele e dar uma bronca por virar a caixa de peças. Com a raiva que estava sentindo, queria impor consequências imediatas.

Queria gritar: "Por que você fez isto?". Ele queria dizer algo sobre o filho nunca mais poder trazer os amigos para brincar em casa, além de acrescentar: "Está vendo por que eu não queria que você brincasse com os Legos?".

Por sorte, porém, a parte pensante de Michael (o cérebro do andar de cima dele) assumiu o controle, e ele tratou da situação a partir da perspectiva do "cérebro por inteiro."

O que ativou a abordagem mais madura e empática foi seu reconhecimento do quanto aquele menininho precisava dele, naquele momento. É claro que Michael precisaria tratar do comportamento de Matthias. E, sim, ele obviamente precisaria ser um pouco mais proativo da próxima vez ao atender a uma situação antes de ela sair do controle. Ele queria ajudar Matthias a pensar em como Graham estava se sentindo e compreender que nossas ações frequentemente impactam sobre outras pessoas, de maneiras importantes. Todo esse ensinamento, todo esse redirecionamento era absolutamente necessário.

Mas não imediatamente. Imediatamente, ele precisava se conectar.

Matthias estava completamente desregulado emocionalmente e precisava do pai para tranquilizar os sentimentos de mágoa, tristeza e raiva provocados por ter sido criticado por ser pequeno demais para compreender e por ter sido excluído da brincadeira do irmão. Aquele não era o momento de redirecionar, ensinar ou falar sobre regras de família e respeito pela propriedade dos outros. Aquele era o momento de se conectar.

Então, Michael se ajoelhou e abriu os braços, e Matthias se jogou em seu abraço. Michael o segurou enquanto ele soluçava, esfregou as costas do menino e não disse nada além de um "Eu sei, carinha. Eu sei".

Um minuto depois, Matthias olhou para o pai, com os olhos brilhantes de lágrimas, e disse: "Eu derrubei os Legos".

Como resposta, Michael riu um pouco e disse: "Acho que você fez mais do que isso, rapazinho!". Matthias deu um sorrisinho e, neste momento, Michael soube que poderia seguir para redirecionar a parte da disciplina, e ajudá-lo a compreender algumas lições importantes sobre empatia e expressões adequadas de grandes sentimentos. Ele, agora, era capaz de escutar o pai. A conexão e o consolo de Michael haviam permitido que o menino saísse de um estado reativo e passasse para um estado receptivo, em que conseguiria ouvir o pai e realmente aprender.

Perceba que conectar-se primeiro não é apenas mais relacional e amoroso. Sim, fazer isso permite que pais se sintonizem com seus filhos, como Michael fez, e sejam emocionalmente responsivos quando eles estão irritados e desregulados. Isso permite que a criança se "sinta estimada", que é a sensação interna de ser vista e compreendida que transforma o caos em tranquilidade, o isolamento em conexão. Conectar-se primeiro é uma forma fundamentalmente amorosa de disciplinar. Mas perceba o quanto a abordagem disciplinar sem drama também pode ser muito mais eficaz. Não é que um sermão tivesse sido errado como resposta inicial de Michael à situação. Nossa questão aqui não diz respeito sobre certo ou errado em abordagens de criação de filhos (embora nós, definitivamente, acreditemos que a abordagem do "cérebro por inteiro" seja fundamentalmente mais amorosa e compassiva). A questão é que a tática de Michael de se conectar primeiro atingiu os dois objetivos da disciplina — obtenção de cooperação e construção do cérebro — de maneira extremamente eficiente. Ela permitiu que houvesse aprendizado, que o ensinamento fosse eficaz e uma conexão fosse estabelecida e mantida. A abordagem de Michael permitiu que ele obtivesse a atenção do filho e fizesse isso rapidamente e sem drama, para que os dois pudessem falar sobre o comportamento de Matthias de tal forma que o menino conseguisse escutar. Além disso, pôde ajudar na construção do cérebro dele, porque ele agora podia escutar os argumentos de Michael e compreender as lições importantes que o pai estava ensinando a ele. Além disso, o pai apresentou a conexão sintonizada ao filho e mostrou a ele que há formas mais tranquilas e amorosas de interagir quando se está chateado com alguém. E tudo isso aconteceu porque Michael se conectou primeiro, antes de redirecionar.

CRIAÇÃO PROATIVA DE FILHOS

Falaremos, agora, sobre por que a conexão é uma ferramenta tão poderosa quando nossos filhos estão chateados ou tendo problemas em tomar boas decisões. Michael obviamente a usou de maneira eficaz. Mas tendo sido um pouco lento em reagir à situação — três simples passos! — ele perdeu uma oportunidade de evitar completamente todo o processo disciplinar.

Isso é, realmente, verdade. Às vezes, podemos evitar precisar disciplinar, simplesmente sendo proativos em vez de reativos na criação dos filhos. Quando somos proativos, ficamos atentos para as vezes em que sabemos que um mau comportamento e/ou um ataque de fúria está próximo de nossos filhos — logo ali em frente — e intervimos, tentando orientá-los a desviar deste campo minado potencial. Como queria esperar até o comercial seguinte, Michael não reagiu rápido o bastante aos sinais de que estavam começando a surgir problemas no quarto dos filhos.

Criar filhos proativamente pode fazer toda a diferença. Quando, por exemplo, sua doce e, normalmente, obediente filha de 8 anos está se aprontando para a aula de natação, você talvez perceba que ela reage de uma forma um pouco exagerada quando chega a hora de aplicar o filtro solar: "Por que eu preciso usar filtro solar todos os dias?". Então, enquanto você está arrumando o irmão menor dela, ela senta ao piano por 1 minuto para tocar uma de suas canções. Mas ela erra algumas notas e dá um soco no teclado, frustrada.

Você poderia interpretar essas ações como incidentes isolados e ignorá-las. Ou poderia reconhecê-las como os alertas que, provavelmente, são. Você pode lembrar que a filha em questão fica especialmente irritada quando está com fome, de modo que você pode parar o que está fazendo e dar uma maçã a ela. Quando ela olhar novamente para você, você pode lhe dar um sorriso cúmplice como lembrete dessa tendência dela e, esperamos, ela irá concordar com a cabeça, comerá a maçã e voltará para um ponto de autocontrole.

É verdade que, às vezes, nenhum sinal evidente se apresenta antes que nossos filhos tomem decisões ruins e ajam de maneiras que não são as ideais. Mas, outras vezes, nós conseguimos ler os sinais de nossos filhos e tomar atitudes proativas para nos mantermos à frente na curva da disciplina. Isso pode significar dar um alerta 5 minutos antes de precisar ir embora do parque, ou impor uma hora de dormir consistente para que seus filhos não fiquem cansados demais e mal-humorados no dia seguinte.

Isso pode significar começar a contar uma história de suspense a uma criança em idade pré-escolar e depois pausá-la, explicando que você vai contar o que acontece assim que ela estiver sentada no carro. Ou talvez signifique interferir para começar uma nova brincadeira quando ouvir que seus filhos estão se encaminhando para um conflito sério. Pode significar dizer a uma criança pequena, com uma voz enérgica: "Ei, antes de você atirar esta batata frita do outro lado do restaurante, deixe eu mostrar o que tenho aqui, na minha bolsa".

EM VEZ DE CRIAR FILHOS REATIVAMENTE

CRIE FILHOS PROATIVAMENTE

POUCO ANTES...
Quem quer um lanche?

Outra maneira de criar filhos proativamente é PARAR antes de responder às crianças. Quando você vê o comportamento do seu filho indo em uma direção de que você não gosta, pergunte a si mesmo: "Ele está com fome, irritado, sozinho ou cansado?". Pode ser tudo de que você precisa para oferecer uma fruta, ouvir o que ele está sentindo, brincar um pouco com ele ou ajudá-lo a dormir um pouco mais. Às vezes, em outras palavras, tudo o que você precisa é de um pouco de premeditação e planejamento.

O SEU FILHO ESTÁ:

COM FOME?

IRRITADO?

SOZINHO?

CANSADO?

Criar filhos proativamente não é fácil, e exige uma boa medida de consciência da sua parte. Mas, quanto mais você consegue observar o começo de comportamentos negativos e encaminhá-los antecipadamente, menos terá de recolher as peças literais ou figurativas, o que quer dizer que você e seus filhos terão mais tempo para, simplesmente, aproveitarem uns aos outros.

Como todos sabemos, porém, às vezes o mau comportamento simplesmente acontece. Ah, e como acontece. E nenhuma medida de proatividade é capaz de prevenir isso. Esse é o momento de se conectar. Nós precisamos lutar contra o impulso de imediatamente punir, dar sermão, estabelecer regras ou mesmo redirecionar de forma positiva, imediatamente. Em vez disso, nós precisamos nos conectar.

POR QUE NOS CONECTAR PRIMEIRO?

Vamos ser mais específicos e falar por que a conexão é tão poderosa. Vamos olhar para três benefícios primários — um de curto prazo, um de longo prazo e um relacional — de fazer da conexão a nossa primeira reação quando nossos filhos têm problemas para controlar a si mesmos e tomar boas decisões.

BENEFÍCIO Nº 1: A CONEXÃO PASSA UMA CRIANÇA DA REATIVIDADE À RECEPTIVIDADE

Para reagirmos especificamente quando nossos filhos se comportam mal, há uma coisa que precisamos fazer: devemos nos manter emocionalmente conectados com eles, mesmo quando — e talvez especialmente quando — estamos disciplinando. Afinal, é quando nossos filhos estão mais incomodados que mais precisam de nós. Pense nisso: eles não querem se sentir frustrados, com raiva ou descontrolados. Isso não é apenas desagradável, é extremamente estressante. Normalmente, o mau comportamento é resultado de uma criança ter dificuldade em lidar com o que está acontecendo dentro dela e ao seu redor — e dentro dela. Ela tem todos esses grandes sentimentos que ainda não tem a capacidade de gerenciar, e o mau comportamento é simplesmente o resultado disso. Suas atitudes — sobretudo quando ela está fora de controle — são uma mensagem de que ela precisa de ajuda. Elas são um pedido de assistência e de conexão.

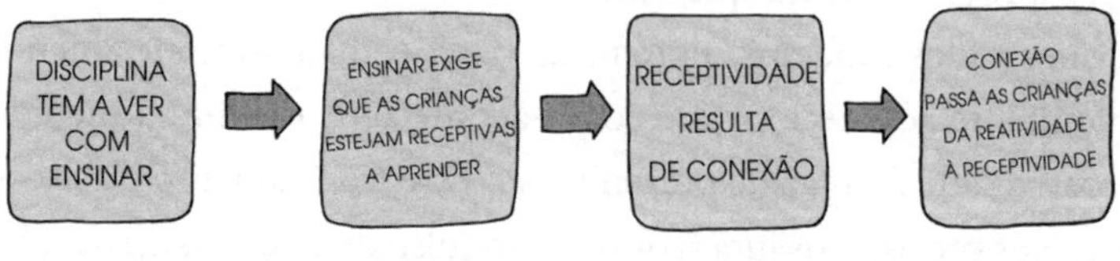
DISCIPLINA TEM A VER COM ENSINAR
ENSINAR EXIGE QUE AS CRIANÇAS ESTEJAM RECEPTIVAS A APRENDER
RECEPTIVIDADE RESULTA DE CONEXÃO
CONEXÃO PASSA AS CRIANÇAS DA REATIVIDADE À RECEPTIVIDADE

Então, quando as crianças se sentem furiosas, tristes, envergonhadas, constrangidas, sobrecarregadas ou descontroladas de qualquer outra maneira, é quando precisamos estar lá para elas. Através da conexão, nós podemos acalmar o turbilhão de emoções internas delas, ajudá-las a se acalmar e auxiliá-las a tomar decisões melhores. Quando elas sentem nosso amor e nossa aceitação, quando se sentem amadas por nós, mesmo quando sabem que não gostamos de suas atitudes (ou elas não gostam das nossas), elas podem começar a retomar o controle e permitir que seus cérebros do andar de cima se envolvam, novamente. Quando isso acontece, uma disciplina efetiva pode realmente acontecer. A conexão, em outras palavras, as tira de um estado reativo e as passa para um estado em que podem ser mais receptivas à lição que queremos lhes ensinar e às interações saudáveis que queremos ter com elas.

Assim, há uma grande pergunta que podemos nos fazer antes de começarmos a redirecionar e ensinar explicitamente: meu filho está pronto para me escutar, para aprender, para compreender? Se uma criança não está pronta, provavelmente será preciso mais conexão.

Como vimos com Michael e seu filho de 5 anos, a conexão acalma o sistema nervoso, tranquilizando a reatividade do filho, no momento, e o levando para um lugar onde ele consegue nos escutar, aprender e até mesmo tomar suas próprias decisões com o "cérebro por inteiro". Quando o indicador emocional é acionado, a conexão é o modulador que evita que os sentimentos aumentem demais. Sem conexão, as emoções podem continuar escalando para fora do controle.

CONEXÃO ACALMA

Imagine a última vez em que você se sentiu muito triste, irritado ou chateado. Como teria sido se alguém que você ama tivesse dito: "Você precisa se acalmar", ou: "Não é um problema tão grande assim"? Ou se dissessem para você: "ficar sozinho até se acalmar e voltar a ficar legal e contente". Essas respostas teriam feito você se sentir péssimo, não? No entanto, são esses tipos de coisas que dizemos aos nossos filhos, o tempo todo. Quando fazemos isso, na verdade, aumentamos a aflição interna deles, levando a mais drama, não a menos. Essas respostas têm efeito contrário à conexão; na realidade, elas amplificam os estados negativos.

A conexão, porém, acalma, permitindo que as crianças comecem a recuperar o controle de suas emoções e de seus corpos. Permite que elas se "sintam amadas", e esta empatia diminui a sensação de isolamento ou de ser incompreendido, que surge com a reatividade do cérebro do andar de baixo e todo o sistema nervoso: coração disparado, pulmões respirando rapidamente, músculos tensionando e intestinos revirando. Esses estados reativos são desconfortáveis e podem se intensificar com mais demandas e desconexão. Com a conexão, no entanto, as crianças podem fazer escolhas mais cuidadosas e podem lidar melhor consigo mesmas.

O que a conexão faz, basicamente, é integrar o cérebro. Eis como isso funciona. O cérebro, como dissemos, é complexo (esse é o terceiro "C cerebral"). Ele é constituído de muitas partes, cada uma delas com diferentes funções. O cérebro do andar de cima, o cérebro do andar de baixo. O lado esquerdo e o lado direito. Há centros de memória e regiões de dor. Junto com todos os sistemas e circuitos do cérebro, essas partes têm suas próprias responsabilidades, suas próprias funções. Quando todas essas partes funcionam em conjunto, como um todo coordenado, o cérebro se torna integrado. Suas muitas partes podem funcionar como uma equipe, realizando mais e sendo mais eficazes do que seriam funcionando sozinhas.

Como explicamos em *"O cérebro da criança"*, uma boa imagem para ajudar a compreender a integração é um rio de bem-estar.

Imagine que você está em uma canoa, flutuando por um rio tranquilo e idílico. Você se sente calmo, relaxado e pronto para lidar com qualquer coisa que surja pela frente. Não significa que tudo esteja perfeito ou favorável. Significa que você está em um estado mental integrado — você está calmo, receptivo e equilibrado, e seu corpo se sente cheio de energia e à vontade. Mesmo quando as coisas não funcionam como você gostaria, você pode se adaptar com flexibilidade. Este é o rio de bem-estar.

Às vezes, porém, você não consegue se manter no fluxo do rio. Você desvia demais para uma margem ou outra. Um lado do rio representa o caos. Perto desta margem há corredeiras perigosas que fazem a vida parecer frenética e incontrolável. Quando está perto da margem do caos, você fica facilmente irritado e até mesmo os menores obstáculos podem lhe tirar completamente do controle. Você pode sentir emoções muito intensas, como alta ansiedade ou raiva, e pode notar que seu corpo também se sente caótico, com os músculos tensos, batimentos cardíacos rápidos e a testa franzida.

A outra margem não é menos desagradável, porque representa a rigidez. Ali, você fica preso desejando ou esperando que o mundo opere de determinada maneira, e você não quer ou não consegue se adaptar quando isso não acontece. Em seu esforço para impor sua própria visão e seus desejos ao mundo ao seu redor, você descobre que não irá, ou possivelmente sequer conseguirá, ceder ou negociar de qualquer maneira significativa.

Então, o caos está em uma margem; a rigidez, na outra. Os dois extremos oferecem ou uma falta de controle ou tanto controle que não há flexibilidade nem adaptabilidade. E ambos os extremos mantêm você fora do fluxo tranquilo do rio de bem-estar. Quer você seja caótico ou rígido, você está perdendo a oportunidade de obter saúde mental e emocional, de se sentir à vontade com o mundo.

Pense no rio de bem-estar em relação aos seus filhos. Quase sempre, quando os filhos se comportam mal ou se sentem chateados, eles dão demonstrações de caos, rigidez ou ambos. Quando uma criança de 9 anos de idade perde o controle por causa de uma apresentação oral na escola, no dia seguinte, e acaba rasgando as anotações soluçando e dizendo que nunca vai conseguir decorar a abertura, ela sucumbiu ao caos. Ela está encalhada na margem, longe do rio de bem-estar, de fluxo tranquilo. Da mesma forma, quando uma criança de 5 anos de idade insiste teimosamente em ouvir mais uma historinha antes de dormir ou se recusa a tomar banho antes de encontrar sua pulseira mais especial, ela está encalhada na margem da rigidez. E você se lembra de Nina, do capítulo anterior? Quando ela desabou porque a mãe lhe disse que seu pai a levaria para a escola, naquela manhã, e depois se recusou a considerar qualquer perspectiva alternativa para a situação, ela estava fazendo um zigue-zague entre o caos e a rigidez, sem conseguir aproveitar o fluxo tranquilo do centro do rio de bem-estar.

Então é isto que a conexão faz. Ela afasta os filhos das margens e os devolve para o fluxo, onde eles experimentam uma sensação interna de equilíbrio e se sentem mais felizes e mais estáveis. Então, podem ouvir o que precisamos dizer a eles e tomar decisões melhores. Quando nos conectamos com uma criança que esteja se sentindo sobrecarregada e confusa, nós a ajudamos a se afastar daquela margem e ir para o centro do rio, onde ela consegue se sentir mais equilibrada e no controle da situação. Quando nos conectamos com uma criança que está presa a um estado mental rígido, sem conseguir considerar outras perspectivas, nós a ajudamos a se integrar de modo que ela consiga soltar sua garra inflexível sobre uma situação e se tornar mais flexível e adaptável. Em ambos os casos, a conexão cria um estado mental integrado e uma oportunidade de aprendizado.

Nós seremos muito mais específicos no próximo capítulo sobre maneiras práticas de se conectar com seus filhos quando eles estão incomodados. A abordagem básica, porém, normalmente envolve escutar e oferecer muita empatia verbal e não verbal. É assim que nos sintonizamos com eles, e com a vida interior de suas mentes — com os sentimentos e pensamentos deles, suas percepções e memórias, com o que tem um significado subjetivo em suas vidas. Isto é sintonizar-se com a mente por baixo do comportamento deles. Por exemplo, uma das formas mais poderosas de nos conectarmos com nossos filhos é simplesmente tocando-os fisicamente. Um toque amoroso — tão simples como uma mão em um braço, um carinho nas costas ou um abraço carinhoso — libera hormônios de bem-estar (como ocitocina e opioides naturais) em nosso cérebro e no corpo e diminui o nível do hormônio do estresse (cortisol). Quando seus filhos estão se sentindo incomodados, um toque amoroso pode acalmar as coisas e ajudar você a se conectar, mesmo durante momentos de alto nível de estresse. Isto é conectar-se com as aflições internas deles, não apenas reagir ao comportamento visível exteriormente.

A CONEXÃO PASSA UMA CRIANÇA DA REATIVIDADE À RECEPTIVIDADE

Perceba que esta foi a primeira coisa que Michael fez quando olhou para o filho menor no meio da carnificina de Legos: ele sentou e o abraçou.

Ao fazer isso, ele começou a puxar a pequena canoa de Matthias para longe da margem do caos e trazê-la de volta para o fluxo tranquilo do rio. Então, ele escutou. Matthias não precisou dizer muita coisa: "Eu derrubei os Legos". Com isso, ele pôde começar a seguir em frente. Às vezes, os filhos precisarão falar muito mais e ser escutados por muito mais tempo. Ou, às vezes, eles não vão querer falar. E, às vezes, pode ser tão rápido como foi aqui. O toque não verbal, uma declaração empática — "Eu sei, carinha" — e uma disponibilidade para escutar. Era do que Matthias precisava para devolver algum equilíbrio ao seu jovem cérebro e seu corpo impulsivo. Depois que isso aconteceu, o pai dele pôde começar a ensinar falando sobre as lições em questão.

Embora Michael não estivesse pensando nesses termos, o que ele estava fazendo era usar seu relacionamento, sua comunicação de conexão para ajudar a trazer a integração ao cérebro de Matthias, para que o cérebro do andar de cima e o cérebro do andar de baixo conseguissem funcionar juntos e que os lados direito e esquerdo do cérebro dele também. Quando Matthias ficou furioso com os meninos mais velhos, o cérebro do andar de baixo assumiu completamente o controle, desativando seu cérebro do andar de cima. As partes inferiores instintivas e reativas do cérebro se tornaram tão ativas que ele perdeu o acesso às partes superiores do cérebro, as que o ajudam a pensar sobre consequências e a levar em consideração os sentimentos dos outros. Essas duas partes do cérebro não estavam funcionando juntas. Em outras palavras, o cérebro dele, naquele momento, estava desintegrado, e o resultado foi o massacre dos Legos. Ao oferecer um gesto não verbal, em vez de um monte de palavras lógicas do cérebro esquerdo, Michael conseguiu se conectar com o cérebro direito de Matthias, o lado mais diretamente conectado e também mais inundado pelo cérebro do andar de baixo. Direito e esquerdo, andar de baixo e andar de cima, o cérebro de Matthias estava pronto para se tornar mais coordenado e equilibrado em seu movimento para a integração. A conexão integrou seu cérebro do andar de baixo com a emoção e seu cérebro do andar de cima com o pensamento, e permitiu que Michael atingisse o objetivo de curto prazo de conseguir cooperação do filho.

BENEFÍCIO Nº 2: CONEXÃO CONSTRÓI O CÉREBRO

Como explicamos no capítulo anterior, a "disciplina sem drama" constrói o cérebro de uma criança melhorando sua competência para relacionamentos, autocontrole, empatia, percepção pessoal e muito mais. Nós discutimos a importância de estabelecer limites, criar estruturas e ajudar os filhos a construir controles internos e inibir impulsos ao internalizar o "não". É assim que usamos o relacionamento com nossos filhos para construir as funções executivas dos cérebros deles. Nós também discutimos outras maneiras de desenvolver as habilidades relacionais e de tomada de decisão de uma criança. Cada interação com nossos filhos oferece a oportunidade de construir seus cérebros e aumentar a capacidade de ser o tipo de pessoas que esperamos que eles sejam.

E tudo começa com conexão. Além do benefício de curto prazo de passá-los da reatividade à receptividade, conectar-se durante uma interação disciplinar também impacta os cérebros das crianças de maneiras tais que terão efeitos de longo prazo, conforme eles crescerem. Quando conseguimos comunicar o quanto amamos nossos filhos, mesmo quando eles aprontam, escutamos seus sentimentos e oferecemos consolo quando se sentem incomodados, nós impactamos significativamente na forma como seus cérebros se desenvolvem e no tipo de pessoas que eles serão, tanto agora quanto na adolescência e na vida adulta.

Nos capítulos seguintes, falaremos mais sobre redirecionamento, incluindo as lições explícitas que ensinamos e os comportamentos que apresentamos quando interagimos com nossos filhos. Evidentemente, o cérebro de uma criança será imensamente impactado pelo que comunicamos a ela quando reagimos ao mau comportamento. E ele também será modificado pelo que apresentamos com nossas próprias atitudes, no momento. Seja consciente ou inconscientemente, o cérebro de uma criança assimilará todos os tipos de informações com base na reação dos pais a qualquer situação. O ponto mais pertinente, aqui, tem a ver com conexão, e como pais mudam e até mesmo constroem os cérebros dos filhos com base no que os filhos vivenciam, naquele momento de disciplina.

Para colocar em termos mais neurológicos, a conexão fortalece as fibras conectivas entre o cérebro do andar de baixo e o do andar de cima, de modo que as partes superiores do cérebro possam se comunicar mais efetivamente e superar os impulsos inferiores, mais primitivos. Nós apelidamos essas fibras que conectam as áreas superiores e inferiores do cérebro como "escadaria do cérebro". A escadaria integra o andar de cima e o andar de baixo e beneficia a região do cérebro chamada córtex pré-frontal. Essa região fundamental do cérebro ajuda a criar as funções executivas de autorregulação, incluindo o equilíbrio de nossas emoções, o foco da nossa atenção, o controle de nossos impulsos e a nossa conexão empática com outras pessoas. Conforme o córtex pré-frontal se desenvolve, as crianças serão mais capazes de colocar em prática as habilidades sociais e emocionais que queremos que elas desenvolvam e venham a dominar conforme elas cresçam e saiam para o mundo.

Falando de forma mais simples, a integração em um relacionamento cria a integração no cérebro. Um relacionamento integrado se desenvolve quando honramos as diferenças existentes entre nós e os outros, e então nos conectamos através de uma comunicação integrada. Nós sentimos empatia em relação a outra pessoa, sentindo o que ela sente e compreendendo seu ponto de vista. Nesta conexão, nós respeitamos a vida mental interior da outra pessoa, mas não nos tornamos a outra pessoa. É assim que permanecemos como indivíduos diferenciados, mas também nos conectamos. Tal integração cria harmonia em um relacionamento. Incrivelmente, a integração interpessoal também pode ser vista no cerne de como relacionamentos entre pais e filhos cultivam a integração no cérebro da criança. É assim que regiões diferenciadas — como esquerda e direita ou superior e inferior — permanecem únicas e especializadas, mas também se tornam relacionadas. A regulação no cérebro depende da coordenação e do equilíbrio de várias regiões que surgem da integração. E essa integração neural é a base para funções executivas, a capacidade de regular atenção, emoções, pensamentos e comportamento. Este é o segredo do sucesso: a integração interpessoal cultiva a integração neural interna.

Então, este é o benefício de longo prazo da conexão: através de relacionamentos, ela cria ligações neurais e alimenta fibras integrativas que, literalmente, mudam o cérebro e deixam nossos filhos mais hábeis para a tomada de boas decisões, para participar de relacionamentos e para interagir de maneira bem-sucedida com o mundo.

BENEFÍCIO Nº 3: A CONEXÃO APROFUNDA O RELACIONAMENTO COM O SEU FILHO

A conexão oferece o benefício de curto prazo de passar os filhos da reatividade à receptividade e o benefício de longo prazo de construir o cérebro. O terceiro benefício que queremos destacar é um benefício relacional: a conexão aprofunda o laço entre você e o seu filho.

Momentos de conflito podem ser os mais difíceis e precários de qualquer relacionamento. Eles também podem estar entre os mais importantes. É claro que nossos filhos sabem que estamos lá para eles quando os estamos abraçando ou lendo um livro junto com eles, ou quando comparecemos e aplaudimos as suas apresentações. Mas, e quando surgem a tensão e o conflito? Quando temos desejos ou opiniões incompatíveis? Esses momentos são o verdadeiro teste. A forma como respondemos a nossos filhos quando não estamos felizes com suas escolhas. (Com orientação amorosa? Com irritação e críticas? Com fúria e uma explosão humilhante?) afetarão o desenvolvimento de nosso relacionamento com eles e mesmo a própria noção de *self* deles.

Não é sempre fácil nos conectar quando nossos filhos se comportam mal ou quando estão agindo da maneira mais feia ou mais fora do controle. Conectar-se pode ser a última coisa no mundo que você quer fazer quando seus filhos começam uma briga dentro de um avião silencioso, ou quando eles fazem manha e reclamam por não ganhar um doce melhor depois de você ter acabado de levá-los ao cinema.

Mas a conexão deveria ser nossa primeira reação em, praticamente, qualquer situação de disciplina. Não apenas porque pode nos ajudar a lidar com o problema a curto prazo. Não apenas porque tornará nossos filhos pessoas melhores a longo prazo. Mas também, e mais importante, porque nos ajuda a comunicar o quanto valorizamos o relacionamento. Nós sabemos que nossos filhos têm cérebros que estão mudando (*changing*), são mutáveis (*changeable*) e são complexos (*complex*), e que eles precisam de nós quando estão com dificuldades. Quanto mais respondemos com empatia, apoio e escuta, será melhor para o nosso relacionamento com eles.

Tina, recentemente, compareceu a uma festa de aniversário com o filho de 6 anos de idade na casa da amiga dele, Sabrina. Os pais dela, Bassil e Kimberly, acompanharam os convidados depois do fim da festa. Quando voltaram à sala de estar da casa, depararam com uma surpresa. Eis como Kimberly contou em um *e-mail* para Tina:

> "Depois da festa, a Sabrina entrou na casa e abriu todos os presentes, sem supervisão. Então, eu não pude escrever quem deu o quê. Foi um caos! Eu consegui juntar a maior parte dos itens porque a minha filha Sierra estava lá quando Sabrina os abriu. Antes de Sabrina escrever os bilhetes de agradecimento, eu gostaria de esclarecer. O JP deu a ela a caixa de giz de cera? Tenho certeza de que a etiqueta condena minha tática, mas prefiro acertar a ser não específica!".

Nesta situação, nós poderíamos sentir empatia em relação a uma mãe cansada por não ter se contido ao retornar à sala e encontrar brinquedos recém-abertos por todo lado, e papel de presente rasgado espalhado por todo chão. Afinal, Kimberly havia acabado de dar uma festa de aniversário divertida, barulhenta e caótica para 15 crianças de 6 anos de idade com seus pais e irmãos. As circunstâncias estavam ótimas para a perda do controle materno, salientadas por muitos gritos sobre uma menina mimada que não conseguiu sequer esperar o fim da festa para abrir os presentes, como um animal selvagem em busca de carne.

A CONEXÃO APROFUNDA O RELACIONAMENTO COM O SEU FILHO

Ao manter o próprio autocontrole, porém, Kimberly conseguiu lidar com a situação a partir de um estado mental sem drama, do "Cérebro por inteiro", que a levou a começar com — você adivinhou — conexão. Em vez de começar um sermão ou uma bronca, ela se conectou com a filha. Ela primeiro reconheceu como a festa havia sido divertida e também como havia sido divertido abrir todos os presentes. Ela até mesmo sentou pacientemente, enquanto Sabrina lhe mostrava o conjunto de bigodes postiços de que havia gostado tanto. (Você precisava conhecer Sabrina.). E então, depois de se conectar, Kimberly falou com a filha, ensinando o que ela queria que a menina soubesse sobre presentes, espera e bilhetes de agradecimento. Foi assim que a conexão criou uma oportunidade integrativa, construindo um cérebro mais forte e fortalecendo um relacionamento.

Você será capaz de se conectar primeiro todas as vezes que seus filhos aprontarem ou se descontrolarem? É claro que não. Nós certamente não conseguimos fazer isso com nossos próprios filhos. Mas, quanto mais conseguirmos fazer da conexão a nossa primeira reação — independentemente do que nossos filhos tenham feito ou se não estivermos no rio de bem-estar —, quanto mais mostrarmos aos nossos filhos que eles podem contar conosco para lhes oferecer conforto, amor incondicional e apoio, mesmo quando agiram como não gostamos, melhor será para o nosso relacionamento com eles, como um todo. É isso que chamamos de fortalecer e aprofundar um relacionamento. Além disso, ao fortalecer seu próprio relacionamento com seus filhos, você os estará equipando melhor para serem bons irmãos, amigos e parceiros conforme eles se aproximam da vida adulta. Você estará ensinando pelo exemplo, orientando pelo que você faz e não apenas pelo que diz. Este é o benefício relacional da conexão: ela ensina aos filhos o que significa estar em um relacionamento e amar, mesmo quando não estamos felizes com as escolhas feitas pela pessoa que amamos.

E OS ATAQUES DE BIRRA? NÓS NÃO DEVEMOS IGNORÁ-LOS?

Quando ensinamos aos pais sobre conectar-se e redirecionar, uma das perguntas mais comuns que ouvimos é sobre os ataques de birra. Normalmente, alguém da plateia perguntará algo como: "Eu achava que nós devíamos ignorar os ataques de birra. Conectar-se com uma criança quando ela está tendo um chilique não é simplesmente lhe dar atenção? Isso não apenas reforça o comportamento negativo?".

Nossa resposta a esta questão revela outro ponto em que a filosofia sem drama do "Cérebro por inteiro" difere das abordagens convencionais. Sim, pode haver vezes em que uma criança tem o que podemos chamar de ataque de birra estratégico, quando ela está no controle de si mesma e está agindo propositalmente para atingir um objetivo desejado: ganhar um brinquedo que queira, ficar mais tempo no parque, e assim por diante. Mas, com a maioria das crianças, e quase sempre com crianças pequenas, ataques de birra estratégicos são muito, muito mais exceção do que regra.

Na maioria das vezes, um ataque de birra é evidência de que o cérebro do andar de baixo de uma criança sequestrou seu cérebro do andar de cima e a deixou legítima e sinceramente fora de controle. Ou, mesmo que a criança não esteja completamente desregulada, ela está suficientemente sem recursos em seu sistema nervoso a ponto de fazer manha ou não ter a capacidade de ser flexível e administrar os próprios sentimentos, naquele instante. E se uma criança não consegue regular as próprias emoções e ações, nossa resposta deve ser oferecer ajuda e enfatizar o consolo. Nós devemos ser carinhosos e empáticos e focar na conexão. Quer esteja sem recursos e apenas começando a percorrer a estrada para a aflição, ou tão chateada que esteja realmente fora de controle, ela precisa de nós nesse momento. Nós ainda precisamos estabelecer limites — não podemos deixar uma criança, em sua aflição, puxar as cortinas no restaurante —, mas nosso objetivo, naquele momento, é consolá-la e ajudá-la a se acalmar para que possa retomar o controle de si mesma. Lembre-se de que o caos e a perda do controle são sinais de integração bloqueada, em que as diferentes partes do cérebro não estão funcionando como um todo coordenado. E como a conexão cria oportunidades integrativas, ela se torna a forma como consolamos. A integração cria a capacidade de regular emoções — e é assim que tranquilizamos nossos filhos, ajudando-os a passar do caos ou da rigidez de estados não integrados para a harmonia mais calma e clara da integração e do bem-estar.

Assim, quando os pais pedem nossa opinião sobre ataques de birra, nossa resposta é que precisamos recompor completamente a maneira como pensamos nas vezes em que nossos filhos estão mais incomodados e fora de controle. Nós sugerimos que os pais vejam um ataque de birra não simplesmente como uma experiência desagradável que eles precisam aprender a atravessar, administrar para seu próprio benefício ou interromper assim que possível, a qualquer custo, mas sim como um pedido de ajuda — como mais uma oportunidade de fazer uma criança se sentir segura e amada. É uma chance de amenizar a aflição, de ser um abrigo quando há uma tempestade interna, de praticar a passagem de um estado de desintegração para um estado de integração, através da conexão. É por isso que chamamos esses momentos de conexão de "oportunidades integrativas". Lembre-se de que a experiência repetida de uma criança ter seu cuidador sendo emocionalmente responsivo e sintonizado com ela — conectando-se com ela — constrói a capacidade de seu cérebro de se autorregular e autotranquilizar com o tempo, levando a mais independência e resiliência.

Assim, uma resposta sem drama a um ataque de birra começa com a empatia dos pais. Quando compreendemos por que filhos têm ataques de birra — que seus cérebros jovens em desenvolvimento estão sujeitos a se tornarem desintegrados quando suas grandes emoções assumem o controle — então, vamos oferecer uma resposta muito mais compassiva quando os gritos, berros e chutes começarem. Isso não quer dizer que algum dia gostaremos do ataque de birra de uma criança — se você gosta, talvez seja bom pensar em buscar ajuda profissional —, mas vê-lo com empatia e compaixão levará a muito mais calma e conexão do que enxergá-lo como uma prova de que a criança está simplesmente sendo difícil, manipuladora ou travessa.

É por isso que não somos nem um pouco fãs da abordagem convencional que diz aos pais para ignorarem completamente um ataque de birra. Nós concordamos com a ideia de que um ataque de birra não é o momento de explicar a uma criança que ela está agindo de maneira inadequada. Uma criança nesse estado não está vivenciando o que é tradicionalmente chamado de "momento de ensinamento". Mas o momento pode ser transformado em uma oportunidade integrativa por meio da conexão. Pais tendem a falar demais quando seus filhos estão incomodados, e fazer perguntas e tentar ensinar uma lição no meio de um ataque de birra pode piorar ainda mais as emoções. O sistema nervoso das crianças já está sobrecarregado, e quanto mais falamos, mais inundamos seu sistema com informações sensoriais extras.

Mas esse fato, de forma alguma, leva logicamente à conclusão de que deveríamos ignorar nossos filhos quando eles estão aflitos. Na verdade, nós estamos basicamente estimulando a reação oposta. Ignorar uma criança no meio de um ataque de birra é uma das piores coisas que podemos fazer, porque quando uma está tão incomodada, na verdade está sofrendo. Ela está infeliz. O hormônio do estresse cortisol está sendo bombeado por seu corpo e inundando seu cérebro, e ela se sente completamente fora do controle de seus impulsos e emoções, incapaz de acalmar a si mesma ou expressar o que precisa. Isto é sofrido. Quando nossos filhos estão com alguma dor física e precisam de nossa tranquilidade e consolo, também precisam que estejamos com eles quando estão sofrendo emocionalmente. Eles precisam que sejamos calmos, amorosos e carinhosos. Eles precisam que nos conectemos.

Nós sabemos o quanto um ataque de birra pode ser desagradável. Acreditem, nós sabemos. Mas eis do que realmente se trata. Que mensagem você quer passar para seus filhos?

MENSAGEM 1

Enquanto estiver irritado e chateado, você ficará sozinho. Amo você e estarei sempre aqui, mas enquanto estiver agindo assim, vou ignorá-lo. Então vamos logo e chega de ficar chateado.

MENSAGEM 2

Eu estou aqui para você mesmo quando estiver desmoronando e tendo o pior comportamento. Eu posso aguentar. Você pode contar comigo, haja o que houver.

Quando você passa essa segunda mensagem, não está cedendo. Você não está sendo permissivo. Isso não significa que você precisa deixar a criança se machucar, destruir coisas ou colocar os outros em risco. Você pode, e deve, estabelecer limites. Você pode até mesmo precisar ajudá-la a controlar o próprio corpo ou barrar um impulso durante um ataque de birra. (Nós apresentaremos sugestões específicas para fazer isso, nos próximos capítulos.) Mas você estabelece esses limites ao demonstrar amor por seu filho, enquanto percorrer esse momento difícil, sempre comunicando: "eu estou aqui".

É claro que queremos que o ataque de birra se resolva o mais rapidamente possível, exatamente como queremos sair da cadeira do dentista assim que possível. Simplesmente, não é agradável. Mas se você estiver trabalhando a partir de uma perspectiva do cérebro por inteiro, o fim mais rápido para o ataque de birra não é realmente o seu objetivo principal. Em vez disso, seu primeiro objetivo é ser emocionalmente responsivo e estar presente para o seu filho. O seu principal objetivo é se conectar — o que oferecerá todos os benefícios de curto prazo, e longo prazo e relacionais sobre os quais já falamos. Em outras palavras, embora você queira que o ataque de birra termine o mais rápido possível, o objetivo maior de se conectar, na realidade, faz você chegar lá de maneira muito mais eficiente, a curto prazo, e conquistar muito mais, no longo prazo. Você tornará as coisas mais fáceis e menos dramáticas tanto para seu filho quanto para você mesmo ao oferecer empatia e sua presença tranquila durante um ataque de birra, e você construirá a capacidade do seu filho de se controlar melhor no futuro, porque a responsividade emocional fortalece as conexões integrativas no cérebro dele, que permitem que ele faça melhores escolhas, controle seu corpo e suas emoções e pense nos outros.

COMO SE CONECTAR SEM MIMAR UMA CRIANÇA?

Nós dissemos que a conexão neutraliza o conflito, constrói o cérebro de uma criança e fortalece o relacionamento entre pais e filhos. Uma questão que os pais costumam levantar, porém, tem a ver com uma potencial desvantagem de se conectar antes de redirecionar:

"Se eu sempre me conectar quando meus filhos fizerem alguma coisa errada, eu não os estarei mimando? Em outras palavras, isso não reforçará o comportamento que eu estou tentando mudar?".

Essas perguntas razoáveis são baseadas em uma compreensão equivocada. Por isso, vamos usar alguns instantes para discutir o que é mimar e o que não é. Então, poderemos ser mais claros sobre por que conectar-se durante a disciplina é bem diferente de mimar uma criança.

Vamos começar com o que mimar não é. Mimar não se trata do quanto de amor e atenção você dá a seus filhos. Você não pode mimar seus filhos dando-lhes demais de si mesmo. Da mesma maneira, você não consegue mimar um bebê por segurá-lo muito no colo ou atender às necessidades dele sempre que ele as expressar. Houve um tempo em que autoridades em criação de filhos diziam aos pais para não pegarem muito seus bebês no colo, por receio de que isso poderia mimá-los. Agora, sabemos que não é assim. Atender às demandas da criança e tranquilizá-la não a mimam — mas não atendê-la ou não tranquilizá-la criam uma criança insegura e ansiosa. Alimentar seu relacionamento com seu filho e dar a ele experiências consistentes que formam a base de sua crença de que ele tem direito a seu amor e afeto é exatamente o que devemos fazer. Em outras palavras, nós queremos que nossos filhos saibam que podem contar com a satisfação de suas necessidades.

Mimar, no entanto, ocorre quando pais (ou outros cuidadores) criam o mundo de seus filhos de tal forma que a criança tem uma sensação de merecimento quanto a conseguir as coisas da própria maneira, quanto a conseguir o que quer exatamente quando quiser e que tudo deve vir com facilidade e ser feito para e por ela. Nós queremos que nossos filhos esperem que suas necessidades possam ser compreendidas e atendidas de maneira consistente. Mas nós não queremos que nossos filhos esperem que seus desejos e caprichos sejam sempre realizados. (Parafraseando os Rolling Stones, nós queremos que nossos filhos saibam que conseguirão o que precisam, mesmo que nem sempre consigam o que querem!). E conectar-se quando uma criança está chateada ou fora de controle tem a ver com atender as necessidades dela, não com ceder em relação ao que ela quer.

A definição de "mimar" no dicionário, em inglês, é "Estragar ou prejudicar o caráter ou a atitude por mimo ou elogios excessivos". É claro que mimamos quando damos a nossos filhos coisas demais, gastamos dinheiro demais com eles ou dizemos sim, o tempo todo. Mas isso também ocorre quando damos aos filhos a sensação de que o mundo e as pessoas ao redor deles servirão aos seus caprichos.

A atual geração de pais tem mais probabilidade de mimar seus filhos do que as gerações anteriores? Muito possivelmente. Nós vemos isto ocorrer mais comumente quando os pais protegem os filhos de qualquer dificuldade. Eles os superprotegem de decepções ou problemas. Pais, frequentemente, confundem indulgência, por um lado, com amor e conexão, por outro. Se os pais foram criados por pais que não eram emocionalmente responsivos e afetuosos, eles podem experimentar um bem-intencionado desejo de fazer as coisas de maneira diferente com seus próprios filhos. O problema aparece quando eles agradam os filhos dando a eles mais e mais coisas e protegendo-os de dificuldades e tristezas, em vez de oferecer abundantemente aquilo de que os filhos realmente necessitam e o que realmente importa — o amor, a conexão, a atenção e o tempo deles — enquanto seus filhos enfrentam dificuldades e encaram as frustrações inevitáveis da vida.

Há um motivo pelo qual nos preocupamos quanto a mimar nossos filhos por lhes dar coisas demais. Quando os filhos recebem tudo o que querem, o tempo todo, eles perdem oportunidades de aprender a ser resilientes além de importantes lições de vida: sobre adiamento de gratificação, precisar trabalhar por alguma coisa e lidar com decepções. Ter uma sensação de merecimento, em vez de uma atitude de gratidão, pode afetar relacionamentos no futuro, quando a atitude mental de merecedor for contra o interesse de outras pessoas.

Nós também queremos dar a nossos filhos o presente de aprender a enfrentar experiências difíceis. Não estamos fazendo nenhum favor a ele quando encontramos seu dever de casa inacabado em cima da mesa da cozinha e o completamos nós mesmos, antes de ele ir para a escola, para protegê-lo de enfrentar as consequências naturais de um descumprimento de prazo. Ou quando chamamos o pai de outra criança para pedir um convite para uma festa de aniversário para a qual nosso filho não foi convidado. Essas reações criam nos filhos uma expectativa de que eles viverão uma existência livre de sofrimentos e, como resultado, eles podem ser incapazes de lidar bem consigo mesmos quando a vida não acontecer como eles previram.

Outro resultado problemático de mimar um filho é de que isso resulta na gratificação imediata — tanto para o filho quanto para o pai — em vez do que é melhor para a criança. Às vezes, nós mimamos ou não estabelecemos um limite porque é o mais fácil, no momento. Dizer sim à segunda ou terceira guloseima do dia pode ser mais fácil a curto prazo porque evita um ataque de fúria. Mas e amanhã? Guloseimas serão esperadas amanhã também? Lembre-se de que o cérebro faz associações de todas as nossas experiências. Basicamente, mimar torna a vida mais difícil para os pais porque estamos constantemente precisando lidar com as exigências ou os ataques de fúria que resultam de nossos filhos não conseguirem o que esperam: que terão tudo do jeito que quiserem, sempre.

Filhos mimados, frequentemente, se transformam em adultos infelizes porque as pessoas do mundo real não atendem a todos os seus caprichos. Eles têm mais dificuldade de apreciar as alegrias menores e o triunfo de criar seu próprio mundo, já que os outros sempre fizeram isso por eles. Confiança e competência verdadeiras vêm não de conseguir o que queremos, mas de nossas realizações concretas e de dominarmos algo sozinhos. Além disso, se uma criança não teve prática em lidar com as emoções oriundas de não conseguir o que se quer, e depois ter de se adaptar à própria atitude e consolar a si mesma, será muito difícil fazer isso mais tarde, quando as decepções ficarem maiores. (No capítulo 6, discutiremos algumas estratégias para reverter os efeitos dos mimos, se tivemos esse péssimo hábito.)

O que estamos dizendo é que os pais têm razão em se preocupar quanto a mimar seus filhos. Agrados excessivos não os ajudam, não ajudam os pais e não ajudam o relacionamento. Mas mimar não tem nada a ver com conectar-se com seu filho quando ele está chateado ou com fazer escolhas ruins. Lembre-se: você não pode mimar uma criança dando a ela conexão emocional, atenção, carinho físico ou amor demais. Quando nossos filhos precisam de nós, precisamos estar lá para eles.

Conexão, em outras palavras, não tem a ver com mimar filhos, agradá-los excessivamente ou inibir a independência deles. Quando falamos em conexão, não estamos endossando o que se tornou conhecido como criação "helicóptero", em que pais pairam sobre as vidas de seus filhos, protegendo-os de todas as dificuldades e tristezas. Conexão não tem a ver com resgatar filhos da adversidade. Conexão tem a ver com atravessar as dificuldades com nossos filhos e estarmos presentes para eles quando eles estiverem sofrendo emocionalmente, exatamente como faríamos se eles tivessem machucado um joelho e estivessem sofrendo fisicamente. Ao fazer isso, nós estamos, na verdade, construindo independência, porque quando nossos filhos se sentem seguros e conectados, e quando nós os ajudamos a construir habilidades relacionais e emocionais ao discipliná-los a partir de uma perspectiva do "Cérebro por inteiro", eles se sentirão mais preparados para dar conta do que quer que a vida apresente em seus caminhos.

É POSSÍVEL CONECTAR-SE E TAMBÉM ESTABELECER LIMITES

Então, sim, enquanto disciplinamos nossos filhos, nós queremos nos conectar com eles emocionalmente e garantir que saibam que estamos lá para eles quando estão tendo dificuldades. Mas, não, isso de forma alguma quer dizer que devamos atender a todo e qualquer capricho deles. Na verdade, não seria apenas indulgente, mas irresponsável se seu filho estivesse chorando e tendo um ataque de birra na loja de brinquedos por não querer ir embora e você deixasse ele continuar gritando e atirando longe qualquer coisa em que pusesse as mãos.

Você não está fazendo nenhum favor a uma criança quando remove os limites da vida dela. Ela não se sente bem (nem você ou as outras pessoas na loja de brinquedos) por ter sua explosão emocional liberada. Quando falamos sobre nos conectarmos com uma criança que esteja com dificuldades de se controlar, não queremos que você permita que ela se comporte da maneira que desejar. Você não diria simplesmente: "Você parece chateada" para uma criança prestes a atirar um boneco do Bart Simpson contra um despertador quebrável da Hello Kitty. Uma resposta mais adequada seria dizer algo como: "Estou vendo que você está chateada e com dificuldade de controlar o seu corpo. Vou ajudar você". Talvez você precise pegá-la gentilmente no colo ou guiá-la para fora da loja conforme continua a se conectar — usando empatia e toques físicos, lembrando que ela está precisando de você — até ela se acalmar. Depois que ela estiver mais no controle de si mesma e em um estado mental que seja receptivo ao aprendizado, você pode discutir o que aconteceu.

Perceba a diferença nas duas respostas. Uma ("Você parece chateado"), permite que os impulsos da criança mantenham todos reféns, deixando-a sem saber quais são os limites e não lhe dá a experiência de acionar os freios quando seus desejos estão apertando o acelerador. A outra, oferece a ela a prática em aprender que há limites sobre o que ela pode e não pode fazer. Crianças precisam sentir que nós nos importamos com o que elas estão passando, mas também precisam que forneçamos regras e limites que lhes permitam saber o que é esperado em determinado ambiente.

EM VEZ DE AGRADOS SEM LIMITES...

Você parece chateado.

ESTABELEÇA LIMITES AMOROSOS

Estou vendo que você está chateado e com dificuldades de controlar o seu corpo. Vou ajudar você.

Quando os filhos de Dan eram pequenos, ele os levou a um parque próximo de casa em que testemunhou um menino de 4 ou 5 anos de idade sendo mandão e agressivo demais com as crianças ao redor, algumas delas bem pequenas. A mãe do menino optou por não intervir, aparentemente porque "preferia não resolver os problemas por ele". Enfim, outra mãe disse a ela que o menino estava sendo agressivo e impedindo crianças de usar o escorregador. Nesse momento, a mãe lhe chamou a atenção duramente de onde estava: "Brian! Deixe as crianças escorregarem ou nós vamos para casa!". Como resposta, ele disse a ela que ela era burra e começou a jogar areia. Ela disse: "Tudo bem, vamos embora", e começou a juntar suas coisas, mas ele se recusou a ir. A mãe continuou fazendo ameaças, mas não fez nada. Quando Dan foi embora com os filhos 10 minutos depois, a mãe e o menino ainda estavam lá.

Essa situação levanta uma questão sobre o que queremos dizer quando falamos sobre nos conectarmos. Nesse caso, o problema em questão não era que o menino estivesse chateado e chorando. Ele ainda estava tendo dificuldade para regular seus impulsos e lidar com a situação, mas isso estava sendo expresso em teimosia e comportamento de confronto. Ainda assim, era preciso haver conexão antes de a mãe tentar redirecioná-lo. Quando uma criança não está sobrecarregada pelas emoções, mas simplesmente tomando decisões inadequadas, conectar-se pode significar reconhecer como ela está se sentindo, naquele momento. A mãe poderia ter se aproximado dele e dito: "Parece que você está se divertindo decidindo quem pode usar o escorregador. O que você e seus amigos estão fazendo aqui?".

Uma simples declaração como esta, dita em um tom que comunique interesse e curiosidade, em vez de julgamento e raiva, estabelece uma conexão emocional entre os dois. A mãe do menino pode, então, seguir com mais credibilidade com seu redirecionamento, que pode expressar o mesmo sentimento usado anteriormente, mas fazer isso em um tom bastante diferente. Dependendo de sua própria personalidade e do temperamento do filho, ela poderia dizer algo como: "Hummm. Eu fiquei sabendo, por outra mamãe, que algumas das crianças estão querendo usar o escorregador e não estão gostando do que você está fazendo. O escorregador é para todas as crianças no parque. Você tem alguma ideia de como todos podem usá-lo?".

Em um bom momento, ele poderia dizer como: "Já sei! Eu vou descer, dar a volta e eles podem usar enquanto eu estiver voltando". Em um momento não tão generoso, ele poderia se recusar a fazer isso, e, então, a mãe talvez precisasse dizer: "Se for muito difícil usar o escorregador de um jeito que funcione para você e seus amigos, vamos precisar fazer alguma coisa diferente, como jogar Frisbee".

Com esse tipo de declaração, a mãe estaria se sintonizando ao estado emocional dele, ao mesmo tempo que estaria impondo limites que ensinam que precisamos ter consideração pelos outros. Ela poderia até mesmo dar a ele uma segunda chance, se fosse preciso. Mas se ele se recusasse a colaborar e começasse a gritar mais insultos e atirar mais areia, ela teria de ir até o fim no redirecionamento que havia prometido: "Estou vendo que você está muito irritado e chateado por precisar ir embora do parque. Mas nós não podemos ficar porque você está tendo dificuldades em fazer boas escolhas, agora".

Você quer caminhar até o carro? Ou eu posso levar você até lá. Você escolhe. Então ela precisaria fazer isso acontecer.

Sim, nós queremos sempre nos conectar emocionalmente com nossos filhos.

Mas junto com nos conectarmos, precisamos ajudá-los a fazer boas escolhas e respeitar limites, enquanto comunicamos e estabelecemos esses limites com clareza. É do que os filhos precisam e até mesmo o que querem, no fim das contas. Mais uma vez, eles não se sentem bem quando seus estados emocionais os mantêm reféns, a eles e a todos. Isso os deixa na margem de caos do rio, sentindo-se fora de controle. Nós podemos ajudar a devolver seus cérebros a um estado de integração e levá-los de volta ao fluxo do rio, ensinando-lhes regras que lhes ajudem a compreender como o mundo e os relacionamentos funcionam. Dar estrutura parental às vidas emocionais de nossos filhos, na realidade, oferece a eles uma sensação de segurança e a liberdade de sentir.

EM VEZ DE MANDAR E EXIGIR:

Deixe as crianças escorregarem ou nós vamos para casa!

CONECTE-SE ESTABELECENDO LIMITES

Nós queremos que nossos filhos aprendam que relacionamentos florescem com respeito, carinho, proteção, consideração, cooperação e compromisso. Portanto, queremos interagir com eles a partir de uma perspectiva que enfatize tanto as conexões quanto o estabelecimento de limites. Em outras palavras, quando prestamos atenção de maneira consistente ao mundo interno deles, ao mesmo tempo que nos atemos a padrões em relação a seus comportamentos, são essas as lições que eles irão aprender. Da sensibilidade e da estrutura dos pais surgem a sabedoria, a resiliência e a habilidade relacional de uma criança.

Em última instância, portanto, os filhos precisam que estabeleçamos limites e comuniquemos nossas expectativas. Mas o segredo, aqui, é que toda disciplina deveria começar por acarinhar nossos filhos e nos sintonizar com seus mundos internos, permitindo que eles saibam que são vistos, escutados e amados por seus pais — mesmo quando fizeram algo errado. Quando os filhos se sentem vistos, seguros e tranquilizados, eles se sentem protegidos e prosperam. É assim que podemos valorizar as mentes de nossos filhos e os ajudamos a moldar e estruturar seus comportamentos. Nós podemos orientar uma mudança comportamental, ensinar uma nova habilidade e transmitir uma maneira importante de abordar um problema, sempre valorizando a mente de uma criança por trás de um comportamento. É assim que disciplinamos e ensinamos, ao mesmo tempo que promovemos a noção de *self* e de conexão de uma criança. Então, eles irão interagir com o mundo ao redor deles baseados nessas crenças e com essas habilidades sociais e emocionais, porque seus cérebros estarão programados para esperar que suas necessidades sejam atendidas e que eles sejam amados incondicionalmente.

Então, da próxima vez que um de seus filhos perder o controle ou fizer algo que leve você à loucura, lembre-se de que a necessidade de uma criança de se conectar é maior em momentos de grandes emoções. Sim, você precisará tratar do comportamento, redirecionar e ensinar as lições.

Mas, primeiro, recomponha esses grandes sentimentos e reconheça-os pelo que são: um pedido de conexão. Quando seu filho está se comportando muito mal, é quando ele mais precisa de você. Conectar-se é compartilhar a experiência dele, estar presente para ele, atravessar os momentos difíceis com ele.

COMO É A CONEXÃO:

Ah, querida. Você está com dificuldades.
Estou vendo que você está muito chateado.
Você parece estar se divertindo. O que você está fazendo?

Ao fazer isso, você ajuda a integrar o cérebro dele e lhe oferece a regulação emocional que ele é incapaz de acessar sozinho. Então, ele pode voltar para o fluxo do rio de bem-estar. Você o terá ajudado a passar da reatividade à receptividade, auxiliando-o a construir seu cérebro e aprofundando e fortalecendo o relacionamento de vocês.

4

CONEXÃO SEM DRAMA EM AÇÃO

Tina e sua família estavam jantando em casa, uma noite, quando ela e o marido notaram que o filho de 6 anos não voltava do banheiro havia vários minutos. Eles o encontraram brincando com o *iPad* de Tina, na sala. Eis como Tina conta a história:

> Primeiro, fiquei frustrada porque meu filho de 6 anos havia descumprido várias de nossas regras. Ele havia saído escondido da mesa e havia mexido no *iPad* sem pedir. Ele também havia tirado o iPad da capa protetora, o que sabia que não devia fazer. No entanto, nenhuma dessas infrações era tão grave quanto o fato de que ele estava desconsiderando as regras com as quais todos havíamos concordado.
>
> Primeiro, pensei no meu filho, em seu temperamento e seu estágio de desenvolvimento. Como Dan e eu já dissemos várias vezes, o contexto sempre precisa ser levado em consideração quando decidimos como disciplinar. Eu sabia que, por meu filho ser um carinha sensível e consciencioso, eu provavelmente não precisaria dizer muita coisa para discipliná-lo.
>
> Scott e eu nos sentamos no sofá, ao lado dele, e simplesmente dissemos, em um tom curioso: "O que aconteceu aqui?". Imediatamente, o lábio inferior dele começou a tremer e seus olhos se encheram de lágrimas. "Eu só queria experimentar o Minecraft!".

A comunicação não verbal foi um reflexo da consciência interna e do desconforto dele, e as palavras foram uma admissão de culpa. Implícita na declaração dele, estava a mensagem:

"Eu sabia que não devia sair da mesa e pegar o *iPad*, mas eu queria tanto jogar! Meu impulso foi forte demais".

A esta altura, em outras palavras, eu já sabia que a parte do redirecionamento da nossa conversa não seria muito desafiadora. Em outras vezes é, mas não naquele momento, em que já havia uma consciência da parte dele.

Antes de redirecionar, porém, eu queria me conectar emocionalmente com ele e encontrá-lo onde quer quer ele estivesse. Eu disse: "Você está realmente interessado nesse jogo, né? Você está curioso sobre o que os meninos maiores estão jogando?".

Scott seguiu a minha iniciativa e disse alguma coisa sobre como é legal que o jogo permita que se crie todo um mundo cheio de prédios, túneis e animais.

Nosso filho olhou timidamente para nós, olhando ora para mim, ora para Scott, imaginando se as coisas realmente estavam bem entre nós. Então, ele assentiu com a cabeça e deu um sorrisinho.

Com esses poucos olhares e frases, a conexão havia se estabelecido. Scott e eu podíamos, então, redirecionar. E, mais uma vez, conhecendo nosso filho e reconhecendo onde ele estava naquele momento, a situação não exigiu muito de nós. Scott simplesmente perguntou: "Mas, e as nossas regras?".

Agora, nosso filho começou a chorar, de verdade. Não era preciso dizer muito mais, porque a lição já havia sido internalizada.

Passei o braço ao redor dele para consolá-lo. Eu disse: "Eu sei que suas escolhas desta noite não seguiram as nossas regras. Tem alguma coisa que você vá fazer diferente, da próxima vez?".

Ele assentiu com a cabeça enquanto chorava, e prometeu que pediria licença para sair da mesa, da próxima vez. Nós nos abraçamos e, então, Scott perguntou algo sobre o Minecraft, o que o levou a explicar ao pai alguma coisa sobre um alçapão e um calabouço. Conforme ele foi ficando mais animado, venceu a culpa e as lágrimas e todos nos reunimos com o resto da família, à mesa. A conexão havia levado ao redirecionamento, o que significou não apenas que era possível ensinar, mas também que nosso filho se sentia compreendido e amado.

ARRUMANDO O CENÁRIO PARA A CONEXÃO: FLEXIBILIDADE DE RESPOSTA

No capítulo anterior, nós falamos sobre conexão como o primeiro passo do processo de disciplina. Agora, vamos focar em como colocar isso em prática, recomendando princípios e estratégias em que você pode se basear quando seu filho estiver incomodado ou se comportando mal. Às vezes, a conexão é bastante simples, como foi, nesse caso, para Tina. No entanto, na maioria das vezes, é muito mais desafiadora.

Enquanto discutimos recomendações para conexão, evite a tentação de procurar pela técnica formal padronizada, que supostamente se aplique a qualquer situação. Os princípios e estratégias que mostraremos a seguir são extremamente eficazes na maior parte das vezes. Mas você deve aplicar essas abordagens com base no seu próprio estilo de criação de filhos, na situação em questão e no temperamento individual de cada um. Em outras palavras, mantenha a flexibilidade de resposta.

Flexibilidade de resposta significa exatamente o que parece — ser flexível quanto a nossa resposta a uma situação. Isso quer dizer: parar para pensar e escolher o melhor curso de ação. Isso nos permite separar o estímulo da resposta, de modo que a nossa reação não parta imediatamente (e involuntariamente) do comportamento de uma criança ou de nosso próprio caos interno. Então, quando A acontece, nós não fazemos B, automaticamente. Em vez disso, nós levamos B, C ou mesmo uma combinação de D e E em consideração. A flexibilidade de resposta cria um espaço no tempo e nas nossas mentes que permite que uma ampla variedade de possibilidades seja considerada. Como resultado, nós podemos simplesmente "estar" com uma experiência, ainda que por apenas alguns segundos, e refletir antes de envolver os circuitos de "fazer".

A flexibilidade de resposta o ajuda a escolher ser o seu eu mais sábio possível, em um momento difícil com seu filho, de modo que possa ocorrer uma conexão entre vocês. É muito diferente da disciplina no piloto automático, em que você aplica uma abordagem robótica padronizada a todos os cenários que se apresentam. Quando somos flexíveis em nossas respostas ao estado mental e ao mau comportamento de nossos filhos, nós nos permitimos responder a uma situação da melhor maneira possível e oferecemos a eles o que eles precisam, naquele momento.

Dependendo da infração, isso pode exigir dar um tempo a ele para se acalmar. É uma boa regra básica não responder no segundo seguinte ao testemunhar um mau comportamento. Nós sabemos que você pode querer, no calor do momento, estabelecer uma regra e gritar que, por ter empurrado o irmão na piscina, sua filha não vai mais nadar o resto do verão. (Não somos ridículos, às vezes?) Mas, se você conseguir se dar alguns segundos e se deixar acalmar, em vez de fazer um escândalo na piscina do clube e impor uma disciplina desproporcional, você terá uma chance melhor de responder intencionalmente a partir de uma parte mais tranquila e mais ponderada de si mesmo ao que seu filho realmente precisa, naquele momento. (Como bônus, você pode evitar ser o assunto de conversas durante o jantar de toda a cidade, começando com: "Você precisava ver a louca que hoje estava na piscina".).

Em outras vezes, a flexibilidade de resposta pode levar você a decidir ser mais firme em uma questão do que, normalmente, seria. Se você percebe sinais de que seu filho de 11 anos de idade está tendo menos iniciativa com suas responsabilidades e seus deveres escolares, talvez decida não levá-lo de volta à escola para que ele possa pegar o livro que ele (de novo!) "não faz ideia de como" deixou no armário. Você, sinceramente, sentiria empatia por ele e se certificaria de se conectar — "É muito chato que você tenha esquecido o livro e não vá poder terminar o dever para amanhã" —, mas permitiria que ele vivenciasse a consequência natural e lógica de seu esquecimento. Ou, talvez, você o levasse para pegar o livro, porque a personalidade dele ou o contexto da situação fizesse você acreditar que essa abordagem seria a melhor. É isso que queremos dizer. Flexibilidade de resposta significa você, propositalmente, decidir como quer responder a cada situação que surge em vez de simplesmente reagir sem pensar a respeito.

Como muitos aspectos da criação de filhos, a flexibilidade de resposta é, fundamentalmente, criá-los de maneira intencional. Estamos falando sobre manter a visão mental de atender as necessidades dele — essa criança em particular — nesse momento particular. Quando esse objetivo é central na sua mente, a conexão se seguirá, necessariamente.

Agora, vamos ver algumas formas específicas de como você pode usar a flexibilidade de resposta para se conectar com seus filhos quando estiverem tendo dificuldade de lidar bem consigo mesmos ou quando estiverem tomando decisões inadequadas. Começaremos focando nos três princípios de conexão sem drama, que estabelecem a etapa e permitem a conexão entre pais e filhos. Então, passaremos para algumas estratégias de conexão mais imediatas.

PRINCÍPIO DE CONEXÃO Nº 1: ABAIXE A MÚSICA DE TUBARÃO

Caso tenha visto uma palestra de Dan, talvez você o viu apresentar o conceito de música de tubarão. Eis como ele explica a ideia:

> "Primeiro, peço que a plateia monitore a reação de seus corpos e mentes enquanto lhes mostro um vídeo de 30 segundos. Na tela, a plateia vê o que parece ser uma linda floresta. Do ponto de vista da pessoa segurando a câmera, a plateia vê uma trilha selvagem e percorre esse caminho em direção a um lindo mar. Durante todo o tempo, está tocando uma música clássica de piano, passando uma sensação de paz e serenidade, em um ambiente idílico.
>
> Então, paro o vídeo e peço para a plateia vê-lo novamente, explicando que vou lhes mostrar exatamente o mesmo vídeo, mas, desta vez, com uma música diferente ao fundo. A plateia,

então, vê as mesmas imagens — a floresta, a trilha, o mar. Mas a trilha sonora, agora, é sombria e ameaçadora. É parecida com a famosa música tema do filme "Tubarão" e colore completamente a forma como o cenário é percebido. O cenário tranquilo, desta vez, parece ameaçador — quem sabe o que pode aparecer do nada? —, e o caminhar leva a algum lugar em que temos certeza de que não queremos ir. Não há como saber o que encontraremos na água, no final da trilha. Considerando a música, provavelmente, encontraremos um tubarão. Mas, apesar do nosso medo, a câmera continua a se aproximar da água.

Exatamente as mesmas imagens, mas, como a plateia descobre, a experiência muda drasticamente com uma música de fundo diferente. Uma trilha sonora leva à paz e à serenidade, a outra, ao medo e ao terror."

Ocorre a mesma coisa quando interagimos com nossos filhos. Nós precisamos prestar atenção à nossa música de fundo. A "música de tubarão" nos tira do momento presente, fazendo-nos praticar uma criação de filhos baseada no medo. Nossa atenção está focada em qualquer coisa em relação à qual estejamos nos sentindo reativos. Nós nos preocupamos com o que acontecerá no futuro, ou respondemos a alguma coisa do passado. Quando fazemos isso, perdemos o que está realmente acontecendo no momento — do que nossos filhos realmente precisam e o que estão comunicando. Como resultado, não damos a eles nosso melhor. "A música de tubarão", em outras palavras, nos impede de criar essa criança individual, nesse momento individual.

Por exemplo, imagine que sua filha de 10 anos volta para casa com seu primeiro boletim de desempenho que mostra que, como ela esteve doente e perdeu alguns dias de aula, sua média de matemática está mais baixa do que você esperaria. Sem a "música de tubarão" tocando ao fundo, você pode simplesmente atribuir isso às ausências ou à matéria mais difícil do 5º ano. Você cuidaria para se certificar de que ela está compreendendo o conteúdo e talvez decida ou não ir falar com o professor dela. Em outras palavras, você abordaria a situação a partir de uma perspectiva calma e racional.

Se, no entanto, seu filho mais velho for um aluno do 9º ano que se mostrou pouco responsável em relação a seu dever de casa e estiver com dificuldades em conteúdos básicos de álgebra, esta experiência anterior pode se tornar a "música de tubarão" que toca na sua cabeça enquanto sua filha lhe mostra o boletim. "Lá vamos nós de novo" pode ser o refrão que toma conta dos seus pensamentos. Então, em vez de responder à situação como faria normalmente, perguntando à sua filha como ela se sente a respeito da questão e tentando descobrir o que é melhor para ela, você pensa nos problemas do seu filho com álgebra e reage exageradamente à situação da sua filha. Você começa a falar com ela sobre as consequências e a diminuir as atividades depois da escola. Se a "música de tubarão" realmente afetar você, talvez comece a passar um sermão sobre entrar em boas faculdades e a cadeia de acontecimentos que pode ter início com algumas notas ruins na matemática do 5º ano, seguir com problemas no ensino médio e terminar com uma sucessão de reprovações em vestibulares de todo o país. Antes que se dê conta, sua adorável filha de 10 anos se torna um problema tão sério, que você antecipadamente prevê um futuro tenebroso para ela, sem nenhuma perspectiva de sucesso para ingressar na faculdade, tudo porque ela se atrapalhou com os sinais de "maior" ou "menor"!

O segredo para uma resposta sem drama, como costuma ser o caso, é a consciência. Depois que você reconhece que a "música de tubarão" está tocando a toda altura sua mente, você pode mudar seu estado mental e parar com a criação de filhos baseada em medo e em experiências passadas que não se aplicam ao cenário que você esteja enfrentando naquele momento. Em vez disso, você pode se conectar com a sua filha, que pode estar se sentindo desmotivada. Você pode dar a ela o que ela precisa, no momento: um pai ou uma mãe que esteja completamente presente, criando-a com base, apenas, nos verdadeiros fatos da situação particular — não em expectativas passadas ou futuras. Veja as ilustrações a seguir.

EM VEZ DE OUVIR MÚSICA DE TUBARÃO

Lá vamos nós de novo!

CONECTE-SE COM SEU FILHO, QUE PRECISA DE VOCÊ

Você parece
decepcionada
com esta nota.

Isso não quer dizer que não prestemos atenção a padrões de comportamento, ao longo do tempo. Nós também podemos ficar presos a estados de negação em que contextualizamos exageradamente um comportamento ou explicamos as dificuldades repetidas de nossos filhos com todos os tipos de desculpas que nos impedem de buscar uma intervenção ou de ajudar nossos filhos a construírem as habilidades de que necessitam. Você já conheceu um pai que sempre arranja uma desculpa para os erros do seu filho e nunca o responsabiliza por nada?

Veja as ilustrações a seguir.

Todos os membros da banda das escola viraram para o lado errado, exceto a minha filha! Você acredita nisso?!

Desculpe, mas meu filho começou a tomar um novo remédio para alergia. Além disso, ele está em fase de adaptação com o novo cachorro.

Minha filha foi mal na prova porque acabou de ganhar um novo colchão e as toxinas liberadas por ele prejudicaram o sono dela.

A NEGAÇÃO PODE SER FEIA...

Minha filha foi mal na prova porque acabou de ganhar um colchão e as toxinas liberadas por ele prejudicaram o sono dela.

Quando o "sabor de desculpa da semana" se torna um padrão de resposta, os pais estão, provavelmente, trabalhando a partir de uma "música de tubarão" diferente. É parecido com os pais cujos filhos foram bebês de saúde frágil, cuja "música de tubarão" agora os leva a fazer demais por eles, tratando-os como se eles fossem, ainda, mais frágeis do que realmente são.

A questão é que a "música de tubarão" pode intencionalmente, nos impedir de sermos os pais que os nossos filhos precisam que sejamos, para estar com eles em qualquer momento. Isso nos torna reativos em vez de receptivos. Às vezes, somos chamados para ajustar nossas expectativas e nos dar conta de que nossos filhos apenas precisam de mais tempo para o desenvolvimento ocorrer. Em outras vezes, precisamos ajustar nossas expectativas e nos dar conta de que nossos filhos são capazes de fazer mais do que aquilo que estamos pedindo a eles, de modo que podemos desafiá-los a assumir mais responsabilidade por suas escolhas. Ainda em outras vezes, precisamos prestar atenção a nossos próprios desejos, necessidades e experiências passadas, para poder superar nossa capacidade de tomar boas decisões a cada momento. O problema é que quando estamos reativos, não conseguimos receber informações dos outros nem demonstrar qualquer flexibilidade de resposta para considerar as diversas opções em nossa própria mente. (Se desejar aprofundar-se neste conceito, Dan trata extensamente dele em "*Parenting from the Inside Out*", escrito em coautoria com Mary Hartzell.)

Em última instância, nossa função é oferecer amor incondicional e presença tranquila a nossos filhos mesmo quando eles estão tendo seus piores momentos. Especialmente quando eles estiverem tendo seus piores momentos. É assim que nos mantemos receptivos em vez de ficarmos reativos. E a perspectiva que damos a seus comportamentos afetará, necessariamente, como reagimos a eles. Se os reconhecemos pelas jovens pessoas ainda em desenvolvimento que são, com jovens cérebros mudando (*changing*), mutáveis (*changeable*) e complexos (*complex*), quando eles tiverem dificuldades ou fizerem algo de que não gostarmos, seremos mais capazes de ser receptivos e ouvir a música tranquilizante de piano. Portanto, nós iremos interagir com eles de uma maneira que tem mais probabilidade de levar à paz e à serenidade.

A "música de tubarão", no entanto, nos levará para fora do momento presente e para fora da nossa sensatez, conforme nos tornamos reativos. Ela alimentará nosso caos interno e nos levará a fazer toda sorte de suposições, a nos preocuparmos com todos os tipos de possibilidades que simplesmente não deveriam ser levadas em consideração nessa situação em particular. Ela pode até mesmo nos levar a supor automaticamente que nossos filhos estão "se comportando mal" porque são egoístas, preguiçosos, mimados ou qualquer outro rótulo que escolhermos. Então, responderemos não com amor e intenção, mas com reatividade, raiva, ansiedade, drama e medo.

Portanto, da próxima vez que você precisar disciplinar, faça um instante de pausa e escute a trilha sonora na sua cabeça. Se você escutar música de piano tranquila e se sentir capaz de oferecer uma resposta amorosa, objetiva e lúcida à situação, vá em frente e ofereça exatamente esse tipo de resposta. Mas, se você perceber a "música de tubarão", tome muito cuidado com o que vai fazer e dizer. Dê a si mesmo um minuto — mais tempo, se for necessário — antes de responder. Então, quando sentir que está se libertando dos medos, das expectativas e da reatividade maior do que o necessário, que impede você de olhar para a situação pelo que realmente é, você pode responder. Ao simplesmente prestar atenção a qualquer música que esteja tocando ao fundo de um momento de disciplina, você será muito mais capaz de responder de maneira flexível, em vez de reagir rígida ou caoticamente, e de oferecer a seus filhos o que eles necessitam, naquele momento. Responder em vez de reagir é o segredo.

PRINCÍPIO DE CONEXÃO Nº 2: PROCURE O PORQUÊ

Um dos piores efeitos colaterais da "música de tubarão" é a tendência dos pais de fazerem suposições sobre o que consideramos ser óbvio. Se uma trilha sonora assustadora ou emocionalmente carregada está deixando sua mente nebulosa enquanto você interage com seus filhos, você, possivelmente, não será muito objetivo em relação aos motivos pelos quais eles estão se comportando da forma como estão. Em vez disso, você irá simplesmente reagir com base em informações que podem não ser nem um pouco precisas. Você irá supor que há um tubarão na água ou um monstro escondido atrás de uma árvore, mesmo que não haja nada.

Quando seus filhos estiverem brincando no quarto ao lado e você ouvir seu caçula começar a chorar, pode parecer perfeitamente justificável entrar no quarto, olhar para o mais velho e perguntar: "O que você fez, desta vez?!". Mas quando seu caçula diz: "Não, papai, eu só caí e machuquei o joelho", você se dá conta de que o que parecia óbvio não era nem um pouco preciso e que a "música de tubarão" (mais uma vez) enganou você. Pelo fato de seu filho mais velho ter sido bruto no passado, você deduziu que se tratava do mesmo caso desta vez.

Poucas atitudes dos pais prejudicarão mais a conexão do que supor o pior e reagir de acordo com isso. Então, em vez de fazer suposições e operar em cima de informações que podem não ser verdadeiras, questione o que parece óbvio. Torne-se um detetive. Vista seu chapéu de Sherlock Holmes. Você sabe, Sherlock Holmes: o personagem de Arthur Conan Doyle que declarou: "É um erro capital teorizar antes de se ter dados. De maneira insensata, começa-se a distorcer os fatos para encaixá-los em teorias, em vez de modificar as teorias para se encaixarem nos fatos".

Ao lidar com nossos filhos, é perigoso teorizar antes de termos dados. Em vez disso, nós precisamos ser curiosos. Nós precisamos "procurar o porquê".

A curiosidade é a pedra angular da disciplina efetiva. Sempre antes de responder aos comportamentos de seus filhos — especialmente quando não os aprovar — pergunte a si mesmo: "Por que será que meu filho fez isso?" Deixe que isto leve você a outras perguntas: "O que ele está querendo? Ele está pedindo alguma coisa? Tentando descobrir alguma coisa? O que ele está comunicando?".

EM VEZ DE CULPAR E CRITICAR...

O que você fez desta vez?

PROCURE O PORQUÊ:

O que aconteceu aqui?

Quando a criança age de uma maneira que desaprovamos, a tentação será perguntar: "Como ela pode fazer isto?" Em vez disso, vá atrás do porquê. Quando você entra no banheiro e vê que sua filha de 4 anos "decorou" a pia e o espelho com papel higiênico molhado e um batom que encontrou na gaveta, fique curioso. Tudo bem sentir-se frustrado. Mas, o mais rapidamente possível, procure o porquê. Deixe a sua curiosidade substituir a frustração que estiver sentindo. Converse com a sua filha e pergunte a ela o que aconteceu. Muito provavelmente, você ouvirá algo completamente plausível, pelo menos do ponto de vista dela, e provavelmente hilário. A má notícia é que você ainda terá de limpar a bagunça (de preferência com a ajuda da sua filha). A boa notícia é que você terá permitido que sua curiosidade a leve a uma resposta muito mais precisa — e divertida, interessante e sincera — sobre o comportamento dela.

O mesmo se aplica com relação à professora do seu filho de 7 anos quando chama você para discutir a respeito de determinados problemas de "controle de impulsos" que seu filho está demonstrando. Ela relata que ele começou a fazer barulho e comentários inadequados em sala de aula, durante o momento de leitura e, com isso, desrespeitando sua autoridade. Sua primeira reação ao iniciar uma conversa com seu filho pode ser: "Não é assim que a gente se comporta, mocinho", com seu filho. Mas se procurar o porquê e perguntar a ele sobre sua motivação, você pode descobrir que "Truman acha que eu sou engraçado quando eu faço isso e agora me deixa ficar do lado dele, na fila do almoço". Você ainda precisará redirecionar alguma coisa e trabalhar com seu filho em torno de maneiras adequadas de circular no difícil mundo da política do recreio, mas será capaz de fazer isso com informações muito mais precisas sobre as necessidades emocionais de seu filho e sobre o que está realmente motivando suas atitudes.

Procurar o porquê não significa, necessariamente, que devemos perguntar a nossos filhos: "Por que você fez isso?", toda vez que surgir uma situação disciplinar. Na verdade, essa pergunta pode sugerir julgamento ou condenação imediatos, em vez de curiosidade. Além disso, as crianças, especialmente as mais novas, podem não saber por que estão chateadas ou por que fizeram o que fizeram. A percepção pessoal e a consciência de seus próprios objetivos e motivações podem ainda não estar muito desenvolvidas. É por isso que não estamos aconselhando você a perguntar o porquê. Nós estamos recomendando que você procure o porquê. Isso tem mais a ver com fazer a pergunta sobre o porquê mentalmente, permitindo-se ser curioso e imaginando de onde seu filho está vindo, naquele momento.

EM VEZ DE CULPAR E CRITICAR...

Como ela pode fazer isto?

PROCURE O PORQUÊ

O que será que ela está querendo fazer aqui?

Às vezes, o comportamento de que queremos tratar não será tão benigno quanto decorações com batom e papel higiênico. Às vezes, nossos filhos tomarão decisões que levarão a objetos quebrados, corpos machucados e relacionamentos prejudicados. Nesses casos, é ainda mais importante procurarmos o porquê. Nós precisamos ter curiosidade sobre o que levou nosso filho a atirar a chave de fenda com raiva, a bater em outra criança, a soltar palavrões. Não basta simplesmente tratar do comportamento. Na maior parte das vezes, o comportamento humano é movido pelo propósito. Nós precisamos saber o que há por trás dele, o que o está provocando. Se focarmos apenas no comportamento de nosso filho (no mundo externo dele) e negligenciarmos os motivos por trás desse comportamento (seu mundo interno), nos concentraremos apenas nos sintomas, não na causa que os está produzindo. E se considerarmos apenas os sintomas, teremos de continuar tratando-se esses sintomas indefinidamente.

Mas, se vestirmos nosso chapéu de Sherlock Holmes e procurarmos o porquê, procurando com curiosidade pela raiz do comportamento, poderemos descobrir de maneira mais completa o que está realmente acontecendo com nosso filho. Poderemos encontrar motivos reais de preocupação, que precisam ser tratados. Podemos descobrir que nossas suposições eram falsas e que esse "mau comportamento" é uma resposta adaptável a algo que seja desabafador demais para a criança. Pode ser, por exemplo, que seu filho finja estar doente antes de todas as aulas de educação física não por ser preguiçoso, desmotivado, nem porque quer confrontar você, mas porque é sua melhor estratégia para lidar com um intenso constrangimento que ele sente ao fazer exercícios na frente dos colegas.

Ao nos perguntarmos o que nossos filhos estão tentando transmitir e permitir que eles expliquem a situação antes que façamos um julgamento apressado, seremos capazes de reunir dados reais do mundo interno deles, em vez de simplesmente reagir com base em suposições, teorias falhas ou "música de tubarão". Além disso, quando procuramos o porquê e nos conectamos primeiro, deixamos que eles saibam que estamos do lado deles, que estamos interessados em suas experiências internas. Nós dizemos a eles, pela forma como respondemos a cada situação, que, quando não sabemos o que realmente aconteceu, vamos lhes dar o benefício da dúvida. Mais uma vez, isso não significa fazer vista grossa ao mau comportamento. Isso significa apenas que estamos buscando nos conectar primeiro, fazendo perguntas e sendo curiosos sobre o que há por trás do comportamento externo e o que está acontecendo dentro dele.

PRINCÍPIO DE CONEXÃO Nº 3: PENSE NO COMO

Ouvir "música de tubarão" e procurar o porquê são princípios que nos pedem para levar em consideração a nossa própria paisagem interna e a de nosso filho durante um momento de disciplina. O terceiro princípio de conexão foca na forma como realmente interagimos com eles. Ela nos desafia a levar em consideração o modo como conversamos com nossos filhos quando eles estão tendo problemas para se controlar ou tomar boas decisões. É claro que o que dizemos a eles é importante. Mas você precisa saber que, igualmente importante, se não mais, é como dizemos.

Imagine que sua filha de 3 anos não está sentando em seu assento, no carro. Eis algumas maneiras diferentes de dizer exatamente a mesma coisa:

- Com os olhos arregalados, gestos largos e um tom de voz alto e irritado: "Sente na cadeirinha!".
- Com os dentes cerrados, os olhos apertados e um tom de voz sibilante: "Sente na cadeirinha".
- Com um rosto relaxado e um tom de voz carinhoso: "Sente na cadeirinha".
- Com uma careta e uma voz divertida: "Sente na cadeirinha".

Você entendeu a ideia. O "como" importa. Na hora de dormir, você pode usar uma ameaça: "Vá para a cama agora ou não vou contar nenhuma historinha". Ou pode dizer: "Se você for para a cama agora, teremos tempo para ler. Mas, se não for imediatamente, vamos ficar sem tempo e não poderemos ler". A mensagem é a mesma, mas o modo como é comunicada é muito diferente. Tem uma sensação completamente diferente. As duas formas apresentam maneiras de falar com os outros. Ambas estabelecem um limite e ambas fazem a mesma solicitação. Mas a sensação é completamente diferente.

É o "como" que determina o que nossos filhos sentem em relação a nós e a eles mesmos e desse moido, o que aprendem sobre como tratar os outros. Além disso, o "como" faz muita diferença em determinar a resposta deles, no momento, e o quanto teremos sucesso em ajudar a produzir um resultado efetivo, que deixe todo mundo mais contente. As crianças, normalmente, cooperam muito mais rapidamente quando se sentem conectadas conosco e quando nós as envolvemos em uma troca agradável e divertida. É o "como" que determina isso. Nós podemos ser disciplinadores muito mais eficazes se nosso "como" for respeitoso, divertido e calmo.

Então, esses são os três princípios de conexão. Ao conferir a "música de tubarão", procurar o porquê e pensar no "como", nós definimos o cenário para a conexão. Como resultado, quando nossos filhos se comportam de uma maneira de que não gostamos, temos uma oportunidade de nos conectar primeiro, priorizando o relacionamento e melhorando as chances de um resultado disciplinar bem-sucedido. Agora, vamos dar uma olhada em algumas estratégias específicas de conexão.

O CICLO DE CONEXÃO SEM DRAMA

Com o que a conexão realmente se parece? O que podemos fazer para ajudar nossos filhos a se sentirem amados e saberem que estamos com eles, bem no meio do que quer que seja que eles estejam enfrentando, enquanto nos envolvemos no processo de disciplina?

Como sempre, a resposta irá mudar com base em cada criança e no seu estilo pessoal de criação de filhos, mas, mais frequentemente, a conexão se resume a um processo cíclico de quatro partes. Nós o chamamos de ciclo de conexão sem drama.

Ele não seguirá sempre a mesma ordem, mas, na maior parte das vezes, conectar-nos com nossos filhos quando eles estão incomodados ou se comportando mal envolve as quatro estratégias a seguir.

O CICLO DE CONEXÃO SEM DRAMA

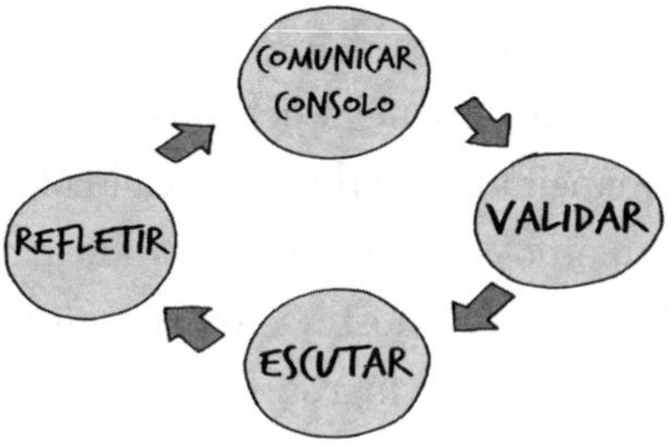

ESTRATÉGIA DE CONEXÃO Nº 1: ESFORÇO DE COMUNICAÇÃO

Lembre-se de que, às vezes, seus filhos precisam da sua ajuda para se acalmarem e fazerem boas escolhas. É quando suas emoções tiram o melhor deles que temos a maior parte dos problemas de disciplina. E assim como você seguraria no colo, embalaria ou ninaria um bebê para acalmar seu sistema nervoso, você vai querer ajudar seus filhos a se acalmarem quando eles precisarem disso. Palavras são úteis, especialmente quando estiverem validando sentimentos. Mas, a maior parte do cuidado ocorre de maneira não verbal. Nós podemos comunicar muito sem falar uma palavra.

A resposta não verbal mais poderosa de todas é a que você, provavelmente, faz automaticamente: você toca em seu filho. Você põe a mão no braço dele. Você o puxa para perto de si. Você esfrega as costas dele. Você segura a mão dele. Um toque amoroso — quer seja sutil, como um aperto na mão, ou mais expansivo, como um abraço apertado e carinhoso — tem o poder de neutralizar rapidamente uma situação complicada.

O motivo é que quando sentimos alguém nos tocando de uma maneira protetora e amorosa, hormônios de bem-estar (como a ocitocina) são liberados em nosso cérebro e corpo, e nossos níveis de cortisol, o hormônio do estresse, diminuem. Em outras palavras, dar afeto físico amoroso a seu filho altera benéfica e literalmente a química do cérebro dele. Quando seu filho (ou seu parceiro) está se sentindo incomodado, um toque amoroso pode acalmar as coisas e ajudar vocês dois a se conectarem, mesmo durante momentos de alto nível de estresse.

O toque é apenas uma maneira pela qual nos comunicamos com nossos filhos de maneira não verbal. Na realidade, estamos enviando mensagens o tempo todo, mesmo quando não emitimos uma palavra sequer. Pense na sua postura corporal típica de quando disciplina seus filhos. Você se inclina sobre ele com uma expressão irritada no rosto? Talvez esteja dizendo, em um tom de voz assustador "Pare com isso!", ou "Pare imediatamente!". Esta abordagem é basicamente o oposto da conexão, e não será muito eficaz para acalmá-lo. Sua expressão agressiva intensificará ainda mais as emoções dele. Mesmo que sua intimidação aparente acalmar seu filho, ele estará, na realidade, sentindo qualquer coisa, menos calma. O coração dele irá disparar como resposta ao estresse, porque ele estará sentindo medo suficiente para bloquear suas emoções e esconder seus sentimentos, em uma tentativa de evitar que você fique mais irritado.

Você abordaria um animal incomodado de maneira semelhante? Se precisasse interagir com um cachorro de aparência feroz, você o abordaria com uma postura corporal agressiva e exigindo: "Pare com isso e se acalme"? Isso não seria muito inteligente nem eficaz. O motivo é que isso comunicaria ao cachorro que você é uma ameaça, e ele não teria outra opção além de reagir, fosse fugindo ou lutando. Por isso, somos ensinados a abordar um cachorro estendendo a parte de trás da mão, agachando-se e falando em um tom de voz suave e tranquilizador. Ao fazer isso, todo nosso corpo comunica a mensagem: "Eu não sou uma ameaça". Em resposta, o cachorro pode relaxar, acalmar-se, sentir-se seguro e, então, se aproximar e se envolver.

O mesmo processo ocorre com as pessoas. Quando nos sentimos ameaçados, nosso circuito de envolvimento social não consegue ser ativado. Nós temos dificuldade para envolver nosso cérebro do andar de cima, a parte que é pensante, a tomar boas decisões para ter a capacidade de sentir empatia e regular nossas emoções e nosso corpo. Em vez de nos acalmarmos e tomarmos boas decisões, nós simplesmente reagimos. Em termos evolutivos, esta reação faz sentido. Quando o cérebro detecta uma ameaça, a região do andar de baixo imediatamente entra em estado de alerta e se torna extremamente ativada. Funcionar neste modo mais primitivo permite que nos mantenhamos em segurança, sendo hipervigilantes, agindo rapidamente sem pensar ou entrando no modo lutar, fugir, paralisar ou desmaiar.

O mesmo acontece com nossos filhos. Quando as emoções pioram e respondemos comunicando uma ameaça — pela expressão frustrada ou irritada no rosto, nosso tom de voz alterado ou nossa postura intimidante (com as mãos nos quadris, agitando o polegar e inclinando-se para frente) —, a resposta biológica inata deles será ativar o cérebro do andar de baixo. No entanto, quando seus cuidadores comunicam: "Eu não sou uma ameaça", a parte de baixo do cérebro, que é reativa, lutadora, age sem pensar, se aquieta, e eles passam para um estado de segurança que lhes permite se controlarem bem.

Então, como fazemos para comunicar: "Eu não sou uma ameaça" aos nossos filhos, mesmo no meio de emoções ruins? Pela conexão. Uma das maneiras mais eficientes e poderosas de fazer isso é deixar seu corpo em uma postura que seja o oposto da imposição e da ameaça. Muita gente fala sobre ficar no nível do olhar de uma criança, mas uma das maneiras mais rápidas de comunicar segurança e ausência de ameaça é ficar abaixo do nível do olhar da criança e deixar seu corpo em uma posição muito relaxada, que comunique tranquilidade. Podemos ver outros mamíferos fazendo isso para enviar a mensagem: "Eu não sou uma ameaça a você. Você não precisa lutar comigo".

Nós recomendamos que você tente a técnica de "abaixo do nível do olhar", da próxima vez que seu filho estiver incomodado ou emocionalmente fora de controle. Posicione seu corpo em uma cadeira, sobre uma cama ou no chão para que você fique abaixo do nível do olhar de seu filho. Quer você se recoste, cruze as pernas ou abra os braços, apenas se certifique de que seu corpo está comunicando consolo e segurança. Suas palavras e sua linguagem corporal se combinam para transmitir empatia e conexão, comunicando a seu filho: "Eu estou bem aqui. Vou consolar e ajudar você". Você irá acalmar o sistema nervoso central dele e o tranquilizará, exatamente como fazia quando o segurava no colo e o embalava, quando ele era um bebê e precisava de você.

Muitos pais a quem ensinamos esta técnica, relatam que a abordagem é "mágica", e ficamos empolgados com isso. Eles se admiram como seus filhos se acalmam rapidamente. O que mais os impressiona é que, ao se colocarem nessa postura relaxada e não ameaçadora, eles também se acalmam. Relatam que essa abordagem funciona melhor do que outras que tentaram fazer para se manterem calmos e conseguirem os melhores resultados ao lidarem com situações de alto nível de estresse. Obviamente, você não pode se abaixar até o chão se estiver em um carro ou atravessando uma rua, mas pode usar o tom de voz, a postura e suas palavras empáticas para comunicar a ausência de ameaça, de modo que você possa se conectar com seu filho e produzir tranquilidade em ambos.

COMUNIQUE CONSOLO FICANDO ABAIXO DO NÍVEL DO OLHAR

Eu sei, eu sei.
Eu estou bem aqui.

A comunicação não verbal é muito poderosa. Mesmo sem palavras, o dia de seu filho pode se transformar com uma atitude ou um simples gesto seu. Algo tão simples como um sorriso pode tranquilizar uma decepção e fortalecer seus laços. Você conhece esse momento: quando sua filha faz alguma coisa que a empolga, como fazer um gol, no futebol, ou dizer uma fala em uma peça, na escola, e ela procura por você, na plateia. Os olhos de vocês se cruzam e você sorri, e ela sabe que você está dizendo: "Eu vi isso e compartilho da sua alegria". É isso que a sua conexão não verbal pode fazer.

Ou ela pode fazer exatamente o oposto. Olhe para as imagens a seguir e perceba que mensagem esses pais estão transmitindo. Sem sequer abrir a boca, os pais estão dizendo muita coisa.

A COMUNICAÇÃO NÃO VERBAL É PODEROSA...

MENSAGEM NÃO VERBAL: *NESTE MOMENTO NÃO ESTOU SUPORTANDO VOCÊ E ESTOU CANSADO E FURIOSO POR DIFICULTAR TANTO AS COISAS PRA MIM.*

MENSAGEM NÃO VERBAL: *ESTOU FURIOSO COM VOCÊ E POSSO EXPLODIR A QUALQUER MOMENTO. TENHA MEDO, MUITO MEDO. É ASSIM QUE AS PESSOAS AGEM QUANDO VOCÊ FAZ ALGO ERRADO.*

MENSAGEM NÃO VERBAL: *É MELHOR VOCÊ FAZER O QUE ESTOU MANDANDO E AGORA! NÃO ME INTERESSA COMO VOCÊ ESTÁ SE SENTINDO OU QUAIS SÃO AS CIRCUNSTÂNCIAS. EU CONSIGO O QUE EU QUERO COM PODER, CONTROLE E AGRESSÃO.*

A COMUNICAÇÃO NÃO VERBAL É PODEROSA...

O QUE VOCÊ ESTÁ COMPARTILHANDO COMIGO AGORA É FUNDAMENTAL – MAIS IMPORTANTE DO QUE QUALQUER COISA ACONTECENDO AO NOSSO REDOR, MAIS IMPORTANTE ATÉ DO QUE QUALQUER COISA QUE EU QUEIRA DIZER.
EU SEI QUE VOCÊ TEVE UM DIA DIFÍCIL NA ESCOLA, E EMBORA EU NÃO TENHA AS PALAVRAS CERTAS PARA DIZER, EU SEMPRE ESTAREI AQUI PARA VOCÊ.
ACHO QUE VOCÊ É INCRÍVEL E ME ENCHE DE ALEGRIA. NÃO ESTOU EXATAMENTE FELIZ COM A DECISÃO QUE VOCÊ TOMOU, MAS AMO MESMO QUANDO VOCÊ APRONTA.

O fato é que nós passamos todos os tipos de mensagens, quer pretendamos ou não. E se não tomarmos muito cuidado com as nossas emoções, nossas mensagens não verbais podem prejudicar a conexão que estamos querendo para um ambiente disciplinar. Mesmo que nossas palavras estejam expressando interesse no que nosso filho está dizendo, há muitas maneiras de nossas mensagens não verbais nos traírem: cruzar os braços, sacudir a cabeça, esfregar as têmporas, revirar os olhos, ou uma piscadela sarcástica para outro adulto.

Quando adotamos essas atitudes, é maior a probabilidade de comunicarmos as mensagens não verbais aos nossos filhos do que as verbais.

Não estamos dizendo que não haverá momentos de disciplina altamente emotivos, em que você ficará completamente furioso com seus filhos. Nem que eles não irão interpretar errado alguma coisa que você esteja comunicando e ficarão chateados. É claro que erros serão cometidos dos dois lados do relacionamento. Da mesma maneira, às vezes, você pode decidir que é adequado usar comunicação não verbal para ajudar seus filhos a se monitorarem e dominarem seus impulsos, quando necessário. Mas o principal é que podemos ser intencionais em relação às mensagens verbais e não verbais que estamos transmitindo, especialmente quando estamos tentando nos conectar com nossos filhos em um momento difícil. Simplesmente assentir com a cabeça e estar fisicamente presente são ações em que requerem cuidados na comunicação.

ESTRATÉGIA DE CONEXÃO Nº 2: VALIDAR, VALIDAR, VALIDAR

O segredo da conexão quando os filhos estão reativos ou fazendo escolhas ruins é a validação. Além de comunicar consolo, nós precisamos deixar nossos filhos saberem que os escutamos. Que os compreendemos. Que os entendemos. Quer gostemos ou não do comportamento que resulta dos sentimentos deles, queremos que se sintam reconhecidos e percebam que estamos com eles, no meio de todos os grandes sentimentos.

Falando de outra maneira, nós queremos nos sintonizar com as experiências subjetivas interiores de nossos filhos, focando nossa atenção em como eles estão experimentando as coisas a partir de seus pontos de vista. Exatamente como em um dueto, em que ambos os instrumentos precisam estar sintonizados um com o outro para fazer boa música, nós precisamos sintonizar nossa própria resposta emocional ao que está acontecendo com eles. Nós precisamos "ler" suas mentes e reconhecer seus estados internos para, depois, nos juntarmos a eles e vermos como respondemos. Ao fazer isso, nós nos unimos em seus espaços emocionais. Nós passamos a mensagem: "Eu entendo você. Percebo o que você está sentindo e reconheço isso. Se eu estivesse no seu lugar e tivesse a sua idade, talvez me sentisse da mesma maneira". Quando os filhos recebem esse tipo de mensagem dos pais, eles se sentem queridos, compreendidos, amados. E, como um imenso bônus, eles podem começar a se acalmar e tomar melhores decisões ao ouvir as lições que você quer lhes ensinar.

Falando de maneira prática, validação significa resistir à tentação de negar ou minimizar aquilo que nossos filhos estão enfrentando. Quando validamos seus sentimentos, evitamos dizer coisas como: "Por que você está tendo um ataque por não ir brincar na casa da sua amiguinha? Você passou o dia todo na casa dela, ontem!". Nós evitamos afirmar: "Sei que o seu irmão rasgou o seu desenho, mas você não precisa bater nele! Você pode simplesmente fazer outro desenho". Nós evitamos declarar: "Pare de se preocupar com isso".

Pense nisso: como você se sente quando está chateado e talvez não se controlando muito bem e alguém diz que você está "apenas cansado" ou que o que o está incomodando "não é grande coisa" e que você deveria "simplesmente se acalmar"? Quando dizemos a nossos filhos como eles devem se sentir — e como não devem se sentir —, invalidamos suas experiências.

A maioria de nós sabe que é melhor não dizer diretamente aos nossos filhos que não deveriam ficar chateados. Mas, quando um deles reage intensamente a alguma coisa que não acontece como ele quer, você alguma vez interrompe imediatamente essa reação? Por mais que não tenhamos essa intenção, podemos passar a mensagem de que achamos que a forma como eles se sentem e vivenciam uma situação é ridícula ou não merece nosso reconhecimento. Ou comunicamos, inadvertidamente, que não queremos interagir com nossos filhos nem estar com eles quando eles têm emoções negativas. É como dizer: "Eu não vou aceitar que você se sinta como se sente. Eu não estou interessado em como você vivencia o mundo". É uma forma de fazer uma criança se sentir invisível e desconectada.

Em vez disso, nós queremos comunicar que sempre estaremos presentes para eles, mesmo quando estiverem na pior situação. Estamos dispostos a vê-los pelo que são e pelo que estão sentindo. Nós queremos nos unir a eles onde eles estão e reconhecer aquilo por que estão passando. Para uma criança pequena, podemos dizer: "Você queria muito ir à casa de Mia hoje, não é? Foi bem decepcionante a mãe dela precisar cancelar". Especialmente com crianças mais velhas, podemos nos identificar com o que estão passando, e mostrar que, embora estejamos dizendo não ao comportamento delas, estamos dizendo sim aos sentimentos: "Você ficou muito bravo por seu irmão ter rasgado o seu desenho, não foi? Eu detesto quando estragam as minhas coisas, também. Não culpo você por ter ficado furioso". Lembre-se: a primeira resposta é conectar-se. O redirecionamento virá, e você definitivamente vai querer tratar da resposta comportamental, se conectando, primeiro, o que comunica consolo e quase sempre envolve validação.

Normalmente, a validação é muito simples. O que você precisa fazer é, simplesmente, identificar o sentimento em questão: "Isso realmente deixou você triste, não foi?", ou "Estou vendo que você se sentiu excluída", ou até mesmo de maneira mais simples: "Está sendo difícil". Identificar a emoção é uma resposta extremamente poderosa quando uma criança fica chateada, porque oferece dois imensos benefícios. Primeiro, ajudá-la a se sentir compreendida acalma seu sistema nervoso autônomo e ajuda a tranquilizar seus grandes sentimentos, para que ela consiga começar a frear o desejo de reagir e atacar. Segundo, isso dá à criança um vocabulário e uma inteligência emocional, de modo que ela própria consegue reconhecer e nomear o que está sentindo, o que a ajuda a compreender suas emoções e começar a recuperar o controle de si mesma, para que o redirecionamento possa ocorrer. Como falamos no capítulo anterior, a conexão — neste caso, através da validação — ajuda a passar uma criança da reatividade à receptividade.

Depois de reconhecer o sentimento, a segunda parte da validação é se identificar com aquela emoção. Para uma criança ou um adulto, é extremamente poderoso ouvir alguém dizer: "Eu entendo você. Eu compreendo. Entendo por que você se sente assim". Esse tipo de empatia nos desarma. Ela relaxa nossa rigidez. Tranquiliza nosso caos. Mesmo que uma emoção pareça ridícula para você, não se esqueça de que ela é muito real para seu filho, então, não despreze algo que é importante para ele.

EM VEZ DE DESPREZAR

Qual é o problema de perder uma ida à casa da amiguinha?

VALIDAR

Entendo que você esteja triste. Você queria muito ir.

Tina recebeu recentemente um *e-mail* que a lembrou de que não são apenas os filhos pequenos que precisam ser validados quando estão chateados. Uma mãe na Austrália que havia escutado um programa de rádio em que Tina falou sobre o poder da conexão entrou em contato com ela. Parte do *e-mail* da mãe dizia assim:

> "Bem no meio do programa, recebi uma ligação da minha filha de 19 anos que estava tendo uma crise. Ela estava sentindo dor depois de uma sessão de fisioterapia, sua conta no banco estava negativa, ela não havia entendido muito bem a aula sobre direito comercial daquele dia, estava estressada com a prova que teria no dia seguinte e o pessoal do trabalho queria que ela chegasse duas horas mais cedo.
>
> Minha primeira reação foi dizer: "Problemas de primeiro mundo. Engula o choro, princesa". Mas, depois de ouvir a sua entrevista, eu me dei conta de que embora aqueles fossem, de fato, problemas de primeiro mundo, eram os problemas de primeiro mundo dela. Então, eu disse que sentia muito pelo dia ruim dela e perguntei se precisava de um abraço da mamãe.
>
> Isso fez muita diferença. Pude ouvi-la respirar fundo e relaxar. Eu disse que a amava, que o pai dela e eu pagaríamos pelos livros da faculdade (que eram o motivo da conta bancária estar negativa) e que depois da prova do dia seguinte eu a levaria para tomar sua sopa preferida.
>
> Ela ficou muito mais tranquila depois da ligação, graças à forma como eu respondi. Percebi que, frequentemente, nós reagimos duramente sem nos darmos conta do impacto que isso pode ter. Mesmo quando nossos filhos já passaram quase que completamente do estágio dos ataques de birra e temos uma vida tranquila com eles, há muitos momentos ao longo de um dia para se colocar essas ideias em prática."

Perceba a validação bem executada dessa mãe em relação à experiência de sua filha. Ela não invalidou os sentimentos da filha negando-os, minimizando-os ou culpando-a. Em vez disso, ela reconheceu o dia ruim e perguntou se ela precisava de um abraço. A resposta da filha foi respirar fundo e relaxar — não porque seus pais iriam ajudá-la financeiramente, mas porque os sentimentos dela foram reconhecidos e identificados. Porque eles foram validados. Então, os problemas reais puderam ser tratados.

Portanto, quando seu filho estiver chorando, tendo um surto de raiva, estiver agredindo um irmão ou tendo um ataque de birra porque seu cachorro de pelúcia é mole demais e não fica em pé direito, ou ele estiver demonstrando de qualquer outra maneira que é incapaz de tomar boas decisões naquele momento, valide as emoções por trás das ações. Talvez seja necessário, primeiro, afastá-lo da situação. Validação não implica permitir que alguém se machuque nem que algo seja destruído. Você não está endossando um mau comportamento quando se identifica com as emoções de seu filho. Você está se sintonizando com ele para que juntos possam criar algo bonito. Você o está encontrando onde ele está, procurando pelo significado, pela corrente emocional subjacente por trás de suas atitudes. Você reconhece e identifica o que ele está sentindo e, ao fazer isso, valida a experiência dele.

ESTRATÉGIA DE CONEXÃO Nº 3: PARAR DE FALAR E ESCUTAR

Caso você seja igual à maioria de nós, você fala demais quando disciplina. Esta resposta, na realidade, é engraçada, se pensarmos a respeito. Como nosso filho ficou incomodado e tomou uma decisão ruim, nós pensamos: "Já sei. Vou passar um sermão. Ele vai se acalmar e fará uma escolha melhor da próxima vez se eu o fizer ficar sentado, parado, me ouvindo falar sem parar sobre o que ele fez de errado". Você quer desconectar seus filhos, especialmente à medida que vão ficando mais velhos? Explique alguma coisa e depois continue falando a mesma coisa sem parar. Além disso, falar e falar com uma criança emocionalmente ativada não é nem um pouco efetivo. Quando suas emoções estão explodindo por toda parte, uma das coisas menos efetivas que podemos fazer é falar com ela, tentar fazê-la compreender a lógica da nossa posição. Simplesmente não ajuda dizer: "Ele não quis atingir você de propósito quando atirou a bola. Foi um acidente. Você não precisa ficar bravo". Não adianta nada explicar: "Você não pode convidar para a festa todo mundo da escola".

O problema com este apelo lógico é que ele parte do princípio de que a criança é capaz de escutar e responder à razão naquele momento. Mas, lembre-se, o cérebro de uma criança está mudando, ele está se desenvolvendo. Quando ela está magoada, com raiva ou decepcionada, a parte lógica do cérebro do andar de cima não está funcionando completamente. Isso quer dizer que um apelo linguístico à razão, normalmente, não será a sua melhor aposta para ajudá-la a assumir o controle sobre suas emoções e se acalmar.

Na verdade, falar faz parte do problema. Nós sabemos, porque ouvimos isso das crianças que recebemos em nossos consultórios. Às vezes, elas querem gritar para os pais: "Por favor, parem de falar!". Especialmente quando estão encrencadas e já compreendem o que fizeram de errado. Uma criança incomodada já está com sobrecarga sensorial. E o falar o que faz com ela? Inunda ainda mais seus sentidos, deixando-a ainda mais desregulada, sentindo-se ainda mais sobrecarregada e muito menos capaz de aprender ou mesmo de escutar você.

Então, recomendamos que os pais sigam o conselho dos filhos e parem de falar tanto. Comunique consolo e valide os sentimentos da sua filha — "Você ficou muito magoada por não ser convidada, não foi? Eu também ficaria." — então, cale-se e escute. Escute de verdade o que ela está dizendo. Não interprete o que você escuta de maneira muito literal. Se ela disser que nunca mais será convidada para uma festa, não é um convite para você discordar nem desafiar essa declaração absoluta. Sua função é escutar os sentimentos que estão dentro das palavras. Reconheça que ela está dizendo: "Eu fui pega de surpresa por isso. Eu não fui convidada e agora estou com medo do que isso pode representar ao meu *status* social, em relação a todos os meus amigos".

Tente descobrir realmente o porquê isso está acontecendo dentro da sua filha. Foque em suas emoções, abandonando a "música de tubarão" que evita que você esteja completamente presente, no momento. Não importa o quanto seja forte o seu desejo, evite a tentação de discutir com sua filha, passar sermão, se defender ou dizer a ela para parar de se sentir daquela maneira. Esse não é o momento de ensinar ou explicar. Esse é o momento de escutar, apenas ficar sentado com sua filha e dar a ela o tempo de se expressar.

ESTRATÉGIA DE CONEXÃO Nº 4: REFLETIR O QUE VOCÊ ESCUTAR

Com as primeiras três estratégias do ciclo de conexão sem drama, nós comunicamos consolo, validamos sentimentos e escutamos. O quarto passo é retornar para os nossos filhos a nossa reflexão sobre o que disseram, deixando que saibam que nós os escutamos. Refletir seus sentimentos nos devolve para a primeira estratégia, já que estamos comunicando consolo, o que pode nos levar a percorrer o ciclo mais uma vez.

Refletir o que escutamos é parecido com o segundo passo, mas difere da validação, já que, agora, estamos focando especificamente no que nossos filhos realmente nos disseram. O estágio da validação está totalmente relacionado com reconhecer emoções e sentir empatia por nossos filhos. Nós dizemos algo como: "Eu estou vendo o quanto você está bravo". Mas, quando refletimos os sentimentos deles, basicamente comunicamos de volta o que eles nos disseram. Quando uma criança é tratada com sensibilidade, ela se sente ouvida e compreendida. Como dissemos, é extraordinariamente calmante, até mesmo curativo, sentir-se compreendido. Quando você deixa seu filho saber que realmente compreende o que ele está lhe dizendo — ao falar: "Entendo o que você está dizendo. Você detestou quando eu disse que precisávamos sair da festa", ou "Não é de admirar que você tenha ficado bravo. Eu também ficaria com raiva" —, você dá um passo imenso no sentido de neutralizar grandes emoções em ação.

Tome cuidado, porém, com a forma como você reflete sentimentos. Você não quer pegar uma das emoções temporárias e de curto prazo do seu filho e transformá-la em algo maior e mais permanente do que realmente é. Vamos pensar, por exemplo, que sua filha de 6 anos de idade fique muito irritada com o irmão maior que a provoca constantemente e ela começa e gritar sem parar: "Você é muito burro, e eu odeio você!". Bem ali, no seu quintal, com os vizinhos ouvindo tudo (graças a Deus, o vizinho está cortando a grama!), ela repete o refrão sem parar, aparentemente dezenas de vezes, até, finalmente, se jogar nos seus braços, chorando descontroladamente.

Então, você começa o ciclo de conexão. Você comunica consolo, transmitindo sua compaixão, ficando abaixo do nível do olhar dela, abraçando-a, acariciando suas costas e fazendo expressões faciais empáticas. Você valida a experiência dela: "Eu sei, querida, eu sei. Você está muito chateada". Você escuta os sentimentos dela, e reflete de volta o que está escutando: "Você está com muita raiva, não está?". A resposta dela pode ser uma volta aos gritos: "Sim, e eu odeio o Jimmy!" (com o nome do irmão pronunciado em outro berro).

Agora, vem a parte mais difícil. Você quer mostrar para ela o que ela está sentindo, mas não quer reforçar em sua mente essa narrativa de que ela realmente odeia o irmão. Uma situação, assim, exige certo cuidado, para que você seja sincero com a sua filha e ajude-a a compreender melhor seus sentimentos, mas evite que ela solidifique suas emoções momentâneas em percepções duradouras. Então, você pode dizer algo como: "Eu não culpo você por estar tão brava. Eu também detesto quando as pessoas me provocam desse jeito. Eu sei que você ama Jimmy e que vocês dois estavam se divertindo muito alguns minutos atrás, quando estavam brincando com o trenzinho. Mas você está muito brava com ele agora, não está?". O objetivo deste tipo de reflexão é se certificar de que sua filha compreende que você entende a experiência dela e, ao fazer isso, tranquilizar suas grandes emoções e ajudá-la a acalmar o caos interno, para que ela possa voltar para o centro de seu rio de bem-estar. Mas você não quer permitir que um sentimento que não passa de um estado momentâneo — a raiva dela em relação ao irmão — seja percebido em sua mente como um traço permanente, que seja uma parte inerente do relacionamento deles. É por isso que você dá a ela a devida perspectiva e lembra o quanto ela e o irmão estavam se divertindo com o trenzinho.

Outra vantagem que vem de refletir os sentimentos de nossos filhos é que isso comunica que eles não têm apenas o nosso amor, mas a nossa atenção. Pais, às vezes, supõem que é ruim quando um filho pede nossa atenção. Eles dizem: "Ele só está tentando chamar minha atenção". O problema com esta perspectiva é que ela parte do princípio de que, de alguma maneira, não é bom uma criança querer que seus pais a percebam e prestem atenção no que ela está fazendo. Na realidade, porém, o comportamento em busca de atenção não é somente adequado em termos de desenvolvimento, como também é relacional.

O CICLO DE CONEXÃO SEM DRAMA

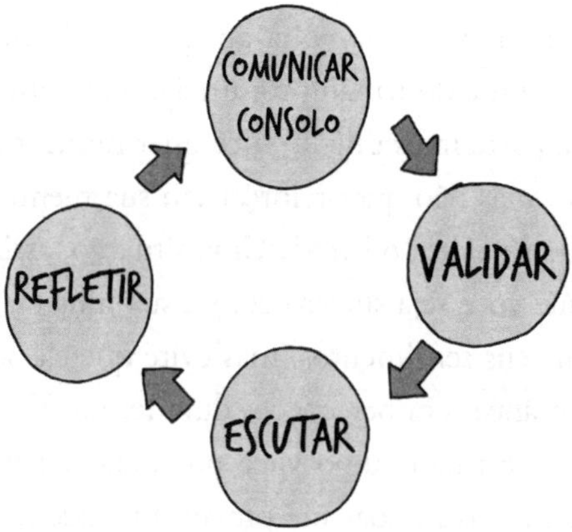

Atenção é uma necessidade de todas as crianças, em qualquer lugar. Na verdade, estudos de imagens cerebrais demonstram que a experiência da dor física e a experiência da dor relacional, como rejeição, são muito parecidas em termos de atividade cerebral. Assim, quando damos atenção a nossos filhos e nos focamos no que eles estão fazendo e sentindo, atendemos a uma importante necessidade relacional e emocional, e eles se sentem profundamente conectados e reconfortados. Lembre-se: há muitas maneiras de mimar os filhos — dando-lhes coisas demais, resgatando-os de todos os desafios, jamais deixando que lidem com derrotas e decepções —, mas jamais conseguiremos mimá-los dando-lhes amor e atenção demais.

É isso que o ciclo de conexão faz: ele nos deixa comunicar a nossos filhos que nós os amamos, que nós os vemos e que estamos com eles, não importa como se comportem. Quando abaixamos a "música de tubarão", procuramos o porquê e pensamos no "como", nós conseguimos comunicar consolo, validar, escutar e refletir sentimentos, dando suporte a nossos filhos através de maneiras que criam o tipo de conexão que comunica claramente o nosso amor e lhes preparando-os para o redirecionamento.

5

DISCIPLINA 1-2-3: REDIRECIONANDO PARA HOJE E PARA AMANHÃ

Roger estava trabalhando na garagem, quando sua filha de 6 anos, Katie, saiu correndo de casa, chamando com raiva: “Papai! Você pode fazer alguma coisa com a Allie?”. Roger logo ficou sabendo que Katie estava chateada porque a amiga dela, Gina, que estava brincando com ela em casa, havia ficado completamente apaixonada pela irmã de 9 anos de idade de Katie, Allie. De sua parte, Allie parecia estar feliz por monopolizar a visita da amiga da irmã, deixando a mais nova se sentindo deixada de lado.

Para tratar a situação com a filha mais velha, Roger viu diversas alternativas. Uma seria simplesmente dizer a ela que precisava dar a Katie e Gina um tempo sozinhas, já que esse era o plano inicial da visita, afinal. Não haveria nada de errado com essa abordagem, mas ao fazer isso e impor sua própria opinião sobre a situação, Roger deixaria passar o importante processo que permitiria a Allie usar o cérebro do andar de cima.

Então, em vez disso, ele entrou na casa, chamou a filha mais velha e simplesmente começou uma breve conversa. Eles sentaram no sofá, e ele passou o braço ao redor dela. Considerando a personalidade e o temperamento de Allie, ele decidiu começar com uma simples pergunta:

> **Roger:** Gina está gostando de brincar com você, e você tem muito jeito com crianças menores. Mas será que notou que Katie não está muito feliz por Gina estar dando toda a atenção a você?
>
> **Allie:** [Ficando na defensiva, sentando-se ereta e virando para o pai] Papai, eu nem estou fazendo nada demais. Nós só estamos ouvindo música.

Roger: Eu não disse que você está fazendo alguma coisa errada. Eu estou perguntando se você notou como Katie está se sentindo agora.

Allie: Sim, mas isso não é minha culpa!

Roger: Querida, eu concordo totalmente que não é culpa sua. Escute a minha pergunta: você está vendo que Katie não está feliz? Eu estou perguntando se você percebeu.

Allie: Acho que sim.

Nessa única admissão, nós vemos uma evidência de que o cérebro do andar de cima de Allie havia se envolvido na conversa, mesmo que apenas um pouco. Ela estava, na realidade, começando a escutar e pensar no que o pai estava dizendo. A essa altura, Roger poderia pensar sobre qual parte do cérebro do andar de cima ele queria apelar para exercitar, não dizendo a Allie o que ela devia pensar ou sentir, mas pedindo para ela levar a situação em consideração por si mesma e a prestar atenção ao que a outra pessoa estava vivenciando.

Roger: Por que você acha que ela pode estar chateada?

Allie: Acho que é porque ela quer a Gina para ela. Mas a menina entrou no meu quarto! Eu nem a convidei.

Roger: Eu sei. E você pode ter razão de que Katie quer Gina toda para ela. Mas você acha que é exatamente isso? Se ela estivesse aqui e nos dissesse como está se sentindo, o que acha que ela diria?

Allie: Que a amiga é dela, não minha.

Roger: Isso, provavelmente, está bem perto do que ela diria. Ela teria razão?

Allie: Eu só não entendo por que não podemos todas ouvir música juntas. Sério, papai.

Roger: Eu entendo. Talvez até concorde com você. Mas o que a Katie diria em relação a isso?

Allie: Que quando estamos todas juntas, Gina só quer brincar comigo?

E com essa pergunta, a empatia apareceu. Foi apenas uma consciência que surgiu. Nós não podemos esperar por um momento de emoção de cinema, em que uma menina de 9 anos é levada às lágrimas pela compaixão e pela dor emocional da irmãzinha. Mas foi um começo. Allie estava, pelo menos, conscientemente começando a levar os sentimentos da irmã em consideração (o que, se você tem filhos pequenos, sabe que não é uma vitória pequena). A partir daí, Roger poderia direcionar a conversa para que Allie pensasse mais explicitamente nos sentimentos de Katie. Assim, ele poderia pedir a ajuda dela para pensar em um plano para lidar com a situação — "Talvez a gente possa ouvir mais uma música e, então, eu vou me arrumar para a minha festa do pijama?" — e, ao fazer isso, ele envolveria ainda mais o cérebro do andar de cima dela, fazendo-a planejar e resolver um problema.

Começar uma conversa de redirecionamento assim nem sempre vai ser um sucesso. Haverá vezes em que a criança não estará disposta (ou sequer será capaz) para ver uma perspectiva diferente, escutar e levar os sentimentos dos outros em consideração. Roger poderia simplesmente dizer a Allie que ela precisava encontrar outra coisa para fazer. Ou "talvez" ele pudesse fazer uma brincadeira com as três meninas, garantindo que todas se sentissem incluídas.

Mas perceba que, quando precisou redirecionar, Roger não impôs imediatamente seu próprio senso de justiça sobre a situação. Ao facilitar a empatia e a solução de problemas, ele deu à filha uma chance de exercitar seu cérebro do andar de cima. Quanto mais damos aos filhos a oportunidade de levar em consideração não apenas seus próprios desejos, mas também os desejos dos outros, e praticar a realização de boas escolhas, isso impacta positivamente as pessoas ao redor deles, à medida em que forem praticando isso. Uma conversa como essa entre Roger e Allie leva mais tempo do que simplesmente separar as meninas? É claro. É mais difícil de fazer? Provavelmente. Mas o redirecionamento colaborativo e respeitoso vale o esforço e o tempo extras? Não há dúvidas quanto a isso. E conforme isso se torna seu padrão, as coisas se tornam mais fáceis para você e toda a sua família, já que haverá menos batalhas e você estará construindo o cérebro de seu filho de tal forma que, com cada vez menos frequência, você sequer precisará tratar de mau comportamento.

EM VEZ DE MANDAR E EXIGIR

Você precisa dar às meninas um tempo sozinhas.

DISCIPLINA 1-2-3

Neste capítulo, nós queremos olhar mais de perto o conceito de redirecionamento, que é, na verdade, o que a maioria das pessoas quer dizer quando pensa em disciplina. O redirecionamento é como respondemos quando nossos filhos fazem algo de que não gostamos, como atirar alguma coisa com raiva, ou quando eles não estão fazendo algo que queremos que façam, como escovar os dentes e se aprontar para dormir. Depois que nos conectamos, de que maneira tratamos os filhos reativos ou que não estejam cooperando, redirecionando-os para usar o cérebro do andar de cima para que possam tomar decisões mais adequadas, que se tornem uma segunda natureza com o passar do tempo?

Como dissemos, "disciplina sem drama" tem a ver com conectar-se e ser emocionalmente responsivo com nossos filhos, visando ao objetivo de curto prazo de obter cooperação, bem como o objetivo de longo prazo de construir o cérebro dele. Uma maneira simples de pensar em redirecionamento é usar uma abordagem 1-2-3, que foca em uma definição, dois princípios e três resultados desejados. Você não precisa memorizar todos os detalhes da abordagem (especialmente porque fornecemos uma prática Ficha para a geladeira, no final do livro). Apenas use isso como um modelo de organização para ajudar você a focar no que é importante quando chegar o momento de redirecionar seus filhos.

UMA DEFINIÇÃO

O lugar para começar quando pensamos em redirecionar nossos filhos para um melhor comportamento é definindo o que é disciplina. Quando eles tomam decisões ruins ou não conseguem administrar suas emoções, nós precisamos lembrar que disciplina tem a ver com ensinar. Se nos esquecemos desta simples verdade, saímos do rumo. Se disciplinar tornar-se algo relacionado com punição, por exemplo, podemos perder uma oportunidade de ensinar. Ao focar nas consequências do mau comportamento, nós limitamos a oportunidade das crianças de experimentar as funções fisiológicas e emocionais de suas bússolas internas.

Uma mãe nos contou a história de ter encontrado uma caixinha de giz de cera quando ela e a filha de 6 anos de idade estavam limpando o quarto da menina. Elas compraram material escolar alguns dias antes, e a filha se apaixonou por aqueles gizes de cera, em particular. A mãe não os havia comprado, mas a filha os havia colocado no bolso, de qualquer maneira.

A mãe disse que, quando encontrou os gizes de cera, decidiu perguntar diretamente à filha sobre eles. Quando a menininha viu a caixinha na mão da mãe e o olhar de confusão dela, seus olhos se arregalaram, cheios de medo e culpa. Em um momento desses, a resposta dos pais determinará imensamente o que uma criança irá tirar da experiência. Como explicamos no Capítulo 1, se o foco do pai ou da mãe for nas consequências ou na punição e ela imediatamente gritar, bater, mandar a criança para o quarto ou retirar uma oportunidade futura sobre a qual ela estiver empolgada, o foco da criança mudará imediatamente. Em vez de ter sua atenção naquela sensação de "opa" se formando dentro dela ou em vez de pensar na decisão que tomou quando pegou os gizes de cera da loja, toda sua atenção irá se focar sobre o quanto seu pai ou sua mãe é mau por puni-la daquela maneira. Ela pode até mesmo sentir-se como vítima, o que é, de certa forma, justificada retroativamente por ter pegado os lápis escondida.

Em vez disso, essa mãe ofereceu uma abordagem disciplinar focada em ensinar, em vez de trabalhar as consequências imediatas. Ela deu à filha um tempo para pensar e ter consciência daquela culpa desconfortável, valiosa e natural que estava sentindo como resultado de ter pegado algo que não lhe pertencia. Sim, a culpa pode ser saudável. É prova de uma consciência saudável! E pode moldar o comportamento futuro.

Quando a mãe conversou com a filha, ela se ajoelhou (ficando abaixo do nível do olhar dela, como discutimos há algumas páginas), e deu sequência a uma conversa carinhosa, durante a qual a menina de 6 anos primeiro negou ter pegado os gizes de cera, então, disse que não se lembrava, e depois, com a mãe esperando pacientemente, acabou explicando que ela não tinha com o que se preocupar, porque: "Eu esperei até a vendedora de cabelo comprido não estar olhando" para colocar a caixinha no bolso do *short*. A esta altura, a mãe fez várias perguntas que estimularam a filha a pensar em conceitos que ela ainda não havia levado em consideração: "Você sabe como se chama pegar algo que não nos pertence?", "Roubar é contra a lei?", "Você sabia que a mulher com os cabelos compridos gastou dinheiro para comprar aqueles gizes de cera para colocá-los na loja?".

Como resposta, a filha abaixou a cabeça, seu lábio inferior veio para frente e lágrimas grossas começaram a rolar. Ela, evidentemente, se sentia mal sobre o que havia feito. Enquanto a menina chorava baixinho, a mãe a puxou para perto dela, não a distraindo nem interrompendo o processo do que já estava acontecendo naturalmente, mas juntando-se a ela ao dizer: "Você está se sentindo mal pelo que fez". A filha assentiu com a cabeça, e as lágrimas continuaram. A mãe pôde consolar e estar com a filha nesse momento bonito, em que o processo de disciplina continuou naturalmente sem a mãe sequer fazer ou dizer qualquer coisa. A mãe a abraçou e deixou que ela chorasse e sentisse e, depois de alguns minutos, ajudou a menina a secar as lágrimas e estimulou a filha a respirar fundo. Então, as duas continuaram a conversa brevemente, falando sobre honestidade, sobre respeitar a propriedade alheia e sobre fazer a coisa certa, mesmo quando for difícil.

Ao iniciar esse diálogo colaborativo e reflexivo e permitir que a disciplina surgisse naturalmente, simplesmente ao orientar a atenção da filha para a culpa interna que ela já estava sentindo, em vez de impor castigos instantâneos, a mãe permitiu que a filha fizesse um exercício com seu cérebro do andar de cima ao pensar em seus atos e em como eles afetavam os outros, aprendendo algumas lições básicas sobre ética e moral. Então, as duas fizeram planos sobre como seria a melhor maneira de devolver os gizes de cera à "vendedora com o cabelo comprido".

EM VEZ DE IMPOR CASTIGOS IMEDIATAMENTE

Não acredito que pegou isto escondido! Vá para o seu quarto!

COMECE UMA CONVERSA

Você pode me falar sobre isto?

"Disciplina sem drama" tem a ver com ensinar, e foi no que essa mãe se focou. Ela permitiu que a filha experimentasse atentamente os sentimentos e pensamentos associados com sua decisão de pegar a caixa de giz de cera. Ao permitir que a experiência interna, própria da criança, ficasse em seu primeiro plano mental — em vez de transformar as emoções dela em raiva por conta de uma punição imposta —, ela deixou que o cérebro da filha não apenas se tornasse consciente daquele desconforto interno como também o relacionasse com a experiência de fazer más escolhas, nesse caso, roubar. Mais uma vez, impor punições ou castigos, especialmente quando estamos com raiva e reativos, pode ser contraproducente porque distrai nossos filhos das mensagens psicológicas e emocionais de suas próprias consciências, que é uma força poderosa no desenvolvimento da autodisciplina.

Lembre-se, neurônios que disparam juntos se ligam juntos. E nós queremos que nossos filhos experimentem a ligação natural que existe entre tomar uma decisão ruim, em um momento, e se sentir culpado e desconfortável, no momento seguinte. Como o cérebro é levado a evitar experiências que produzem sensações negativas, os sentimentos repulsivos que surgem naturalmente dentro de uma criança quando ela faz alguma coisa que viola sua consciência interior podem ser muito efêmeros em sua mente consciente. Mas quando nós a ajudamos a tomar consciência dessas sensações e emoções, elas podem se tornar a base importante para a ética e o autocontrole. Esta autorregulação ou função executiva que se desenvolve pode, então, ser ativada mesmo quando seus pais não estão presentes ou ninguém está vendo. É assim que ela internaliza a lição em um nível sináptico. Nossos próprios sistemas nervosos podem se tornar nossos melhores guias!

Situações disciplinares diferentes, evidentemente, exigirão respostas parentais diferentes. Essa mãe respondeu com base em qual lição sua filha precisava, naquele momento particular. Em outras circunstâncias, ela poderia responder de maneira diferente. A questão é que, depois que nos conectamos com nossos filhos em um momento de disciplina, e chega a hora de redirecionar, nós precisamos ter em mente a importância da consciência e de ajudar o cérebro a aprender. A reflexão com uma criança a ajuda a se tornar consciente do que está acontecendo internamente, e isso otimiza o aprendizado.

Quando temos em mente a definição de disciplina, percebemos que compartilhar a consciência ajuda o aprendizado a ocorrer. Disciplina tem a ver com ensinar para otimizar o aprendizado.

DOIS PRINCÍPIOS

Nós também queremos seguir dois princípios essenciais quando redirecionamos nossos filhos, permitindo nos guiem em tudo o que fizermos. Esses princípios, junto com as estratégias específicas que se originam deles, estimulam a cooperação dos filhos e tornam a vida mais fácil para os adultos e as crianças.

PRINCÍPIO Nº 1: ESPERE ATÉ SEU FILHO ESTAR PRONTO

Lembre-se do que dissemos no Capítulo 3: a conexão passa uma criança da reatividade à receptividade. Então, depois que você se conectou e permitiu que seu filho chegasse a um lugar onde ele está pronto para escutar e usar seu cérebro do andar de cima, chegou a hora de redirecionar. Não antes. Uma das recomendações sobre criação de filhos mais autodestrutivas que ouvimos, de vez em quando, é mais ou menos assim: "Quando uma criança se comporta mal, é importante que você trate do comportamento imediatamente. De outro modo, eles não irão compreender por que estão sendo disciplinados".

Na verdade, não achamos que este seja um mau conselho se você estiver administrando um laboratório de condicionamento comportamental de animais. Para camundongos ou mesmo cachorros, este é um bom conselho. Para seres humanos, nem tanto. O fato é que há vezes em que não faz sentido tratar um mau comportamento imediatamente. Na maioria das vezes, o pior momento do mundo para se tratar um mau comportamento é imediatamente depois dele ter ocorrido.

O motivo é simples. O mau comportamento geralmente acontece porque uma criança não é capaz de regular seus grandes sentimentos. E quando suas emoções estão desreguladas, seu cérebro do andar de cima está inativado. Ele está temporariamente fora de funcionamento, o que significa que a criança não é capaz de realizar as tarefas pelas quais seu cérebro do andar de cima é responsável: tomar boas decisões, pensar nos outros, pensar nas consequências, equilibrar suas emoções e seu corpo e ser um aprendiz receptivo. Então, sim, nós recomendamos que você trate de um problema comportamental logo, quando possível, mas apenas quando seu filho estiver em um estado mental tranquilo e receptivo — mesmo que você precise esperar. Mesmo crianças de apenas 3 anos conseguem lembrar do que aconteceu recentemente, até mesmo no dia anterior. Você pode começar essa conversa dizendo: "Eu queria falar sobre o que aconteceu ontem, na hora de dormir. Não foi muito legal, foi?". Esperar pelo momento exato é fundamental quando se trata de ensinar, efetivamente.

Então, vamos voltar para a sugestão que fizemos no Capítulo 4. Depois que você se conectou e está se perguntando se está na hora de passar para a fase do redirecionamento, faça a si mesmo uma pergunta simples: "Meu filho está pronto? Pronto para escutar, pronto para aprender, pronto para compreender?". Se a resposta for não, então não há por que tentar redirecionar nesse momento. Muito provavelmente, é preciso mais conexão. Ou, especialmente para crianças mais velhas, talvez você apenas precise lhes dar um pouco de tempo e espaço antes de estarem prontas para ouvir você.

Quando falamos com educadores, frequentemente explicamos que existe uma janela ideal, ou um ponto ideal, para o ensino. Se os sistemas nervosos dos alunos estão no que chamamos de subestimulados — porque eles estão com sono, entediados ou desligados por algum outro motivo —, eles estão em um estado não receptivo, o que significa que eles não serão capazes de aprender de maneira efetiva. E o oposto é igualmente ruim. Se os sistemas nervosos estão superestimulados — o que significa que eles estão se sentindo ansiosos ou estressados ou que seus corpos estão hiperativos, com muito movimento e muita atividade motora — isso também produz um estado não receptivo, em que é difícil aprender. Em vez disso, nós precisamos criar um ambiente que os ajude a passar para um estado mental que seja tranquilo, alerta e receptivo. Esse é o ponto ideal em que o aprendizado realmente ocorre. Esse é o momento em que eles estão prontos para aprender.

O mesmo acontece com nossos filhos. Quando seus sistemas nervosos estão sub ou superestimulados, eles não estarão nem um pouco receptivos ao que queremos ensinar. Então, quando disciplinamos, queremos esperar até eles estarem tranquilos, alertas e receptivos. Pergunte a si mesmo: "Meu filho está pronto?". Mesmo depois de você ter se conectado e tranquilizado o estado negativo dele, ainda pode ser melhor esperar por um momento mais tarde no dia, ou mesmo no dia seguinte, para encontrar um momento melhor para o ensino e redirecionamento explícitos. Você pode dizer: "Eu gostaria de esperar até nós realmente conseguirmos conversar e escutar um ao outro. Vou voltar para conversarmos sobre isso daqui a pouco".

Como observação, assim como é importante perguntar: "Meu filho está pronto?", também é importante se perguntar: "Eu estou pronto?". Se você estiver em um estado mental reativo, é melhor esperar para ter a conversa. Você não pode ser um bom professor se não estiver em um estado tranquilo e sereno. Se estiver perturbado demais para ficar no controle, provavelmente abordará toda a interação de uma maneira contraproducente em relação a seus objetivos de ensinar e construir conexão. Nesse caso, é melhor dizer algo do tipo: "Como estou muito irritado para ter uma boa conversa agora, vou tirar um tempo para me acalmar a conversaremos mais tarde". Então, depois que ambos estiverem prontos, a disciplina será mais eficaz e melhor para ambos.

PRINCÍPIO Nº 2: SEJA CONSISTENTE, MAS NÃO RÍGIDO

Não há dúvidas quanto a isso: consistência é fundamental quando se trata de criar e disciplinar nossos filhos. Muitos pais que vemos em nossos consultórios se dão conta de que precisam trabalhar para serem mais consistentes com seus filhos — com o horário de dormir, na limitação de guloseimas na alimentação, no tempo de TV e eletrônicos, ou na vida, de um modo geral. Mas há outros pais que depositam tamanha prioridade em consistência, que ela se torna uma rigidez que não é boa para seus filhos, para eles mesmos nem para o relacionamento entre eles.

Vamos esclarecer a diferença entre os dois termos. Consistência significa trabalhar a partir de uma filosofia confiável e coerente, para que nossos filhos saibam o que esperamos deles e o que eles deveriam esperar de nós. Rigidez, no entanto, significa manter uma devoção permanente a regras que nós estabelecemos, às vezes sem sequer ter pensado bem nelas ou sem mudá-las, conforme o desenvolvimento de nossos filhos. Como pais, queremos ser consistentes, mas não rígidos.

As crianças, evidentemente, precisam de consistência. Elas precisam saber quais são as nossas expectativas e como responderemos se eles quebrarem (ou mesmo dobrarem) regras acordadas. A sua confiabilidade ensina a seus filhos sobre o que esperar, em seus mundos. Mais do que isso, ela os ajuda a se sentirem seguros. Eles sabem que podem contar com você para ser constante e estável, mesmo quando o mundo interno ou externo deles estiver caótico. Esse tipo de cuidado previsível, sensível e sintonizado é, na realidade, o que constrói apego seguro. Ele permite que ofereçamos a nossos filhos a chamada "contenção segura", uma vez que eles têm uma base segura e limites claros para ajudar a orientá-los quando suas emoções estão explodindo. Limites que você estabelece são como as barreiras de proteção de uma ponte. Para uma criança, viver sem limites claros é tão causador de ansiedade como passar por cima da ponte sem barreiras de proteção que impeçam você de mergulhar na baía de um rio.

Mas rigidez não tem a ver com segurança nem com confiabilidade: tem a ver com teimosia. Ela evita que os pais cedam quando necessário ou olhem para o contexto e a intenção por trás de um comportamento, ou reconheçam os momentos em que é razoável abrir uma exceção.

Um dos principais motivos pelos quais os pais se tornam rígidos com seus filhos é porque estão praticando uma espécie de criação baseada em medo. Eles se preocupam que se algum dia cederem e permitirem um refrigerante em uma refeição, criarão uma ladeira escorregadia e seus filhos passarão a beber Coca-Cola no café-da-manhã, no almoço e no jantar pelo resto da vida. Então, eles não abrem mão de suas armas e negam o refrigerante.

Outro exemplo é quando o filho de 6 anos de idade tem um pesadelo e pede para deitar na cama com eles porque está com medo, mas eles se preocupam que possam estar estabelecendo um precedente perigoso. Eles dizem: "Não queremos que ele desenvolva maus hábitos de sono. Se não cortarmos o mal pela raiz agora, ele vai dormir mal durante toda a infância". Por isso, eles não abrem mão de suas armas e o mandam zelosamente de volta para a cama.

Nós compreendemos o medo. Nós mesmos sentimos medo em relação a nossos filhos. E concordamos que pais devem, definitivamente, se manter conscientes de quaisquer que sejam os padrões que estejam estabelecendo para seus filhos. É por isso que a consistência é tão importante.

Mas a criação de filhos baseada no medo nos leva a acreditar que nunca podemos abrir uma exceção sobre uma guloseima — ou que não podemos consolar ou acarinhar nosso filho assustado no meio da noite sem condená-lo a uma vida de insônia —, e aí, passamos para a rigidez. Isso é criação de filhos baseada em medo, não no que nosso filho precisa naquele momento particular. Isso é criação de filhos com objetivo de reduzir nossa própria ansiedade e nossos medos, em vez de ensinar o que será melhor à mente que está surgindo e moldar o cérebro em desenvolvimento de nosso filho.

Como podemos manter a consistência sem passar para a rigidez baseada em medo? Bem, vamos começar reconhecendo que algumas coisas não são negociáveis. Por exemplo, em nenhuma circunstância você pode deixar seu filho pequeno correr por um estacionamento lotado, nem deixar seu filho em idade escolar nadar sem supervisão, bem como permitir que seu adolescente entre em um carro com alguém que bebeu. Segurança física não é negociável.

No entanto, isso não significa que você nunca abrirá exceção nem mesmo que fará vista grossa quando seu filho se comportar mal. Por exemplo, se você tem uma regra sobre não usar equipamentos tecnológicos à mesa do jantar, mas seu filho de 4 anos acabou de ganhar um novo jogo eletrônico que ele jogará em silêncio enquanto vocês jantam com outro casal, este pode ser um bom momento para abrir uma exceção à sua regra. Ou se sua filha prometeu que vai terminar o dever de casa antes do jantar, mas os avós dela aparecem para levá-la para passear, talvez você possa fazer uma nova negociação com ela.

RÍGIDO

CONSISTENTE, MAS FLEXÍVEL

Como seus avós estão aqui, você pode esperar para fazer o dever de casa. Quando acha que será o melhor momento para fazê-lo?

O objetivo, em outras palavras, é manter uma abordagem consistente, mas flexível com seus filhos, para que eles saibam o que esperar de você, mas que eles também saibam que, às vezes, você irá levar cuidadosamente em consideração todos os fatores envolvidos. Isso volta ao que falamos a respeito, no capítulo anterior: flexibilidade de resposta. Nós queremos responder intencionalmente a uma situação de uma maneira que leve em consideração o que funciona melhor para nosso filho e a nossa família, mesmo que isso signifique abrir uma exceção a nossas regras e expectativas normais.

A questão, quando se trata de disciplina consistente em relação à disciplina rígida, é o que estamos esperando realizar. Mais uma vez, o que queremos ensinar? Sob circunstâncias normais, queremos manter, consistentemente, nossas regras e expectativas. Mas queremos evitar a rigidez, ignorar o contexto e perder a oportunidade de transmitir lições que queremos ensinar. Às vezes, quando disciplinamos, precisamos procurar por outras maneiras de realizar nossos objetivos, para que possamos ensinar mais efetivamente o que queremos que nossos filhos aprendam.

Às vezes, por exemplo, você pode tentar uma "repetição". Em vez de imediatamente oferecer uma punição ao seu filho por ele falar de maneira desrespeitosa, você pode dizer algo como: "Aposto que, se você tentar de novo, consegue encontrar uma maneira mais respeitosa de dizer isso". Repetições dão à criança uma segunda chance para lidar bem com uma situação. Isso dá a elas prática em fazer a coisa certa. Você ainda está mantendo as expectativas de maneira consistente, mas está fazendo isso de um jeito que é muito mais benéfico do que um castigo não relacionado, imposto de maneira rígida.

Afinal, o desenvolvimento de habilidades é uma parte enorme do que é a disciplina. E isso exige orientação e treinamento repetidos. Se você estivesse treinando o time de futebol de seu filho e ele estivesse com problemas para chutar a bola reta, você não imporia castigos toda vez que ele errasse. Em vez disso, você o faria praticar mais, para que ele melhorasse o chute. Você iria querer que ele tivesse uma sensação clara e familiar de como é bater na bola e vê-la seguir para o gol. Da mesma forma, quando nossos filhos se comportam de um modo que não atende às expectativas que estabelecemos, às vezes o melhor que conseguimos é fazê-los praticar o comportamento que atenda às nossas expectativas.

Outra maneira de estimular a construção de habilidade é fazer seu filho apresentar uma resposta criativa. Por mais que desejássemos, dizer "me desculpe" não conserta a varinha mágica que foi atirada longe, com raiva. Um bilhete de desculpas e o uso do dinheiro da mesada para comprar uma nova varinha mágica pode ensinar mais e ajudar a desenvolver habilidades relacionadas com tomada de decisão e empatia.

A questão é que, em seus esforços para construir habilidades, você ainda pode ser consistente, ao mesmo tempo que se mantém flexível e aberto a outras alternativas. Conforme as crianças aprendem sobre certo e errado, elas também aprendem que a vida não tem a ver apenas com recompensa e punição externas. Flexibilidade, solução de problemas, consideração do contexto e consertar nossos erros também são relevantes. O mais importante é que nossos filhos compreendam a lição da melhor forma que seus níveis de desenvolvimento permitirem, sintam empatia em relação a quem quer que tenham magoado e descubram como responder à situação, evitando-a, no futuro.

Em outras palavras, há muito sobre moralidade que queremos ensinar a nossos filhos, além de saber diferenciar o certo do errado. Nós não queremos ser o guarda de trânsito deles, acompanhando-os por todo lado, dizendo-lhes quando parar e quando andar e aplicando multas quando eles desobedecerem às leis. Não seria muito melhor ensiná-los a dirigir de maneira responsável e dar a eles as habilidades, as ferramentas e a prática para tomar boas decisões sozinhos? Para fazer isso com sucesso, às vezes precisamos estar abertos para ver as áreas cinzas, não apenas o preto e o branco. Nós precisamos tomar decisões baseados não apenas em uma regra arbitrária que estabelecemos previamente, mas no que é melhor para os nossos filhos e a nossa família nesse momento, nessa situação particular. Consistente, sim, mas não rígido.

EM VEZ DE MANDAR E EXIGIR RIGIDAMENTE...

Você não pode falar comigo dessa maneira. Faça uma pausa para pensar.

DÊ PRÁTICA EM FAZER A COISA CERTA

Vamos fazer isto de novo. Sei que você consegue dizer isso novamente, de uma maneira mais respeitosa.

TRÊS RESULTADOS DE VISÃO MENTAL

A disciplina 1-2-3 é focada em uma definição (ensinar) e dois princípios (esperar até seu filho estar pronto e ser consistente, mas não rígido). Agora, vamos ver os três resultados que estamos procurando atingir quando redirecionamos.

Se você leu *O cérebro da criança*, já está familiarizado com o termo "visão mental", que Dan cunhou e discute de maneira aprofundada em seus livros *Mindsight* e *Cérebro adolescente*. Explicada de maneira simples, visão mental é a capacidade de ver nossa própria mente, assim como a mente de outra pessoa. Ela nos permite desenvolver relacionamentos significativos ao mesmo tempo que mantemos uma noção de *self* saudável e independente. Quando pedimos que nossos filhos levem seus próprios sentimentos em consideração (usando a percepção pessoal) e que imaginem como outra pessoa pode vivenciar uma situação particular (usando a empatia), estamos ajudando-os a desenvolver sua visão mental.

A visão mental também envolve o processo de integração, que discutimos anteriormente. Você deve se lembrar que a integração ocorre quando coisas separadas se tornam ligadas — como os lados direito e esquerdo do cérebro ou duas pessoas em um relacionamento. Quando não há integração, ocorre o caos ou a rigidez. Assim, quando um relacionamento experimenta uma ruptura inevitável por não honrarmos as diferenças um do outro, ou quando não pensamos compassivamente um em relação ao outro, há uma quebra da integração.

PERCEPÇÃO +
EMPATIA =
VISÃO MENTAL

Um exemplo de criação de integração é quando reparamos essa ruptura. Se você achar que há caos ou rigidez surgindo na conexão com seus filhos, é preciso fazer uma reparação. Nós podemos tomar atitudes para reparar a situação e acertar as coisas quando tomamos uma decisão ruim ou magoamos alguém com nossas palavras ou atitudes. Vamos discutir cada um desses resultados (percepção, empatia e integração/reparação), individualmente.

RESULTADO Nº 1: PERCEPÇÃO

Um dos melhores resultados do redirecionamento como parte de uma estratégia de "disciplina sem drama" é que ela ajuda a desenvolver a percepção pessoal em nossos filhos. O motivo é que, em vez de simplesmente mandar e exigir que nossos filhos atendam a nossas expectativas, nós pedimos que eles percebam e reflitam sobre seus próprios sentimentos e suas respostas a situações difíceis. Como você sabe, isto pode ser difícil, uma vez que o cérebro do andar de cima de uma criança não apenas é o último a se desenvolver, como em geral está desligado em momentos disciplinares. Mas com prática e conversas formadoras de percepção — como as que já discutimos e explicaremos mais detalhadamente no próximo capítulo —, crianças podem se tornar mais conscientes e compreenderem a si mesmas de forma mais completa. Elas podem desenvolver visão mental pessoal que lhes permita compreender melhor o que estão sentindo e ter mais controle sobre como respondem a situações difíceis.

Para crianças pequenas, podemos facilitar este processo simplesmente nomeando as emoções que observamos: "Quando ela pegou sua boneca, você pareceu muito brava. Foi isso mesmo?". Para crianças maiores, perguntas de final aberto são melhores, mesmo que precisemos guiá-las no sentido da autocompreensão: "Eu a observava pouco antes de explodir com seu irmão, e você pareceu ficar cada vez mais irritada com o fato de ele a estar incomodando. Era isso que você estava sentindo?". A esperança é que a resposta seja algo como: "Sim! E eu fico muito brava quando ele...". Toda vez que uma criança entra no específico e discute sua própria experiência emocional, ela ganha mais visão mental sobre si mesma e aprofunda sua própria autocompreensão. Essa é uma conversa reflexiva que cultiva a visão mental. E esse foco em sua percepção pode ajudá-la a seguir na direção do segundo resultado desejado do redirecionamento.

RESULTADO Nº 2: EMPATIA

Junto com desenvolver percepção em relação a si mesmos, nós queremos que nossos filhos desenvolvam o outro aspecto da visão mental: a empatia. A ciência da neuroplasticidade nos ensina que a prática repetida dessa reflexão, como em nossos diálogos reflexivos com os outros, ativa nossos circuitos de visão mental. E com foco repetido de atenção em nossa vida mental interior, ela também modifica a programação no cérebro e constrói e fortalece as partes empáticas centradas nos outros, do cérebro do andar de cima — o que os cientistas chamam de circuito de engajamento social do córtex pré-frontal. Esta é a parte do cérebro que faz mapas de visão mental não apenas de nós mesmos pela percepção e dos outros pela empatia, mas também de "nós" pela moralidade e a compreensão mútua. É isso que os circuitos de visão mental criam. Então, nós queremos dar aos filhos muita prática e refletir sobre como suas ações impactam nos outros, vendo coisas a partir de outro ponto de vista e desenvolvendo consciência sobre os sentimentos dos outros.

Está vendo as lágrimas de Juliana? Você consegue imaginar como ela pode estar se sentindo?

Fazer perguntas e ajudar nossos filhos a fazer observações como esta será muito mais eficaz do que passar sermões, fazer discursos ou impor castigos. O cérebro humano é capaz de se estender de uma maneira que nos permite compreender as experiências das pessoas ao nosso redor e perceber nossas conexões como parte de um "nós", que se desenvolve com eles. É assim que sentimos não apenas empatia, mas a importante sensação de interconexão, o estado integrado que é a base da imaginação, do pensamento e da atitude moral.

Assim, quanto mais dermos a nossos filhos prática em considerar como outra pessoa se sente ou vivencia uma situação, mais empáticos e cuidadosos eles se tornarão. E conforme esses circuitos de percepção e empatia se desenvolvem, eles estabelecem naturalmente a base para a moralidade, nossa sensação interna de sermos não apenas diferenciados, mas de estarmos ligados a um todo maior. Isso é integração.

RESULTADO Nº 3: INTEGRAÇÃO E REPARAÇÃO DAS RUPTURAS

Depois de ajudar nossos filhos a levar em consideração seus próprios sentimentos e depois refletir sobre como suas atitudes impactaram nos outros, nós queremos perguntar a eles o que podem fazer para criar integração ao repararem a situação e acertar as coisas. A qual parte do cérebro apelamos agora? Você acertou: o cérebro do andar de cima, com sua responsabilidade pela empatia, a moral, a consideração das consequências de nossas decisões e o controle das emoções.

Nós apelamos para o cérebro do andar de cima fazendo perguntas, neste caso, sobre a reparação de uma situação. "O que você pode fazer para acertar a situação? Que passo positivo você pode dar para ajudar a consertar isso? O que você acha que precisa acontecer agora?". A reparação constrói sobre a percepção e a empatia para depois passar para o mapa de visão mental de "nós", quando uma conexão é restabelecida com a outra pessoa. Depois que guiamos nossos filhos na direção da empatia e da percepção, queremos tomar uma atitude para tratar não apenas a situação que seus comportamentos afetaram, mas também a outra pessoa e, em última instância, o relacionamento, em si.

Tomar uma atitude depois de magoar alguém ou tomar uma decisão ruim não é fácil para nenhum de nós, até mesmo para nossos filhos. Especialmente quando as crianças são pequenas ou se têm um temperamento especialmente tímido, os pais talvez precisem apoiá-los e ajudá-los com seus pedidos de desculpas. Às vezes, o pai ou a mãe pode fazer o pedido de desculpas pelo filho. Vocês pode concordar, antecipadamente, quanto à mensagem. Afinal, não há muita vantagem em forçar uma criança a fazer um pedido de desculpas que não seja sincero, quando ela ainda não está pronta, nem obrigá-la a pedir desculpas quando fazer isso inundará seu sistema nervoso de ansiedade. Isso volta à pergunta sobre se seu filho está pronto. Às vezes, precisamos esperar para que uma criança esteja no estado mental correto.

Nunca é fácil voltar para tentar reparar um erro. Mas a "Disciplina sem drama" nos permite ajudar os filhos a aprender a fazer isso. Ela tem como alvo a obtenção desses três resultados: focar em oferecer a nossos filhos prática para compreender melhor a si mesmos com percepção, ver as coisas da perspectiva dos outros com empatia, e tomar atitudes para melhorar uma situação particular, em que eles tenham feito algo errado. Quando as crianças aprofundam sua capacidade de conhecer a si mesmas, levar os sentimentos dos outros em consideração e tomar atitudes em termos de reparar uma situação, elas constroem e fortalecem conexões dentro do lobo frontal, o que lhes permite conhecerem melhor a si mesmas e se dar bem com os outros, no caminho da adolescência e da vida adulta. Basicamente, você está ensinando o cérebro do seu filho a fazer mapas de visão mental de "eu", "você" e "nós".

DISCIPLINA 1-2-3 EM AÇÃO

A vida nos dá uma oportunidade depois da outra de construir o cérebro. Foi isso que vimos quando Roger conversou com a filha sobre monopolizar a amiga da irmã. Ele poderia ter facilmente dito à filha algo como: "Allie, por que você não dá a Katie e Gina um tempo sozinhas?". Ao fazer isso, porém, teria perdido uma oportunidade de ensiná-la e ajudar a construir o cérebro dela. A resposta dele, em vez disso, ofereceu uma abordagem 1-2-3. Ao iniciar uma conversa com a filha ("Você está vendo que Katie não está feliz?"), em vez de baixar uma lei, ele focou na única definição de disciplina: ensinar. Ele também trabalhou a partir dos dois princípios fundamentais. Primeiro, ele se certificou de que a filha estava pronta, fazendo-a se sentir ouvida, sem julgamento ("Eu concordo completamente que não é culpa sua"). E, segundo, ele evitou ser excessivamente rígido e pediu ajuda a Allie para pensar em uma boa resposta à situação. E ele atingiu os três resultados, ajudando a filha a pensar em suas próprias atitudes ("Por que você acha que ela pode estar chateada?"), nos sentimentos da irmã ("Se ela estivesse aqui e nos dissesse como está se sentindo, o que acha que ela diria?"), e qual a melhor resposta que ela poderia dar para fornecer uma reparação integrativa à situação ("Vamos pensar em um plano").

A abordagem também funciona com crianças mais velhas. Vamos ver um exemplo de como um casal a aplicou com o filho em idade escolar.

Nila sempre escreveu "telefone celular" no topo de sua lista de desejos nas datas comemorativas do ano que se passou. Ela sempre dizia aos pais, Steve e Bela, que "todas" as outras crianças tinham telefone. Sua mãe e seu pai seguraram mais tempo do que a maioria de seus amigos, mas quando ela fez doze anos, cederam. Afinal, Nila era razoavelmente responsável, estava passando mais tempo independentemente dos pais, e um telefone seria conveniente para todos. Eles tomaram todos os cuidados que sabiam que eram importantes — desabilitaram a conexão à internet do aparelho, baixaram aplicativos que filtravam conteúdos perigosos, conversaram com ela sobre questões como privacidade e segurança — e, então, passaram para a fase seguinte de suas vidas de criação de filhos.

Durante os primeiros meses, Nila fez a decisão dos pais parecer acertada. Ela cuidava do celular e o usava adequadamente, e eles souberam que não haviam superestimado a questão da conveniência.

Mas uma noite, Bela ouviu Nila tossindo uma hora depois de as luzes terem sido apagadas, então, abriu a porta do quarto da filha para ver como ela estava. A luz azul sobre a cama de Nila desapareceu imediatamente, mas era tarde demais. Ela havia sido pega.

Bela acendeu a luz do quarto e, antes que pudesse dizer qualquer coisa, Nila se apressou em explicar: "Mamãe, eu estava preocupada com a prova e não estava conseguindo dormir, então estava tentando me distrair".

Como sabia que não devia reagir de forma exagerada, especialmente quando seu principal objetivo, naquele momento, era fazer a filha voltar a dormir, Bela primeiro se conectou: "Eu entendo que você precise distrair a sua mente. Detesto quando não consigo dormir". Então, simplesmente disse: "Mas vamos falar sobre isso amanhã. Me dê o celular e durma".

Quando Bela contou a Steve, ficou sabendo que ele havia tido uma interação parecida com Nila na semana anterior, quando Bela não estava, e ele havia se esquecido de mencionar. Portanto, eles tinham dois casos da filha desconsiderar abertamente as regras sobre o uso do celular e a hora de dormir.

Usando uma abordagem 1-2-3, Steve e Bela focaram na única definição de disciplina. Que lição eles queriam ensinar? Eles queriam enfatizar a importância da honestidade, da responsabilidade, da confiança e de seguir as regras com as quais todos os membros da família haviam concordado. Enquanto pensavam em como responder às infrações de Nila, mantiveram esta definição no topo de suas mentes.

Então, focaram nos dois princípios. Bela havia demonstrado o primeiro — certificando-se de que a filha estava pronta — quando ela simplesmente pegou o celular de Nila e pediu que ela fosse dormir. Tarde da noite, quando todos estão cansados e uma criança está acordada em um horário em que não deveria mais estar, raramente é o melhor momento de ensinar uma lição. Passar um sermão em Nila, naquele momento, provavelmente teria se transformado em todo tipo de drama, deixando tanto a mãe quanto a filha frustradas e com raiva. Também não é exatamente uma receita para se dormir imediatamente ou ensinar uma lição. A melhor estratégia era esperar pelo dia seguinte, quando Bela e Steve poderiam encontrar o momento certo para tratar da questão. Não durante a correria da manhã para tomar o café e preparar o almoço, mas durante o jantar, quando todos pudessem discutir a questão calmamente e a partir de uma nova perspectiva.

Quanto à resposta específica, foi aí que entrou o segundo princípio: ser consistente, mas não rígido. A consistência é claramente fundamental. Steve e Bela haviam sido claros sobre Nila ser honesta e responsável em relação ao celular, e pelo menos nesse quesito, ela não havia cumprido o acordo. Então, eles precisavam tratar desse lapso com uma resposta consistente.

Mas, ao fazer isso, não queriam tomar uma decisão rígida e impensada que fosse excessiva. A primeira reação deles foi tirá-lo de Nila, completamente. Mas, depois que conversaram e suas cabeças mais tranquilas prevaleceram, eles reconheceram que, nesse caso, essa resposta seria drástica demais. Fora deste único problema, Nila havia agido de forma responsável em quanto as regras. Então, em vez de tirá-lo da filha, eles decidiram conversar sobre o assunto com Nila, pedindo ajuda a ela para elaborar formas de tratar a situação. Na verdade, foi ela quem propôs uma maneira de consertar as coisas que era fácil para todos: ela deixaria o aparelho fora do quarto quando fosse para a cama. Então, ela não se sentiria tentada a conferi-lo toda vez que ele piscasse — e a mãe e o pai podiam ter certeza de que Nila estaria recarregando enquanto o celular dela fazia o mesmo.

Todos concordaram que se surgissem mais problemas, ou se ela voltasse a fazer mau uso do telefone, Steve e Bela ficariam com o aparelho, exceto em determinados momentos do dia.

Com essa resposta de Nila, os pais a respeitaram o suficiente para trabalharem juntos e para que todos pudessem colaborar ainda que determinando limites. Steve e Bela apresentaram uma frente consistente e firme que se manteve de acordo com suas regras e expectativas sem se tornarem rígidos e sem disciplinarem de uma forma que não se beneficiaria nem a filha e nem a situação ou mesmo o relacionamento deles com ela.

Como consequência, todos tiveram uma chance muito melhor de atingir os três resultados desejados: percepção, empatia e reparação integrada. Eles ajudaram a estimular a percepção na filha pela abordagem colaborativa que usaram ao fazer perguntas envolvendo-a em um diálogo. As perguntas focaram em ajudá-la a fazer uma pausa e pensar sobre sua decisão de usar o celular quando não devia: "Como você se sente por dentro quando está fazendo alguma coisa que sabe que não deveria fazer? Ou quando entramos e vemos você usando o telefone? O que você acha que sentimos em relação a isso?". Outras perguntas levaram à percepção sobre melhores opções no futuro: "Da próxima vez que não conseguir dormir, o que você pode fazer em vez de usar o celular?". Com perguntas como essas, os pais de Nila ajudaram a aumentar sua percepção pessoal e a construir seu cérebro do andar de cima, permitindo que ela desenvolvesse uma bússola interna e se tornasse mais perceptiva, no futuro. Além disso, ao abordar a questão de uma maneira que respeitava a ela e a seus desejos, eles aumentaram as chances de que

Nila irá falar com eles até mesmo sobre problemas maiores, mais tarde, quando entrar na adolescência.

O resultado da empatia, nesta situação, é diferente de outros momentos de disciplina. Frequentemente, ao estimularmos a empatia em nossos filhos quando eles tomaram uma decisão ruim, nos leva a fazê-los pensar sobre os sentimentos das pessoas que magoaram em razão dos seus comportamentos. Nesse caso, ninguém foi realmente prejudicado, exceto a própria Nila, que perdeu um pouco de sono. Mas Steve e Bela tentaram fazê-la compreender que a confiança que depositavam nela havia sido prejudicada, pelo menos um pouco. Eles sabiam que não deviam dramatizar excessivamente a questão nem passar a usar discurso de culpa ou autopiedade, e comunicaram explicitamente a ela que não recorreriam a essas táticas. Mas eles conversaram sobre o quanto o relacionamento deles com ela é importante e explicaram que não era bom quando uma quebra de confiança prejudica um relacionamento.

Esta parte da discussão sobre o relacionamento é um foco na integração, na conexão de partes diferentes. Integração é o que faz o todo maior do que a soma de suas partes e o que cria amor em um relacionamento. Desta maneira, focar na percepção, na empatia e no relacionamento deles levou, naturalmente, ao terceiro resultado integrativo desejado: a reparação. Depois da confiança ter sido quebrada em um relacionamento, nós queremos repará-la o mais cedo possível. Os pais de Nila precisavam dar essa chance a ela. Na discussão deles sobre quais medidas executar sobre o uso do celular, tarde da noite, eles fizeram perguntas que a ajudaram a pensar sobre os efeitos relacionais de não cumprir com o que eles comprometeram. Mais uma vez, evitaram manipulá-la emocionalmente, fazendo-a se sentir culpada. Em vez disso, fizeram perguntas de boa-fé como: "O que você poderia fazer para nos sentirmos bem em relação à confiança que temos em você?". Eles precisaram conduzi-la, ajudando Nila a pensar sobre as atitudes formadoras de confiança que ela poderia ter — como usar o celular apenas para ligar e falar com os pais de vez em quando, ou deixá-lo fora do quarto à noite, sem que eles precisassem pedir. Ao fazer isso, ela pensou em maneiras pelas quais poderia ser intencional na reconstrução da confiança que seus pais sentiam nela.

Perceba que esta questão com Nila se encaixa na categoria de comportamentos típicos com que os pais precisam lidar, diariamente. Às vezes, há desafios comportamentais em que pode ser útil envolver profissionais. Comportamentos mais extremos difíceis de lidar e que duram por períodos de tempo mais longos às vezes podem ser um sinal de que há alguma outra coisa acontecendo. Se seu filho experimenta, frequentemente, uma intensa reatividade emocional que não responde a esforços de reparação, pode ser útil consultar um psicoterapeuta pediátrico ou um especialista em desenvolvimento infantil que possa explorar a situação solidariamente para ver se você e ele poderiam se beneficiar de alguma intervenção. Pela nossa experiência, filhos que demonstram reatividade intensa e frequente podem estar tendo dificuldades com mais desafios inatos relacionados à integração sensorial, atenção e/ou impulsividade ou transtornos de humor. Além disso, um histórico de trauma, uma experiência muito difícil do passado ou desencontros relacionais entre pais e filhos podem influenciar nas dificuldades comportamentais, uma vez que revelam um desafio subjacente com autorregulação que pode, às vezes, ser fonte de repetidas rupturas em um relacionamento. Nós encorajamos você a buscar a ajuda de alguém que possa auxiliá-lo com essas perguntas e orientar a você e a seu filho no caminho rumo ao desenvolvimento ideal.

Porém na maior parte das situações de disciplina com seu filho, simplesmente usar a abordagem do “cérebro por inteiro” levará a mais cooperação, paz e serenidade na sua casa. A disciplina 1-2-3 não é uma fórmula ou um conjunto de regras que devem ser seguidas rigorosamente. Você não precisa memorizá-la e segui-la de maneira inflexível. Nós simplesmente estamos dando diretrizes para a sua utilização quando chegar o momento do redirecionamento. Ao lembrar a si mesmo sobre a definição e o propósito da disciplina, os princípios que deveriam orientá-la e seus resultados desejados, você dará a si mesmo uma chance muito maior de disciplinar e ensinar seus filhos de uma maneira a levá-los a cooperar mais e com isso, a melhorar o relacionamento entre todos os membros da família.

6

TRATANDO O COMPORTAMENTO: SIMPLES COMO REDIRECIONAR

O filho de 11 anos de Anna, Paolo, ligou para ela da escola e perguntou se podia ir para a casa do amigo, Harrison, naquela tarde. Paolo explicou que o plano era irem a pé até a casa de Harrison, onde os meninos fariam o dever de casa e depois brincariam até a hora do jantar. Quando Anna perguntou se os pais de Harrison sabiam do plano, Paolo garantiu que sim. Então, Anna disse que o pegaria depois do jantar.

No entanto, quando Anna enviou uma mensagem para a mãe de Harrison mais tarde, dizendo a ela que iria buscar Paolo em alguns minutos, a mãe de Harrison revelou que estava trabalhando. Anna soube que o pai de Harrison também não estava em casa e que nenhum deles sabia dos planos dos meninos de irem até lá. Anna ficou brava. Ela sabia que podia ter havido algum problema de comunicação, mas realmente lhe pareceu que Paolo estava sendo desonesto. Na melhor das hipóteses, ele não havia compreendido o plano direito. Nesse caso, ele deveria ter informado isso a ela quando soube que os pais de Harrison não estariam em casa e que não haviam sido avisados. Na pior das hipóteses, ele havia simplesmente mentido para ela.

Depois que ela e Paolo estavam no carro a caminho de casa, ela sentiu vontade de partir para cima dele, impondo-lhe castigos e passando um sermão irritado sobre confiança e responsabilidade.

Mas não foi o que ela fez.

Em vez disso, ela usou uma abordagem do "Cérebro por inteiro". Como seu filho era mais velho e não estava em um estado mental reativo, a parte da "conexão" de sua abordagem foi simplesmente abraçá-lo e perguntar se ele havia se divertido. Então, ela mostrou a ele o respeito de se comunicar diretamente com ela. Ela contou sobre a troca de mensagens com a mãe de Harrison e disse, simplesmente: "Eu gosto de saber que você e Harrison se divertem muito juntos. Mas eu tenho uma pergunta. Sei que você sabe como confiança é importante na nossa família, então, estou me perguntando o que foi que aconteceu aqui". Ela falou em um tom de voz calmo, um tom que não comunicava irritação, mas expressava sua falta de compreensão e sua curiosidade sobre a situação.

Essa abordagem baseada em curiosidade, em que ela começou dando ao filho o benefício da dúvida, ajudou Anna a diminuir o drama da situação de disciplina. Embora estivesse irritada, ela evitou tirar imediatamente a conclusão de que os meninos haviam enganado os pais de propósito. Como resultado disso, Paolo pôde ouvir a pergunta da mãe sem se sentir diretamente acusado. Além disso, sua curiosidade colocou a responsabilidade total em cima das costas de Paolo de responder por sim mesmo, de modo que ele precisou pensar sobre sua tomada de decisão, o que proporcionou um pouco de exercício ao cérebro do andar de cima dele. A abordagem de Anna demonstrou a Paolo que ela partia do pressuposto de que ele tomava boas decisões na maior parte do tempo e que ela ficou confusa e surpresa quando ele pareceu não ter feito isso.

Nesse caso, aliás, ele não havia tomado boas decisões. Ele explicou à mãe que Harrison pensara que o pai dele estaria quem casa, mas quando os meninos chegaram, ele não estava lá. Paolo reconheceu que deveria ter dito isso à mãe imediatamente, mas simplesmente não o fez. "Eu sei, mamãe. Eu deveria ter dito a você que não havia mais ninguém na casa. Me desculpe".

Então Anna pôde responder e passar da conexão para o redirecionamento, dizendo algo como: "Sim, fico feliz que você saiba claramente que deveria ter me contado. Fale mais sobre por que isso não aconteceu". Mas ela sabia que queria que seu redirecionamento fosse mais do que tratar apenas daquele comportamento. Ela reconheceu corretamente esse momento como mais uma oportunidade de construir importantes habilidades pessoais e relacionais no filho, além de ajudá-lo a compreender que suas atitudes haviam prejudicado a confiança que ela tinha nele e desviado do acordo familiar de sempre avisar quando houvesse mudanças de planos. Foi por isso que, antes de passar para o redirecionamento, ela checou a si mesma.

ANTES DE REDIRECIONAR: MANTENHA A CALMA E CONECTE-SE

Você já viu aquele pôster britânico da Segunda Guerra Mundial que se tornou tão popular? Aquele que diz: *Keep Calm and Carry On* — mantenha a calma e siga em frente? Não é um mantra ruim para ter em mente quando seu filho perde o controle — ou antes de você perder. Anna reconheceu a importância de manter a calma quando tratou de seu problema com o comportamento de Paolo. Explodir e gritar com o filho não teria servido de nada. Na verdade, isso teria alienado Paolo transformando em distração o que era importante ali: usar o momento de disciplina para tratar seu comportamento e ensinar.

Nós vamos discutir muitas estratégias de redirecionamento a seguir, olhando para diferentes maneiras de redirecionar os filhos quando eles tomarem decisões ruins ou perderem completamente o controle sobre si mesmos. Mas, antes que você decida sobre quais estratégias de redirecionamento usar ao redirecionar seus filhos para o uso do andar de cima dos cérebros deles, você deve, primeiro, fazer uma coisa: checar a si mesmo. Lembre-se, assim como é importante perguntar: "Meu filho está pronto?", também é fundamental que você se pergunte: "Eu estou pronto?"

Imagine que você entre na sua cozinha recém-arrumada e encontre sua filha de 4 anos sentada em cima do balcão, com uma embalagem de ovos vazia e uma dúzia de cascas quebradas ao lado dela, mexendo em um balde cheio de ovos, com sua pazinha de areia! Ou que seu filho de 12 anos informa você, às seis da tarde do domingo, que seu modelo de uma célula em 3D deve ser entregue na manhã seguinte. Isso apesar do fato de ele ter lhe garantido que o dever de casa estava feito, depois de ter passado a tarde jogando basquete e videogame com um amigo.

No meio de momentos frustrantes como esses, a melhor coisa que você tem a fazer é uma pausa. De outro modo, seu estado mental reativo pode levar você a começar a gritar ou pelo menos passar um sermão sobre o fato de que uma criança de 4 anos (ou 12) deveria saber que isso não se faz.

Em vez disso, faça uma pausa. Apenas faça uma pausa. Permita-se respirar. Evite reagir, impor castigos ou mesmo passar um sermão no calor do momento.

Nós sabemos que não é fácil, mas lembre-se: quando seus filhos aprontaram de alguma maneira, você precisa redirecioná-los de volta ao cérebro do andar de cima. Por isso, é importante estar no seu também. Quando a sua filha de 3 anos de idade está tendo um ataque de birra, lembre-se de que ela é apenas uma criança pequena com uma capacidade limitada de controlar as próprias emoções e o corpo. Sua função é ser o adulto do relacionamento e continuar como o pai ou a mãe, como um abrigo seguro e tranquilo, na tempestade emocional. Como você responde ao comportamento do seu filho afetará imensamente a forma como toda a cena se desenrolará. Então, antes de redirecionar, cheque a si mesmo e faça o melhor possível para se manter calmo. É uma pausa que vem do cérebro do andar de cima, mas também reforça a força do seu cérebro do andar de cima. Além disso, quando você demonstra habilidades para lidar com suas emoções, seus filhos têm mais possibilidades de aprender por eles mesmos tais habilidades.

Manter-se calmo e tranquilo durante uma pausa é o seu primeiro passo.

Então, lembre-se de se conectar. É realmente possível ser calmo, amoroso e carinhoso enquanto se disciplina um filho. E é muito eficaz. Não subestime o quanto pode ser poderoso um tom de voz quando você inicia uma conversa sobre o comportamento que está querendo mudar. Lembre-se de que, em última instância, você está tentando se manter firme e consistente em sua disciplina, ao mesmo tempo que interage com seu filho de um jeito que comunica carinho, amor, respeito e compaixão. Esses dois aspectos da criação de filhos podem e devem coexistir. Esse foi o equilíbrio que Anna tentou obter enquanto falava com Paolo.

Como você nos viu afirmar ao longo deste livro, filhos precisam de limites, mesmo quando eles estão incomodados. Mas nós podemos manter a linha enquanto oferecemos muita empatia e validação dos desejos e sentimentos por trás dos comportamentos deles. Talvez você diga: "Eu sei que você quer muito outro picolé, mas eu não vou mudar de ideia. Mas você pode chorar, ficar triste e decepcionado. E eu vou estar bem aqui para reconfortar você enquanto estiver triste".

MANTENHA
A
CALMA
E
CONECTE-SE

E lembre-se de não desprezar os sentimentos de uma criança. Em vez disso, reconheça a experiência subjetiva, interna. Quando uma criança reage fortemente a uma situação, especialmente quando a reação parece injustificável e mesmo ridícula, a tentação dos pais é dizer alguma coisa como: "Você só está cansado" ou "Não é nada demais" ou "Por que você ficou tão chateado por causa disso?". Mas afirmações como essas minimizam a experiência da criança — seus pensamentos, sentimentos e desejos. Do ponto de vista emocional, é mais responsivo e efetivo escutar, sentir empatia e realmente compreender a experiência do seu filho antes de responder. O desejo dele pode parecer absurdo, mas não se esqueça de que é muito real, e você não quer desprezar algo que seja importante para ele.

Então, quando chegar a hora de disciplinar, mantenha a calma e conecte-se. Só então você pode se voltar para as suas estratégias de redirecionamento.

ESTRATÉGIAS PARA AJUDAR VOCÊ A REDIRECIONAR

Até o final deste capítulo, nós iremos focar no que você deve estar esperando: estratégias específicas de redirecionamento sem drama, que você pode usar depois de ter se conectado com seus filhos e quando quiser redirecioná-los de volta ao cérebro do andar de cima. Para ajudar a organizar as estratégias, fizemos uma lista:

- reduzir as palavras;
- abraçar as emoções;
- descrever, não passar sermão;
- envolver seu filho na disciplina;
- transformar um não em um sim condicional;
- enfatizar o positivo;
- abordar a situação com criatividade;
- ensinar ferramentas de visão mental.

Antes de entrarmos nas questões específicas, vamos ser claros: esta não é uma lista que você precisa memorizar. São apenas recomendações categorizadas que os pais com quem trabalhamos juntos, ao longo dos anos, consideraram as mais úteis. (Nós incluímos a lista, por sinal, na Ficha para a geladeira, no final do livro.) Como sempre, você deve manter todas essas estratégias como abordagens diferentes, no seu *kit* de ferramentas parental, e escolher aquelas que fazem sentido em diversas circunstâncias, de acordo com o temperamento, a idade e o estágio de desenvolvimento do seu filho, além da sua própria filosofia de criação.

ESTRATÉGIA DE REDIRECIONAMENTO Nº 1: REDUZIR AS PALAVRAS

Em interações disciplinares, os pais frequentemente sentem a necessidade de observar o que seus filhos fizeram de errado e ressaltar o que precisa mudar, da próxima vez. Os filhos, normalmente, já sabem o que fizeram de errado, especialmente quando forem ficando mais velhos. A última coisa que eles querem (ou, normalmente, precisam) é um longo discurso sobre seus erros.

O QUE UM PAI DIZ:

É muito importante que você seja responsável em relação aos seus trabalhos escolares, porque o esforço que você investe hoje criará hábitos para o futuro. Realmente, não posso insistir o suficiente nisso. Bons hábitos são muito importantes. Eles seguirão para o ensino médio, depois a faculdade, a sua carreira, o seu casamento, depois...

O QUE A CRIANÇA ESCUTA:

Nós sugerimos enfaticamente que, quando redirecionar, você resista ao impulso de falar demais. É claro que é importante tratar da questão e ensinar a lição. Mas, ao fazer isso, seja sucinto. Independentemente da idade dos seus filhos, longos discursos não farão com que eles queiram escutar você. Em vez disso, você apenas os estará inundando com mais informações e dados sensoriais. Como resultado disso, eles irão, simplesmente, se desligar de você.

Com filhos menores, que podem ainda não ter aprendido o que é certo e o que é errado, é ainda mais importante economizarmos as palavras. Eles simplesmente não têm a capacidade de entender um discurso longo. Então, em vez disso, precisamos reduzi-las.

Caso sua filha pequena, por exemplo, bater em você por estar brava em não ter a sua atenção enquanto você está atendendo seu outro filho, simplesmente não há motivo para começar uma longa ladainha sobre por que bater é uma resposta ruim a emoções negativas. Em vez disso, experimente a abordagem de quatro passos que trata da questão, e então, siga em frente, tudo isso sem usar muitas palavras.

TRATANDO DE MAU COMPORTAMENTO DE CRIANÇA PEQUENAS EM QUATRO PASSOS

PASSO 1: Conectar-se e tratar dos sentimentos por trás do comportamento

Ah, você está se sentindo frustrada? Às vezes é difícil esperar.

PASSO 2: Tratar o comportamento

PASSO 3: Dar alternativas

PASSO 4: Seguir em frente

Ei! Vamos lá para fora ver se aquelas minhocas ainda estão na calçada.

Ao tratar as atitudes da criança e imediatamente seguir em frente, nós evitamos dedicar atenção demais ao comportamento negativo e, em vez disso, voltamos rapidamente aos trilhos.

Tanto para crianças mais novas quanto mais velhas, evite a tentação de falar demais quando disciplinar. Se você precisa abordar um assunto mais detalhadamente, tente fazer perguntas e escutando. Como explicaremos a seguir, uma discussão colaborativa pode levar a todos os tipos de ensinamentos e aprendizados importantes, e os pais podem alcançar seus objetivos disciplinares falando bem menos do que, normalmente, falam. A ideia básica, aqui, é parecida com o conceito de "economizar a voz". Políticos, executivos, líderes comunitários e quem quer que dependa de uma comunicação efetiva para alcançar seus objetivos dirá a você que há vezes em que eles estrategicamente economizam a voz, recuando no quanto devem falar. Eles não estão se referindo a suas vozes literalmente, como se fossem ficar roucos por falarem tanto. Eles querem dizer que tentam resistir à abordagem de pequenos pontos em uma discussão ou em uma reunião de votação, por exemplo, para que suas palavras tenham mais relevância quando eles quiserem tratar das questões realmente importantes.

O mesmo acontece com nossos filhos. Se eles nos ouvem dizer, incessantemente, o que fazer e o que não fazer, e depois que dissemos o que queríamo e continuamos fazendo isso sem parar, mais cedo ou mais tarde (provavelmente, mais cedo), eles irão parar de nos escutar. Se, no entanto, nós economizarmos a nossa voz e tratarmos daquilo que realmente nos importa, e então pararmos de falar, as palavras que usarmos terão muito mais peso.

Quer que seus filhos o escutem melhor? Seja breve. Depois que tratar os sentimentos por trás do comportamento, siga em frente.

ESTRATÉGIA DE REDIRECIONAMENTO Nº 2: ABRAÇAR AS EMOÇÕES

Uma das melhores maneiras de tratar o mau comportamento é ajudar os filhos a distinguir entre seus sentimentos e suas atitudes. Esta estratégia está relacionada ao conceito de conexão, mas, na verdade, aqui nós estamos falando sobre algo completamente diferente.

Quando dizemos para abraçar as emoções, queremos dizer que, durante o redirecionamento, os pais precisam ajudar seus filhos a compreender que seus sentimentos não são nem bons nem ruins, nem válidos nem inválidos. Eles simplesmente são. Não há nada de errado em ficar com raiva, sentir-se triste ou ficar frustrado a ponto de querer destruir alguma coisa. Mas dizer que não há problema em ter vontade de destruir alguma coisa não significa que não seja um problema fazer isso. Em outras palavras, é o que fazemos como resultado de nossas emoções que determina se nosso comportamento está correto ou não.

Então, nossa mensagem para nossos filhos deveria ser: "Você pode sentir o que quiser, mas você não pode sempre fazer tudo o que quiser". Outra maneira de pensar nisso é que nós queremos dizer sim aos desejos de nossos filhos, mesmo quando precisamos dizer não ao comportamento deles e redirecioná-los para a atitude adequada.

Então, talvez possamos dizer: "Eu sei que você quer levar o carrinho de compras para casa. Seria bem divertido brincar com ele. Mas ele precisa ficar aqui na loja para outros clientes usarem quando aqui vierem". Ou podemos dizer: "Eu entendo completamente que agora você ache que odeia o seu irmão. Eu me sentia assim em relação à minha irmã quando era criança e ficava muito bravo com ela. Mas nós não gritamos: 'eu vou matar você!', uns para os outros. Não há problema nenhum em ficar bravo, e você tem todo direito de falar sobre isso com o seu irmão. Mas vamos conversar sobre outras maneiras de dizer isso". Diga sim aos sentimentos, mesmo que diga não ao comportamento.

Quando não reconhecemos e validamos os sentimentos de nossos filhos, ou quando damos a entender que suas emoções deveriam ser ignoradas porque "não têm importância" ou são "bobas", nós passamos a eles a seguinte mensagem: "Eu não estou interessado nos seus sentimentos e você não deveria compartilhá-los comigo. Simplesmente engula o que está sentindo". Imagine como isso afeta o relacionamento. Com o tempo, nossos filhos vão parar de compartilhar suas experiências internas conosco! Como resultado disso, a vida emocional deles, de um modo geral, começará a se reduzir, deixando-os menos capazes de participar completamente de relacionamentos e interações significativas.

EM VEZ DE ABAFAR EMOÇÕES...

DIGA SIM AOS SENTIMENTOS E NÃO AO COMPORTAMENTO

Eu sei que você sente como se odiasse o seu irmão agora, mas vamos falar sobre outras maneiras de expressar isso.

Ainda mais problemático é quando uma criança cujos pais minimizam ou negam seus sentimentos comece a desenvolver o que pode ser chamado de "núcleo de *self* incoerente". Quando ela sente tristeza e frustração intensas, mas sua mãe reage com afirmações como: "relaxe" ou "você está bem", a criança perceberá, ainda que apenas no nível inconsciente, que sua resposta interna a uma situação não condiz com a resposta externa da pessoa em quem ela mais confia.

Como pais, nós queremos oferecer o que é chamado de "resposta condicionada", o que significa que sintonizamos nossa resposta com o que nosso filho está realmente sentindo, de uma maneira que valide o que está acontecendo em sua mente. Se ela vivencia um acontecimento e a resposta de seu cuidador é consistente com ela — há uma relação —, sua experiência interna fará sentido a ela, e ela pode compreender a si mesma, nomear com confiança a experiência interna e comunicá-la aos outros. Ela estará se desenvolvendo e trabalhando a partir de um "núcleo de *self* coerente".

Mas o que acontece se essa relação não existe e a resposta da mãe for inconsistente com a experiência da filha naquele momento? Um desencontro não provocará efeitos duradouros. Mas se sempre que ela ficar chateada e alguém lhe disser algo como: "Pare de chorar" ou "Por que você está tão chateada? Todo mundo está se divertindo", ela vai começar a duvidar de sua capacidade de observar e compreender com precisão o que está acontecendo dentro dela. Seu núcleo de *self* será muito mais incoerente, deixando-a confusa, cheia de dúvidas a respeito de si mesma e desconectada de suas emoções. Conforme ela crescer e se aproximar da vida adulta, poderá sentir, frequentemente, que suas próprias emoções são injustificadas. Ela pode duvidar de sua experiência subjetiva e às vezes até mesmo ter dificuldade de saber o que quer ou sente. Por isso, é realmente fundamental que abracemos as emoções de nossos filhos e ofereçamos a eles uma resposta condicional quando eles estiverem incomodados ou fora de controle.

Um bônus de reconhecer os sentimentos de nossos filhos durante o redirecionamento é que fazer isso pode ajudá-los a aprender com mais facilidade qualquer que seja a lição que estamos tentando ensinar. Quando validamos suas emoções e reconhecemos a forma como eles estão vivenciando alguma coisa — realmente vendo através dos olhos deles — essa validação começa a acalmar e regular a reatividade de seus sistemas nervosos. E quando eles estão em um lugar regulado, têm a capacidade de lidar bem consigo mesmos, de nos escutar e tomar boas decisões. Porém, quando negamos, minimizamos os sentimentos de nossos filhos, ou tentamos distraí-los deles, nós os preparamos para se desregularem novamente com facilidade e se sentirem desconectados de nós, o que quer dizer que eles irão operar em um estado aumentado de agitação e terão muito mais probabilidades de desmoronar ou se fecharem emocionalmente quando as coisas não acontecerem da forma como eles desejarem.

Além disso, se dissermos não às emoções deles, os filhos não se sentirão ouvidos e respeitados. Nós queremos que saibam que estamos aqui para eles, que sempre escutaremos como se sentem e que podem nos procurar para discutir qualquer coisa sobre a qual estiverem preocupados ou que estejam precisando lidar. Nós não queremos comunicar que estamos aqui para eles apenas quando estiverem felizes ou sentindo emoções positivas.

Assim, em uma interação disciplinar, nós abraçamos as emoções de nossos filhos e lhes ensinamos a fazer o mesmo. Nós queremos que acreditem profundamente na interação mesmo quando lhes ensinamos sobre comportamentos certos e errados, seus sentimentos e experiências serão sempre validados e honrados. Quando os filhos sentem isso dos pais, mesmo durante o redirecionamento, eles estarão muito mais aptos a aprender as lições que eles estiverem ensinando, o que quer dizer que, com o tempo, cada vez menos a disciplina precisará ser ensinada.

ESTRATÉGIA DE REDIRECIONAMENTO Nº 3: DESCREVER, NÃO PASSAR SERMÃO

A tendência natural de muitos pais é criticar e passar sermão quando os filhos fazem algo de que não gostam. Na maior parte das situações de disciplina, porém, essas respostas simplesmente não são necessárias. Em vez disso, nós podemos descrever o que estamos vendo, e nossos filhos entenderão o que estamos dizendo com clareza ao contrário de quando gritamos com eles e, com isso, demonstramos que encontramos defeitos e os desmerecemos. E eles receberão essa mensagem de maneira menos defensiva e com menos drama.

Com uma criança pequena, podemos dizer algo como: "Opa, você está atirando as cartas. Assim é difícil jogar". Para uma criança mais velha, podemos dizer: "Ainda estou vendo pratos em cima da mesa", ou "Essas palavras que você está usando com o seu irmão parecem muito cruéis". Ao simplesmente afirmarmos o que estamos vendo, iniciamos um diálogo que abre a porta para a cooperação e ensina muito melhor do que uma repreensão imediata como: "Pare de falar assim com o seu irmão".

O motivo é que até mesmo as crianças pequenas sabem diferenciar o certo do errado, na maior parte das situações. Você já ensinou a elas o que é um comportamento aceitável e o que não é. Portanto, tudo o que você precisa fazer é chamar a atenção para o comportamento que observou. Foi basicamente isso que Anna fez quando disse a Paolo: "Sei que você sabe como a confiança é importante na nossa família, então, estou me perguntando o que foi que aconteceu aqui". Crianças não precisam que seus pais lhes digam para não tomar decisões ruins. O que elas precisam é que eles as redirecionem, ajudem-nas a reconhecer as decisões ruins que estão tomando e o que as leva a essas decisões, para que elas consigam se corrigir e mudar o que precisa ser mudado.

Para todas as crianças, e especialmente as menores e bem pequenas, é claro que você as está ensinando a diferenciar o bom do mau, o certo do errado. Mas, novamente, uma mensagem curta, clara e direta será muito mais eficaz do que uma mensagem mais longa e com muitas explicações. E mesmo com as crianças menores, uma simples afirmação de observação passará a mensagem — e convidará a uma resposta delas, seja verbal ou comportamental.

A ideia, aqui, não é que uma frase mágica interrompa subitamente o mau comportamento. Conforme afirmamos no capítulo 5, o que estamos querendo dizer é que os pais devem "pensar no como" e serem intencionais quando disserem o que precisa ser dito. Não é que a frase "Parece que Johnny quer andar uma vez no balanço", esteja comunicando algo fundamentalmente diferente da frase "Você precisa dividir". Mas, a primeira frase oferece várias vantagens distintas em relação à segunda.

Primeiro, ela evita colocar a criança na defensiva. Ela pode, ainda, sentir a necessidade de se defender, mas não no mesmo grau que sentiria se a repreendêssemos ou disséssemos o que ela estava fazendo de errado.

EM VEZ DE CRITICAR E ATACAR...

Guarde os seus sapatos!

DESCREVA O QUE VOCÊ ESTÁ VENDO

Estou vendo sapatos na porta da frente.

Segundo, descrever o que vemos põe o ônus de decidir como responder à observação sobre a criança, exercitando, assim, seu cérebro do andar de cima. É assim que a ajudamos a desenvolver uma bússola interna, uma habilidade que pode durar a vida inteira. Quando dizemos: "Jake está se sentindo excluído, você precisa incluí-lo", estamos, definitivamente, passando a nossa mensagem. Mas estamos fazendo todo o trabalho por nosso filho, não permitindo que ele aumente suas habilidades internas de solução de problemas e empatia. Se, em vez disso, simplesmente dissermos: "Olhe, Jake está sentado sozinho, enquanto você e Leo estão brincando", damos a nosso filho a oportunidade de levar a situação em consideração por si mesmo e a determinar o que precisa acontecer.

Terceiro, ao iniciar uma conversa, devemos descrever o que vemos, deixando, assim, subentendido que quando nosso filho faz alguma coisa de que não gostamos, nossa resposta padrão será conversar com ele a respeito, permitindo que ele explique e ganhe alguma percepção. Então, damos a ele a chance de se defender ou se desculpar, se for preciso, e a apresentar uma solução para qualquer problema que seu comportamento possa ter causado.

"O que está acontecendo?", "Você pode me ajudar a compreender?", "Eu não consigo entender isto." Essas podem ser frases poderosas quando estamos ensinando nossos filhos. Quando apontamos a eles o que estamos vendo e pedimos eles nos ajudem a compreender, isso abre uma oportunidade para cooperação, diálogo e crescimento.

Você vê como as duas perguntas, embora seus conteúdos não sejam tão diferentes, podem gerar respostas muito diferentes dos filhos, simplesmente por causa da forma como os pais passaram suas mensagens? Depois que os pais descrevem o que observaram e pedem ajuda para compreender, podem fazer uma pausa e permitir que o cérebro da criança faça seu trabalho, assumindo um papel ativo na resposta.

EM VEZ DE CRITICAR E ATACAR...

Eu não acredito que você tirou um D na prova! Você me disse que havia estudado!

DESCREVA O QUE VOCÊ ESTÁ VENDO

Sei que você estava se sentindo preparado para a prova, então fiquei surpresa com a sua nota D. Você também se surpreendeu?

Essa estratégia de redirecionamento leva diretamente para a próxima, que tem a ver com transformar a disciplina em um processo colaborativo e mútuo, em vez de uma imposição por partes dos pais.

ESTRATÉGIA DE REDIRECIONAMENTO Nº 4: ENVOLVER SEU FILHO NA DISCIPLINA

Quando se trata de ensinar a disciplina em um dado momento, os pais tradicionalmente falam (leia-se: fazem discursos) e os filhos escutam (leia-se: ignoram). Tipicamente, os pais trabalhavam a partir de uma suposição não verificada de que esta abordagem unidirecional baseada em monólogo era a melhor — e a única — opção a ser considerada.

PAI → FILHO

Muitos pais de hoje, no entanto, estão aprendendo que a disciplina será muito mais respeitosa — e, sim, efetiva — se eles iniciarem um diálogo colaborativo, recíproco, bidirecional, em vez de apresentar um monólogo.

PAI ↔ FILHO

Não estamos dizendo que os pais devem deixar de lado seus papéis de figuras de autoridade no relacionamento. Se você já leu o livro até aqui, sabe que nós definitivamente não defendemos isso. Mas sabemos que quando os filhos são envolvidos no processo de disciplina, eles se sentem mais respeitados, compram o que os pais estão vendendo e ficam, portanto, mais aptos a cooperar e a ajudar na apresentação de soluções para os problemas que criaram essa necessidade. Como resultado, pais e filhos trabalham como uma equipe para decidir como tratar melhor as situações de disciplina.

Você se lembra da nossa discussão sobre visão mental e da importância de ajudar as crianças a desenvolver a percepção em relação a suas próprias atitudes e empatia pelos outros? Depois que você se conectou e seu filho estiver pronto e receptivo, você pode, simplesmente, iniciar um diálogo que leve primeiro para a percepção ("Eu sei que você sabe a regra, então, estou me perguntando o que o levou a fazer isso") e, depois, para a empatia e a reparação integrativa ("Como você acha que foi isso para ela e como você gostaria de acertar as coisas?").

Por exemplo, digamos que seu filho de 8 anos fique furiosamente fora de controle porque sua irmã vai à casa de outro amiguinho, e ele está se sentindo como se "nunca pudesse fazer nada!". Com a raiva que está sentindo, ele atira seus óculos de sol preferido para o outro lado da sala e o quebra.

Após ele se acalmar e você se conectar a ele, qual a melhor maneira de falar sobre a atitude dele? A abordagem tradicional é fazer um monólogo em que você diz algo como: "Não tem problema ficar bravo, todo mundo fica, mas mesmo quando fica bravo, você precisa controlar o seu corpo. Não podemos quebrar as coisas dos outros. Da próxima vez em que se exaltar, você precisa descobrir uma maneira adequada de expressar seus grandes sentimentos".

Há alguma coisa errada com este estilo de comunicação? De forma alguma. Na verdade, ela está repleta de compaixão e tem um respeito saudável por seu filho e suas emoções. Mas você vê como ela está baseada em uma comunicação de cima para baixo e unidirecional? Você está passando uma informação importante, e seu filho a está recebendo.

E se, em vez disso, você o envolvesse em um diálogo colaborativo que lhe pedisse para pensar em como tratar melhor da situação? Talvez você começasse com a descrição do que viu e então, pedisse que ele respondesse: "Você ficou muito bravo há pouco. Você pegou meu óculos e o atirou longe. O que aconteceu?".

Como você já se conectou, escutou e respondeu aos sentimentos dele sobre a ida da irmã à casa da amiga, ele agora pode se focar na sua pergunta. Muito provavelmente ele voltará para sua raiva e dirá algo como: "Eu estava muito bravo!".

Então, você pode simplesmente descrever, usando um tom intencional (já que o "como" importa), o que você viu: "Daí você atirou meu óculos longe". Eis quando você provavelmente vai ouvir alguma coisa como: "Me desculpe".

A esta altura, você pode passar para a fase seguinte da conversa e se focar explicitamente em ensinar: "Todo mundo fica bravo. Não há nada de errado em ficar com raiva. Mas o que você pode fazer da próxima vez que ficar tão bravo?". Talvez, você possa até sorrir e fazer alguma brincadeira que ele venha a apreciar: "Você sabe, além de destruir alguma coisa?". E a conversa poderia seguir dali, com você fazendo perguntas que ajudem seu filho pequeno a pensar em questões como empatia, respeito mútuo, ética e a lidar com grandes emoções.

EM VEZ DE FAZER UM MONÓLOGO...

Da próxima vez em que ficar bravo, você precisa descobrir uma maneira adequada de expressar seus grandes sentimentos.

ENVOLVA SEU FILHO NA DISCIPLINA

O que você pode fazer da próxima vez que ficar tão bravo?

Perceba que a mensagem geral continua a mesma, quer você faça um monólogo ou inicie um diálogo. Mas quando você envolve seu filho na disciplina, você dá a ele uma oportunidade de pensar em suas próprias atitudes e no que quer que tenha resultado delas, em um nível muito mais profundo.

Você o ajuda a recrutar caminhos neurais mais complexos que constroem capacidades de visão mental, e o resultado é um aprendizado mais profundo e duradouro.

Envolver seus filhos na discussão da disciplina também é uma ótima maneira de reverter quaisquer padrões ou comportamentos que possam ter se instalado involuntariamente em sua casa. Uma abordagem de disciplina unidirecional e de cima para baixo pode levar você a entrar, de repente, na sala de estar e declarar: "Você está passando tempo demais no videogame ultimamente! A partir de agora, serão apenas 15 minutos por dia". Você pode imaginar a resposta que irá receber.

E se, em vez disso, você esperasse até a hora do jantar e, quando todos estiverem à mesa, dissesse: "Sei que você está podendo jogar bastante videogame ultimamente, mas isso não está sendo muito legal. Isso deixa o dever de casa de lado e eu também quero garantir que você dedique tempo a outras atividades. Então, precisamos pensar em um novo plano. Alguma ideia?".

ENVOLVA SEU FILHO NA DISCIPLINA

Você tem passado muito tempo usando eletrônicos, ultimamente, mas isso não está funcionando bem para a nossas família. Vamos pensar em um novo plano.

Você, provavelmente, ainda sentirá resistência quando tratar da possibilidade de diminuir o tempo de uso de eletrônicos. Mas terá iniciado uma discussão sobre o assunto, e quando seus filhos souberem que você está falando sobre diminuir o tempo, eles definitivamente se envolverão participarão da conversa para determinar quais deverão ser os limites. Você pode lembrá-los de que tomará a decisão final, mas deixe que eles vejam que você os está convidando para falar porque os respeita, quer levar seus sentimentos e desejos em consideração e acredita que eles sabem resolver problemas. Então, mesmo que eles não adorem a decisão que você tomar, saberão que, pelo menos, foram levados em consideração.

O mesmo valeria para uma infinidade de outras questões: "Sei que estamos fazendo o dever de casa depois do jantar, mas isso não está funcionando bem, então, precisamos de um novo plano. Alguma ideia?". Ou "Eu tenho percebido que você não está muito feliz em treinar piano antes da escola, pela manhã. Tem algum horário diferente em que você preferiria ensaiar? O que ficaria bom para você?". Muitas vezes, eles irão sugerir a mesma solução que você imporia, na mesma situação. Mas eles terão exercitado seu cérebro do andar de cima para fazer isso e sentiriam seu respeito, no caminho.

Um dos melhores resultados de envolver os filhos no processo de disciplina é que eles apresentam ótimas ideias novas para resolver um problema, ideias em que você sequer havia pensado. Além disso, você pode ficar chocado ao descobrir o quanto eles estão dispostos a ceder para obter uma solução pacífica para um impasse.

Tina conta a história de uma vez em que seu filho de 4 anos de idade queria comer uma guloseima de qualquer jeito — especificamente um saco de frutas secas — às nove e meia da manhã. Ela disse a ele: "Essas frutas secas são uma delícia, não são? Você pode comê-las depois de almoçar, bem daqui a pouco".

Ele não gostou do plano de Tina e começou a chorar, reclamar e discutir. Ela respondeu dizendo: "É bem difícil esperar, não é? Você quer as frutas secas, e eu quero que você coma um almoço saudável primeiro. Hummm. Você tem alguma ideia?".

Ela imaginou as rodinhas cognitivas do cérebro dele girando por alguns segundos, então, seus olhos se arregalaram de emoção. Ele disse: "Já sei! Eu posso comer uma agora e guardar o resto para depois do almoço!".

Ele se sentiu com poder de decisão, a luta de poder havia sido evitada, e ele conseguiu uma oportunidade de resolver um problema. E tudo o que ela precisou fazer foi permitir que ele comesse uma fruta seca. Nada de mais.

Mais uma vez, é claro que há vezes em que você não pode dar nenhum espaço de manobra, e pode haver momentos em que você terá de deixar seu filho lidar com um não ou dar a ele a oportunidade de aprender sobre esperar ou lidar com a decepção. Mas, normalmente, quando envolvemos a criança na disciplina, isso acaba resultando em uma solução ganha-ganha.

Mesmo com crianças muito pequenas, queremos envolvê-las o máximo possível, pedindo que elas reflitam sobre suas atitudes e levem em consideração como evitar problemas, no futuro: "Você se lembra de ontem, quando ficou bravo? Você, normalmente, não bate e chuta. O que aconteceu?". Com perguntas assim, você dá a seu filho a oportunidade de praticar a reflexão sobre seu comportamento e de desenvolver a autopercepção. É verdade que talvez você não receba ótimas respostas de uma criança pequena, mas estará preparando o terreno. A ideia é deixá-la pensar sobre as próprias atitudes.

Então, você pode lhe perguntar o que ela pode fazer de diferente da próxima vez em que ficar tão brava. Discuta o que ela gostaria que você fizesse para ajudá-la a se acalmar. Esse tipo de conversa aprofundará sua compreensão da importância de regular as emoções, honrar os relacionamentos, planejar antecipadamente, expressar-se de maneira adequada, e assim por diante. Também irá comunicar como as ideias e as informações dela são importantes para você.

Ela compreenderá, cada vez mais, que é um indivíduo separado de você e que você tem interesse em seus pensamentos e sentimentos. Toda vez que você envolve seus filhos no processo de disciplina, você fortalecerá os laços entre pais e filhos, ao mesmo tempo que aumentará as chances deles lidarem melhor consigo mesmos, no futuro.

ESTRATÉGIA DE REDIRECIONAMENTO Nº 5: TRANSFORMAR O NÃO EM UM SIM CONDICIONAL

É importante saber a forma como dizer não quando você precisa recusar um pedido. Um não direto pode ser muito mais difícil de aceitar do que um sim com condições. O não, especialmente se dito em um tom áspero e indiferente, pode ativar automaticamente um estado reativo em uma criança (ou qualquer pessoa). No cérebro, a reatividade pode envolver o impulso de lutar, fugir, paralisar ou, em casos extremos, desmaiar. No entanto, uma afirmação solidária de sim, mesmo quando não permite um comportamento, aciona o circuito de engajamento social, tornando o cérebro receptivo ao que está acontecendo, tornando o aprendizado muito mais provável e promovendo conexões com os outros.

Esta estratégia irá diferir conforme a idade dos seus filhos. Para uma criança pequena, que está pedindo para ficar mais tempo na casa da avó na hora de ir embora, você pode dizer: “É claro que você pode ficar mais tempo com a vovó. Nós precisamos ir agora, mas, vovó, podemos voltar à sua casa neste fim de semana?". A criança até pode ter problemas para aceitar o não, mas você a está ajudando a ver que, embora ela não esteja conseguindo exatamente o que quer, naquele momento, ela receberá um sim novamente, em breve. O segredo é que você se identificou e sentiu empatia por um sentimento (o desejo de ficar com a vovó) ao mesmo tempo em que criou estrutura e habilidade (reconhecendo a necessidade de ir embora naquele momento e atrasando a gratificação do desejo).

EM VEZ DE UM NÃO DIRETO...

Não, nós não podemos ficar. Sinto muito, mas está na hora de ir embora.

RECOMPONHA O NÃO COMO UM SIM CONDICIONAL

É claro que você pode passar mai tempo com a vovó. Que tal neste fim de semana?

Ou, se seu filho não consegue parar de mexer no display do Thomas, a locomotiva, na loja de brinquedos e não quer largar Percy para que você saia da loja, você pode experimentar um sim condicional. Tente algo como: "Já sei! Vamos levar o Percy até aquela vendedora e explicar que você quer que ela o guarde para você e cuide dele até voltarmos para a hora da história, na terça-feira". A vendedora, certamente, vai entrar na brincadeira, e todo o fiasco potencial poderá ser evitado. Além do mais, você estará ensinando seu filho a desenvolver uma mente prospectiva, para perceber as possibilidades para o futuro e imaginar como criar ações futuras para atender as necessidades presentes. Essas são funções executivas que, quando aprendidas, podem ser habilidades que duram uma vida inteira. Você está oferecendo orientação para, literalmente, fazer crescer os importantes circuitos pré-frontais da inteligência emocional e social de seu filho.

Perceba que de forma alguma isso é proteger os filhos de se sentirem frustrados ou dar a tudo o que querem. Pelo contrário, tem a ver com dar a eles prática em tolerar suas decepções quando as coisas, inevitavelmente, não ocorrem da maneira como eles gostariam. Eles não estão realizando seus desejos naquele momento e você os está ajudando a gerenciar a decepção. Você está ajudando-o a desenvolver a resiliência todas as vezes que receber um não, ao longo de suas vidas. Você está expandindo a janela de tolerância deles por não auxiliar o que querem e dando a eles prática de adiamento de gratificação. Essas são funções pré-frontais que se desenvolvem em seu filho quando você o cria com o cérebro em mente. Em vez da disciplina simplesmente levar a uma sensação de estar sendo fechado, agora seu filho saberá, a partir de experiências reais com você, que os limites que você estabelece levam a habilidades de aprendizado e imaginação de possibilidades futuras, não a aprisionamento e indiferença.

A estratégia é eficaz também para filhos mais velhos (e mesmo adultos). Nenhum de nós gosta de simplesmente ouvir um não quando quer alguma coisa e, dependendo do que mais estiver acontecendo, um não pode nos levar além do nosso limite. Então, em vez de fazer uma recusa direta, podemos dizer algo como: "Tem muita coisa acontecendo hoje e amanhã, então, sim, vamos convidar o seu amigo para vir em casa, mas na sexta-feira, quando você vai ter mais tempo para ficar com ele". Isso é muito mais fácil de aceitar e dá a uma criança prática em lidar com a decepção, assim como em adiar gratificações.

Vamos imaginar, por exemplo, que um grupo de amigos da sua filha de nove anos de idade irá a um *show* para ver o mais recente sucesso pop, que, na sua opinião, representa tudo o que você não quer que a sua filha imite. Independentemente de como você der a notícia, ela não vai ficar feliz de saber que não irá ao show. Mas você pode, pelo menos, aliviar parte do drama sendo proativa e se adiantando na curva da questão.

Você pode, por exemplo, perguntar a ela sobre os próximos evento a que ela gostaria de ir e se oferecer para levá-la juntamente com uma amiga ao cinema, enquanto isso. Se você quiser fazer um pouco mais, pode até mesmo entrar na Internet e procurar por outro *show* que ela possa estar interessada em ver, no futuro próximo. Preste muita atenção ao seu tom de voz. Especialmente se está precisando negar a uma criança algo que ela realmente quer, é importante que você evite parecer condescendente ou excessivamente dogmática em sua opinião. Mais uma vez, não estamos dizendo que esta estratégia tornará tudo fácil e evitará que sua filha se sinta com raiva, magoada e incompreendida. Mas, ao apresentar alguma espécie de sim condicional, em vez de um simples: "Não, você não vai", você pelo menos diminuirá a reatividade e demonstrará a ela que está prestando atenção em seus desejos.

É verdade que há vezes em que simplesmente precisamos dizer o temido não, diretamente. Mas é mais comum ocorrerem casos em que podemos apenas adiar o "sim" para outro momento, em que poderemos permitir que façam algo. Afinal, as coisas que os filhos querem são frequentemente as coisas que nós também queremos para eles — apenas em um momento diferente. Eles podem querer ler mais histórias, brincar mais com os amigos, saborear um sorvete ou jogar no computador. São todas atividades que também queremos que eles aproveitem em algum momento, então, normalmente conseguimos encontrar com mais facilidade um momento alternativo para fazer isso acontecer.

Na verdade, há um lugar importante de negociação nas interações entre pais e filhos. Isso se torna cada vez mais importante conforme eles vão ficando mais velhos. Quando o seu filho de 10 anos de idade quer ficar acordado até um pouco mais tarde e você diz não, ele responde que o dia seguinte é sábado e que promete dormir apenas uma hora mais do que o normal, este é um bom momento de repensar a sua posição. Evidentemente, há alguns pontos que não são negociáveis: "Sinto muito, mas você não pode colocar sua irmã na secadora de roupa, mesmo que a forre com travesseiros.". Mas ceder não é um sinal de fraqueza. É uma prova de respeito por seu filho e pelos desejos dele. Além disso, dá a ele uma oportunidade de realizar pensamentos bastante complexos, equipando-o com importantes habilidades sobre levar em consideração não o que ele quer, mas também o que os outros querem e, então, elaborar bons argumentos com base nessas informações. E isso é muito mais efetivo a longo prazo do que simplesmente dizer não sem considerar outras alternativas.

ESTRATÉGIA DE REDIRECIONAMENTO Nº 6: ENFATIZAR O POSITIVO

Os pais, com frequência, se esquecem de que a disciplina nem sempre precisa ser negativa. Sim, normalmente ocorre que disciplinamos porque algo aquém do ideal ocorreu. Existe uma lição que precisa ser aprendida ou uma habilidade que precisa ser desenvolvida. Mas uma das melhores maneiras de lidar com o mau comportamento é focar nos aspectos positivos do que seus filhos estão fazendo.

Por exemplo, pense naquela calamidade da existência dos pais: a manha. Quem não se cansa de ouvir os filhos passarem para aquele tom de voz gemido, lamurioso e cantado que nos faz ranger os dentes e querer tapar os ouvidos? Geralmente, os pais respondem dizendo algo como: "Pare de fazer manha!". Ou, talvez, sejam criativos e digam: "Baixe o som da manha", ou "O que é isso? Você está miando? Não estou entendendo nada".

Não estamos dizendo que essas sejam as piores abordagens possíveis. É um problema, porém, quando recorremos a respostas negativas, porque isso direciona toda a nossa atenção ao comportamento que não queremos ver se repetindo.

Em vez disso, e se enfatizarmos o positivo? Em vez de: "Pare de fazer manha", podemos dizer algo como: "Gosto quando você fala com a sua voz normal. Pode repetir o que disse?". Ou sermos ainda mais diretos para ensinar sobre comunicação eficiente: "Faça a pergunta de novo com a sua voz forte, de menino grande".

A mesma ideia vale para outras situações de disciplina. Em vez de focar no que você não quer ("Pare de fazer bagunça e apronte-se, você vai se atrasar para a escola!"), enfatize o que você quer ("Eu preciso que você escove os dentes e encontre a sua mochila"). Em vez de ressaltar o comportamento negativo ("Nada de andar de bicicleta enquanto não experimentar a vagem"), foque no positivo ("Coma um pouco da vagem para a gente poder andar de bicicleta").

EM VEZ DE FOCAR NO PROBLEMA...

Há muitas outras maneiras de enfatizar o positivo quando disciplinamos. Você já deve ter ouvido a velha sugestão de "flagrar" seus filhos se comportando bem e tomando boas decisões. Sempre que você vir sua filha mais velha, que, normalmente, é tão crítica de sua irmã mais nova, fazendo um elogio a ela, observe: "Eu adoro quando você é assim, encorajadora". Ou se o seu filho de 11 anos tem tido dificuldade para entregar o dever de casa no prazo e você percebe que ele está fazendo um esforço especial para trabalhar adiantado na lição que deve ser entregue em duas semanas, diga a ele: "Você realmente está se esforçando, né? Obrigada por se adiantar." Ou quando seus filhos estão rindo juntos em vez de brigar, faça questão de observar isso: "Vocês dois estão se divertindo muito. Eu sei que vocês brigam também, mas é ótimo ver como vocês gostam um do outro".

ENFATIZE O POSITIVO FLAGRANDO SEUS FILHOS SE COMPORTANDO BEM

Ao enfatizar o positivo, você dedica o seu foco e a sua atenção aos comportamentos que quer ver repetidos. É uma maneira tranquila de também estimular esses comportamentos, no futuro, sem que haja a necessidade de recompensas ou elogios. Simplesmente dar atenção ao seu filho e dizer o que você está vendo pode ser uma experiência positiva, por si só.

Não estamos dizendo que você não vai precisar tratar igualmente de comportamentos negativos. É claro que vai. Mas, tanto quanto seja possível, foque no positivo e permita que seus filhos compreendam e sintam que você percebe e aprecia quando eles estão tomando boas decisões e lidando bem com eles mesmos.

ESTRATÉGIA DE REDIRECIONAMENTO Nº 7: ABORDAR A SITUAÇÃO DE UMA MANEIRA CRIATIVA

Uma das melhores ferramentas para manter a postos na sua caixa de ferramentas de criação de filhos é a criatividade. Como dissemos várias vezes ao longo deste livro, não existe uma técnica de disciplina padronizada para ser usada em todas as situações. Em vez disso, precisamos estar dispostos, ser capazes de pensar rapidamente e encontrar diferentes maneiras de lidar com quaisquer questões que surjam. Como dissemos no Capítulo 5, pais precisam de flexibilidade de resposta, o que permite que façamos uma pausa e levemos em consideração diversas respostas para uma situação, aplicando abordagens diferentes com base em nosso próprio estilo de criação de filhos e o temperamento e as necessidades de cada criança, individualmente.

Quando exercitamos flexibilidade de resposta, usamos nosso córtex pré-frontal, que é central em nosso cérebro do andar de cima, e nossas habilidades de funções executivas. Engajar esta parte do cérebro durante um momento de disciplina nos torna mais capazes de provocar empatia, de estabelecer uma comunicação sintonizada e de tranquilizar nossa própria reatividade. Porém, se nós nos tornamos inflexíveis e nos mantemos na margem rígida do rio, nós ficamos muito mais reativos como pais e não lidamos bem conosco mesmos. Já teve esse tipo de momento? Nós também. Nosso cérebro do andar de baixo assumirá o controle e comandará o espetáculo, permitindo que os circuitos do nosso cérebro reativo assumam o controle. É por isso que é tão importante que nos esforcemos por ter flexibilidade de resposta e criatividade, especialmente quando nossos filhos estão fora de controle ou tomando decisões ruins. Então, nós podemos pensar em maneiras criativas e inovadoras para abordar situações difíceis.

O humor, por exemplo, é uma ferramenta poderosa quando uma criança está chateada. Sobretudo com crianças menores, você pode mudar completamente a dinâmica de uma interação simplesmente falando com uma voz engraçada, caindo comicamente ou usando alguma outra forma de palhaçada. Se você tem 6 anos de idade e está furioso com o seu pai, não é tão fácil continuar bravo com ele se ele simplesmente tropeça em um brinquedo na sala de estar e finge levar o tombo mais longo em câmera lenta que você já viu. Da mesma maneira, ir embora do parque é muito mais divertido se você pode perseguir sua mãe até o carro enquanto ela dá risada e grita, fingindo estar com medo. Ser divertido é uma ótima maneira de estourar a bolha de alta emoção de uma criança, para que você possa ajudá-la a recuperar o controle de si mesma.

Isso também se aplica a interações com filhos mais velhos. Você só precisa ser mais sutil e estar disposto a receber um ou dois revirar de olhos como resposta. Se o seu filho de 11 anos está no sofá, pouco inclinado a se juntar a você e aos irmãos mais novos em um jogo de tabuleiro, você pode mudar o humor fingindo sentar em cima dele. Mais uma vez, isso precisa ser feito de maneira atenciosa e estar de acordo com a personalidade e o humor de seu filho, mas dizer em tom divertido, fingindo pedir desculpas, algo como: "Ah, me desculpe, eu não vi você aí", pode pelo menos arrancar um "papaaaaai" fingindo frustração e, novamente, mudar a dinâmica de uma situação.

Um motivo pelo qual este tipo de diversão e humor pode ser eficaz com crianças — e adultos também, por que não? — é que o cérebro adora novidades. Se você consegue apresentar ao cérebro algo que ele não viu antes, que ele não esperava, isso direcionar sua atenção para o novo. Isso faz sentido a partir de uma perspectiva evolutiva: algo que seja diferente do que normalmente vemos despertará nosso interesse em um nível primitivo e automático. Afinal, a primeira tarefa do cérebro é avaliar qualquer situação em termos de segurança. Sua atenção se volta imediatamente para qualquer coisa que seja única, nova, inesperada ou diferente, para que ele possa avaliar se o novo elemento em seu ambiente é seguro ou não. Os centros de avaliação do cérebro perguntam: "Isso é importante? Eu preciso prestar atenção aqui? Isso é bom ou ruim? Devo ir na direção disso ou me afastar?". Essa atenção à novidade é um motivo fundamental pelo qual o humor e a bobeira podem ser tão eficientes em um momento de disciplina. Além disso, um senso de humor respeitoso comunica a ausência de ameaça, o que permite que nosso circuito de engajamento social seja acionado, o que, por sua vez, nos abre para nos conectarmos com os outros. Respostas criativas a situações de disciplina fazem os cérebros de nossos filhos realizarem essas perguntas, tornarem-se mais receptivos e nos darem toda a sua atenção.

EM VEZ DE MANDAR E EXIGIR...

Sente na sua cadeirinha IMEDIATAMENTE!

SEJA CRIATIVO E DIVERTIDO

Por favor, por favor, não sente nessa cadeirinha, porque meu amigo imaginário Jimmy Jimmerino já está sentado aí.

A criatividade também se mostra útil de maneiras diferentes. Digamos que sua filha em idade pré-escolar esteja dizendo uma palavra de que você não gosta. Talvez ela esteja dizendo que as coisas são "idiotas". Você tentou ignorar, mas continuou ouvindo a palavra. Você tentou dizer a mesma coisa com um sinônimo mais aceitável — "Você tem razão, aqueles óculos de mergulho são bem doidos, não são?" —, mas ela continua dizendo que os óculos são idiotas.

Se ignorar e reformular não se mostraram estratégias efetivas, em vez de proibir a palavra — você sabe como isso funciona bem —, use a criatividade. Um talentoso diretor de pré-escola criou uma maneira inspirada para tratar o uso da palavra. Sempre que ouvia uma criança dizer que alguma coisa era idiota, ele explicava, em um tom bem sério, que a palavra só devia ser usada em determinado contexto: "'Idiota' é uma palavra ótima, não é? Mas, infelizmente, acho que você está errado, meu querido. Sabe, esta é uma palavra muito particular que só pode ser usada quando falamos com pintinhos. É uma espécie de palavra de fazenda. Vamos pensar em outro termo para usar nesta situação".

Há muitas maneiras de abordar uma situação como esta. Você pode sugerir uma palavra código que signifique "idiota" para que vocês dois falem um idioma secreto, que ninguém mais compreenda. Talvez o novo termo possa ser "glubi" ou alguma outra palavra divertida de dizer, ou pode ser até mesmo um sinal com a mão, que vocês inventem juntos. A ideia é que você encontre uma maneira de redirecionar criativamente seu filho para um comportamento que funcionará melhor para todos os envolvidos, e que dê a você uma sensação divertida de conexão.

Vamos reconhecer uma coisa, porém: às vezes, você não está com vontade de ser criativo. Isso parece exigir energia demais. Ou, talvez, você não esteja muito contente com seus filhos por causa da maneira como eles estão agindo. Então, não fica exatamente empolgado com a ideia de reunir energia para ajudá-los a mudar o humor ou ver coisas sob uma nova luz. Em outras palavras, às vezes você simplesmente não quer ser alegre e divertido. Você apenas quer que eles sentem na cadeirinha do carro sem precisar cantar e dançar! Você, simplesmente, quer que eles vistam os malditos sapatos! Você simplesmente quer que eles façam o dever de casa, ou desliguem o videogame, ou parem de brigar, ou qualquer outra coisa!

Nós entendemos isso. Puxa, como entendemos.

No entanto, compare as duas opções. A primeira é ser criativo, o que, frequentemente, exige mais energia e boa vontade do que conseguimos reunir com facilidade quando não gostamos da maneira como nossos filhos estão se comportando. Argh!

A outra opção, porém, é continuar tendo de participar de qualquer que seja a batalha que a situação de disciplina criou. Duplo argh! Normalmente, não acaba tomando muito mais tempo e muito mais energia envolver-se na batalha? O fato é que nós a evitamos completamente dedicando apenas alguns segundos para pensar em uma ideia divertida e alegre.

Então, da próxima vez que perceber que há problemas se aproximando com seus filhos, ou se houver uma questão particular pela qual você tipicamente termine se debatendo, pense nas duas opções que tem. Pergunte a si mesmo: "Eu realmente quero o drama que se apresenta no horizonte?". Se não, tente a diversão. Seja bobo. Mesmo que você não esteja com vontade, reúna a energia para ser criativo. Deixe de lado o drama que suga sua energia e extraia a diversão do seu relacionamento com seu filho. Nós prometemos: esta opção é mais diversão para todo mundo.

ESTRATÉGIA DE REDIRECIONAMENTO Nº 8: ENSINAR FERRAMENTAS DE VISÃO MENTAL

A última estratégia de redirecionamento que discutiremos é, talvez, a mais revolucionária. Você deve se lembrar que visão mental dizer respeito a ver nossas próprias mentes, assim como as mentes dos outros, e tem por objetivo promover a integração em nossas vidas.

Depois que as crianças começam a desenvolver a percepção pessoal que lhes permite ver e observar suas próprias mentes, elas podem aprender a usar essa percepção para lidar com situações difíceis.

Nós discutimos esta ideia detalhadamente em nosso livro anterior, *O cérebro da criança*, focando em diversas estratégias do cérebro por inteiro que os pais podem usar para ajudar seus filhos a integrarem seus cérebros e desenvolver a visão mental. Conforme ensinamos os fundamentos desse livro a plateias de pais, terapeutas e educadores, refinamos mais essas ideias.

O propósito geral desta última estratégia de redirecionamento é um objetivo que até mesmo crianças pequenas conseguem entender, embora as mais velhas evidentemente compreendem a mensagem de maneira mais aprofundada: você não precisa ficar emperrado em uma experiência negativa. Você não precisa ser uma vítima dos acontecimentos externos ou das emoções internas. Você pode usar sua mente para assumir a forma como você se sente e como age.

Nós sabemos que esta é uma promessa extraordinária de se fazer. Mas somos entusiasmados com esta abordagem pela forma como ela funcionou para tanta gente, ao longo dos anos. Os pais realmente são capazes de ensinar a seus filhos e a si mesmos ferramentas de visão mental que lhes ajudarão a aplacar tempestades emocionais e a lidar de maneira mais efetiva com experiências difíceis, levando-os, assim, a tomar decisões melhores e experimentar menos caos e drama quando estiverem incomodados. Nós podemos ajudar nossos filhos cada vez mais a dizer como se sentem e como olham para o mundo. Não através de algum processo místico e misterioso disponível apenas para os dotados, mas usando o conhecimento crescente sobre o cérebro e aplicando-o de maneira simples, lógica e prática.

Por exemplo, você pode ter ouvido falar sobre a famosa experiência do *marshmallow*, de Stanford, realizada entre os anos 1960 e 1970. Crianças pequenas foram levadas a uma sala, uma de cada vez, e um pesquisador as convidou para sentar em uma mesa. Em cima da mesa, havia um *marshmallow*, e o pesquisador explicou que ele iria deixar a sala por alguns minutos. Se a criança resistisse à tentação de comê-lo enquanto ele estivesse fora, ele daria a ela dois deles quando voltasse.

Os resultados foram previsivelmente hilários e adoráveis. Procure na *internet* e você poderá ver vídeos de diversas replicas do estudo, que mostram crianças alternadamente fechando os olhos, cobrindo as bocas, ficando de costas para a guloseima, acariciando-a como um animal de pelúcia, travessamente beliscando cantos seus, e assim por diante.

Algumas crianças pegam a guloseima açucarada e a comem antes que o pesquisador consiga terminar de dar as instruções.

Muito foi escrito sobre esse estudo e sobre as experiências seguintes que focaram a capacidade das crianças de adiar gratificação, demonstrar autocontrole, aplicar raciocínio estratégico, e assim por diante. Os pesquisadores descobriram que crianças que demonstraram a capacidade de esperar por mais tempo antes de comer o *marshmallow* tendiam a ter melhores resultados na vida durante o crescimento, saindo-se melhor na escola, tirando notas mais altas no vestibular e tendo melhor forma física.

A aplicação que queremos destacar, aqui, é o que um estudo recente revelou sobre como as crianças poderiam usar ferramentas de visão mental para serem mais bem-sucedidas no adiamento da gratificação. Pesquisadores descobriram que, se oferecessem às crianças ferramentas mentais que lhes dessem uma perspectiva ou uma estratégia para ajudá-las a conter seus impulsos de comer o *marshmallow* — ajudando-as, assim, a gerenciar seus desejos e emoções naquele momento —, elas obteriam muito mais sucesso na demonstração de autocontrole.

Na verdade, quando os pesquisadores ensinaram as crianças a imaginar que não era realmente um *marshmallow* que havia na frente delas, mas apenas a foto de um *marshmallow*, elas foram capazes de esperar muito mais tempo do que as crianças que não receberam nenhuma estratégia para ajudá-las. Em outras palavras, simplesmente usando uma ferramenta de visão mental, as crianças foram capazes de administrar de maneira mais efetiva seus impulsos, emoções e atitudes.

Você pode fazer o mesmo pelos seus filhos. Se você leu *O cérebro da criança*, sabe sobre o modelo de mão do cérebro. Eis como o apresentamos em um desenho: "Crianças com o cérebro por inteiro", para os pais lerem para seus filhos.

O CÉREBRO DA CRIANÇA: ensine a seus filhos sobre o cérebro do andar de baixo e o cérebro do andar de cima deles

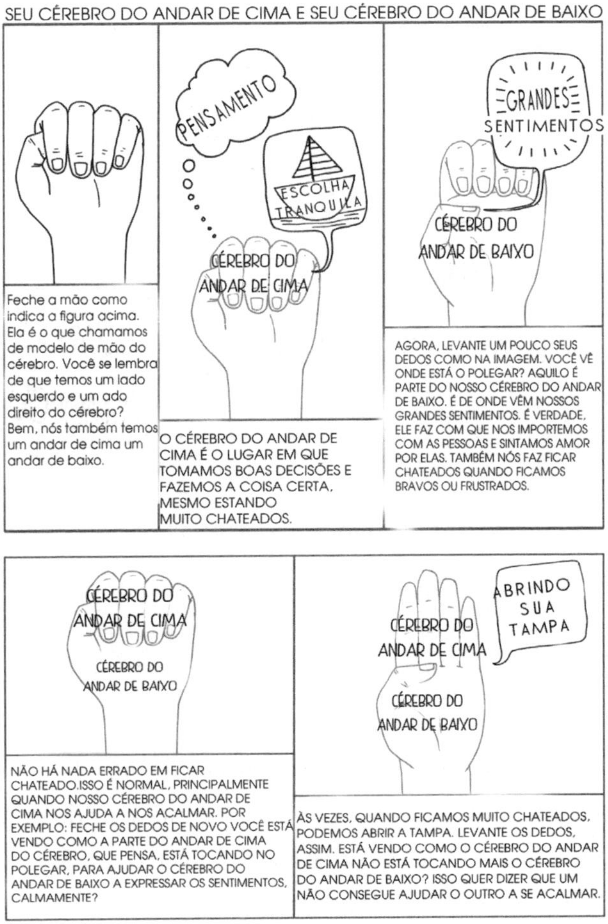

SEU CÉREBRO DO ANDAR DE CIMA E SEU CÉREBRO DO ANDAR DE BAIXO
Feche a mão como indica a figura acima. Ela é o que chamamos de modelo de mão do cérebro. Você se lembra de que temos um lado esquerdo e um ado direito do cérebro? Bem, nós também temos um andar de cima um andar de baixo.
PENSAMENTO
ESCOLHA TRANQUILA
CÉREBRO DO ANDAR DE CIMA
O CÉREBRO DO ANDAR DE CIMA É O LUGAR EM QUE TOMAMOS BOAS DECISÕES E FAZEMOS A COISA CERTA, MESMO ESTANDO MUITO CHATEADOS.
GRANDES SENTIMENTOS
CÉREBRO DO ANDAR DE BAIXO
AGORA, LEVANTE UM POUCO SEUS DEDOS COMO NA IMAGEM. VOCÊ VÊ ONDE ESTÁ O POLEGAR? AQUILO É PARTE DO NOSSO CÉREBRO DO ANDAR DE BAIXO. É DE ONDE VÊM NOSSOS GRANDES SENTIMENTOS. É VERDADE, ELE FAZ COM QUE NOS IMPORTEMOS COM AS PESSOAS E SINTAMOS AMOR POR ELAS. TAMBÉM NÓS FAZ FICAR CHATEADOS QUANDO FICAMOS BRAVOS OU FRUSTRADOS.
CÉREBRO DO ANDAR DE CIMA
CÉREBRO DO ANDAR DE BAIXO
NÃO HÁ NADA ERRADO EM FICAR CHATEADO.ISSO É NORMAL, PRINCIPALMENTE QUANDO NOSSO CÉREBRO DO ANDAR DE CIMA NOS AJUDA A NOS ACALMAR. POR EXEMPLO: FECHE OS DEDOS DE NOVO VOCÊ ESTÁ VENDO COMO A PARTE DO ANDAR DE CIMA DO CÉREBRO, QUE PENSA, ESTÁ TOCANDO NO POLEGAR, PARA AJUDAR O CÉREBRO DO ANDAR DE BAIXO A EXPRESSAR OS SENTIMENTOS, CALMAMENTE?
ABRINDO SUA TAMPA
CÉREBRO DO ANDAR DE CIMA
CÉREBRO DO ANDAR DE BAIXO
ÀS VEZES, QUANDO FICAMOS MUITO CHATEADOS, PODEMOS ABRIR A TAMPA. LEVANTE OS DEDOS, ASSIM. ESTÁ VENDO COMO O CÉREBRO DO ANDAR DE CIMA NÃO ESTÁ TOCANDO MAIS O CÉREBRO DO ANDAR DE BAIXO? ISSO QUER DIZER QUE UM NÃO CONSEGUE AJUDAR O OUTRO A SE ACALMAR.

POR EXEMPLO:

FOI O QUE ACONTECEU COM JEFFREY QUANDO A IRMÃ DELE DESTRUIU A TORRE DE LEGO DELE. ELE ABRIU A TAMPA E SENTIU VONTADE DE GRITAR COM ELA.
MAS OS PAIS DE JEFFREY O ENSINARAM SOBRE ABRIR A TAMPA E SOBRE COMO O CÉREBRO DO ANDAR DE CIMA DELE PODERIA ABRAÇAR O CÉREBRO DO ANDAR DE BAIXO E AJUDÁ-LO A SE ACALMAR ELE AINDA ESTAVA BRAVO, MAS, EM VEZ DE GRITAR COM A IRMÃ, ELE CONSEGUIU DIZER QUE ESTAVA BRAVO E PEDIU PARA OS PAIS A TIRAREM DO QUARTO.
FAZENDO BOAS ESCOLHAS
GRANDES EMOÇÕES
ENTÃO, DA PRÓXIMA VEZ QUE VOCÊ SENTIR QUE ESTÁ COMEÇANDO A ABRIR A TAMPA, FAÇA UM MODELO DO CÉREBRO COM A SUA MÃO (LEMBRE-SE DE QUE É UM MODELO DO CÉREBRO, NÃO UM PUNHO CERRADO). PONHA OS DEDOS BEM PARA CIMA, DEPOIS OS ABAIXE LENTAMENTE, PARA QUE VOLTEM A FICAR EM CONTATO COM O POLEGAR. ESTE SERÁ SEU LEMBRETE PARA USAR O CÉREBRO DO ANDAR DE CIMA PARA AJUDAR VOCÊ A ACALMAR AQUELES GRANDES SENTIMENTOS NA PARTE DO ANDAR DE BAIXO DO SEU CÉREBRO.

Recentemente, Dan recebeu um *e-mail* de uma diretora de escola sobre um novo aluno da pré-escola que estava tendo dificuldades. A professora da criança havia ensinado à turma o modelo de mão do cérebro e viu resultados imediatos:

"Ontem, uma professora me procurou muito preocupada com o comportamento de um novo aluno da pré-escola. Ele havia acabado de chegar à escola, e ficava entrando embaixo das mesas dizendo que odiava todo mundo. (Ele está morando com um parente, pois sua a mãe está na prisão e precisou deixar uma professora de quem gostava muito.)

Hoje, nossa professora ensinou novamente o cérebro na mão. Isso era novo para ele. Enquanto a professora ensinava, ele passou a maior parte do tempo embaixo da mesa. Logo depois, ele se aproximou dela, mostrou a tampa aberta com a mão e, sozinho, dirigiu-se à sua carteira para se acalmar, onde ficou por um longo tempo. (Ele quase caiu no sono.)

Quando finalmente se levantou, ele se aproximou dela enquanto estava dando aula, apontou para sua mão/cérebro com a tampa fechada e se juntou ao grupo.

Depois de um tempo, ela o cumprimentou por sua participação e disse: "Eu sei. Eu falei para você". E apontou para sua mão/cérebro com a tampa fechada.

Foi um momento incrível, e ela e eu comemoramos por ele, porque ele realmente devia estar precisando daquela linguagem!

Mais tarde, entrei durante o período de descanso e brinquei de "restaurante" com ele. A certa altura, ele tirou uma única flor de dentro de um vaso e a deu para mim. Meu coração derreteu. Ontem, a professora dele estava comparando-o com uma criança com verdadeiras dificuldades. Hoje, ele está procurando qualquer oportunidade para se conectar conosco. Sou muito grata por estarmos aprendendo isso."

O que a professora dele fez? Ela deu a seu aluno uma ferramenta de visão mental. Ela o ajudou a desenvolver uma estratégia de compreensão, para que ele pudesse expressar o que estava acontecendo ao redor e dentro dele, para que ele pudesse fazer escolhas intencionais sobre como responder.

Outra maneira de dizer isso é que nós queremos ajudar os filhos a desenvolver um modo duplo de processar os eventos que ocorrem em suas vidas. O primeiro modo diz respeito como ensinar as crianças a terem consciência e a perceberem suas experiências subjetivas. Em outras palavras, quando eles estão lidando com algo difícil, nós não queremos que eles neguem essa experiência nem que abafem suas emoções a respeito. Nós queremos que eles falem sobre o que está acontecendo quando descrevem suas experiências internas, comunicando o que estão sentindo e vendo naquele momento. Este é o primeiro modo de processamento: simplesmente reconhecer e estar presente na experiência. A professora, em outras palavras, não queria que o menininho negasse como estava se sentindo. O sentimento dele era sua experiência, e esse "modo de experiência" tem a ver com perceber a experiência subjetiva interna, conforme ela está acontecendo.

Mas nós também queremos que nossos filhos sejam capazes de observar o que está acontecendo dentro deles e como a experiência está afetando-os. Estudos cerebrais revelam que nós, na realidade, temos dois circuitos diferentes — um circuito de experimentação e um circuito de observação. Eles são diferentes, mas ambos são importantes, e integrá-los significa construir os dois e depois ligá-los. Nós queremos que nossos filhos não apenas sintam seus sentimentos e percebam suas sensações, mas também sejam capazes de perceber como é a sensação de seus corpos, sejam capazes de testemunhar suas próprias emoções. Nós queremos que eles prestem atenção a suas emoções ("Estou percebendo que estou me sentindo meio triste", ou "Minha frustração não é do tamanho de uma uva agora, ela parece uma melancia!"). Nós queremos ensiná-los a se examinarem e depois resolverem problemas com base nessa consciência de seus estados internos.

Foi o que o menino fez. Ele viveu e observou sua experiência ao mesmo tempo. Isso permitiu que ele compreendesse o que estava acontecendo. Ele teve a perspectiva de ser capaz de observar sua experiência enquanto a estava vivenciando. Ele pôde testemunhar a experiência se desenrolando, não apenas estar na experiência. E então ele narrou o que estava acontecendo, usando a linguagem para expressar aos outros e a si mesmo o que estava sentindo. Usando o modelo da mão como ferramenta, ele examinou a si mesmo e reconheceu que havia "aberto a tampa" e deu passos em resposta, mudando, assim, seu estado interno. Então, quando retomou o controle de suas emoções, voltou a se juntar ao grupo.

Nós vemos filhos e pais em nosso trabalho que emperram em uma experiência com que estão lidando. É claro que eles precisam lidar com o que aconteceu com eles. Mas esse é apenas um modo de processamento. Eles também precisam olhar para o que está acontecendo e pensar sobre isso. Eles precisam usar as ferramentas de visão mental para se tornarem conscientes e observar, quase como um repórter, o que está acontecendo. Uma maneira de explicar isso é que nós queremos que eles sejam como um ator, vivenciando a cena, no momento, mas que também sejam o diretor, que vê mais objetivamente e consegue, de fora da cena, ser mais perspicaz sobre o que está ocorrendo diante da câmera.

Quando ensinamos uma criança a ser tanto ator quanto diretor — a abraçar a experiência e também a examinar e observar o que está acontecendo dentro dela mesma —, damos a ela ferramentas importantes que as ajudam a assumir o controle de como respondem a situações que enfrentam. Isso permite que elas digam: "Eu odeio provas! Meu coração está disparado, e eu estou começando a perder o controle!", mas também a observar: "Isso não é estranho. Eu realmente quero ir bem. Mas eu não preciso perder o controle. Eu só preciso deixar de ver aquele programa de TV esta noite e estudar um pouco mais".

Mais uma vez, isso tem a ver com ensinar aos filhos que eles não precisam ficar presos em uma experiência. Eles também podem ser observadores e, portanto, agentes de mudança. Digamos, por exemplo, que o filho descrito anteriormente continue excessivamente preocupado com a prova do dia seguinte. Ele começa uma cascata de preocupações que o leva para uma espiral de pânico sobre a prova e a nota do semestre, e o que isso pode significar em termos de se formar com a média correta para entrar em uma boa faculdade.

Esse seria um ótimo momento para seus pais ensinarem que ele pode mudar suas emoções e seu pensamento movimentando o corpo ou, simplesmente, alterando sua postura física. Em *O cérebro da criança*, chamamos essa ferramenta de visão mental de técnica "mover ou perder". Os pais do menino poderiam fazê-lo sentar "como um macarrão", completamente relaxado e "frouxo", por alguns minutos. Todos poderiam, então, observar juntos como seus sentimentos, seus pensamentos e seus corpos começaram a se sentir diferentes. (É realmente incrível como esta estratégia particular pode ser eficiente quando estamos tensos.) Então, eles voltariam a conversar sobre a prova a partir de um "lugar descolado", onde ele poderia ver que tinha algumas opções.

Há maneiras ilimitadas de você ensinar a seus filhos sobre o poder da mente. Explique o conceito de "música de tubarão" e tenha uma conversa sobre o quanto as experiências do passado podem influenciar em suas tomadas de decisão. Ou explique o rio de bem-estar. Mostre a eles a imagem do Capítulo 3 e oriente-os em uma discussão sobre uma experiência recente em que tenham estado especialmente desesperados ou rígidos. Ou quando estão assustados com alguma coisa, diga a eles: "Mostre como o seu corpo fica quando você tem coragem e vamos ver qual a sensação disso". Estudos recentes sugerem que simplesmente manter nossos corpos em diversas posturas pode realmente mudar nossas emoções, junto com a maneira como vemos o mundo.

Oportunidades para ensinar ferramentas de visão mental estão por toda parte. No carro, quando a sua filha de 9 anos de idade está chateada com uma cesta importante que ela perdeu no jogo de basquete, direcionando a atenção dela às manchas no para-brisa do carro, diga alguma coisa como: "Cada marca no para-brisa é algo que aconteceu ou vai acontecer, neste mês. Esta aqui é o seu jogo de basquete. Ela é real, e eu sei que você está chateada. Fico satisfeita que você consiga ter consciência dos seus sentimentos. Mas olhe para todas as outras marcas no para-brisa. Esta outra aqui é a festa deste fim de semana. Você está bem empolgada com ela, não está? E aquela outra representa a sua nota de matemática de ontem. Lembra de como você se sentiu orgulhosa?". Então, continue a conversa, colocando a cesta perdida no contexto das outras experiências dela.

O objetivo de um exercício desses não é dizer para a sua filha não se preocupar com o jogo de basquete. De forma alguma. Nós queremos estimular nossos filhos a sentirem seus sentimentos e a compartilhá-los conosco. O modo de sensação que nos deixa vivenciar diretamente é um importante modo de processamento. Mas, no caminho, nós queremos dar a eles perspectiva e ajudá-los a compreender que podem focar sua atenção em outros aspectos da realidade deles. Isso ocorre por termos nossos circuitos de observação bem desenvolvidos também, não apenas nossos circuitos de sensação. Não é uma questão de um ou outro. Ambos são importantes, e, juntos eles formam um grande time. Essa é a maneira como podemos ajudar nossos filhos a desenvolver integração ao diferenciar e, então, relacionar suas capacidades de sensação e absorção.

Tendo construído ambos os circuitos, nossos filhos podem usar suas mentes para pensar em coisas além do que os está preocupando, em um momento particular e, como resultado disso, eles veem o mundo de uma maneira diferente e se sentem melhor. Quando ensinamos ferramentas de visão mental a nossos filhos, damos a eles o dom de serem capazes de regular suas emoções em vez de serem dominados por elas, para que não precisem continuar como vítimas de seus ambientes ou de suas emoções.

Da próxima vez que uma oportunidade de disciplina surgir em sua casa, apresente a seus filhos algumas ferramentas de visão mental. Ou use uma das estratégias de redirecionamento que apresentamos aqui. Talvez você precise experimentar várias abordagens diferentes. Nenhuma estratégia se aplicará a qualquer situação. Mas, se você trabalhar a partir de uma perspectiva sem drama do "Cérebro por inteiro" que primeiro se conecta e depois se redireciona, você poderá atingir mais efetivamente os principais objetivos da disciplina: obter cooperação no momento e construir os cérebros de seus filhos para que eles possam ser pessoas boas e responsáveis, que vivam relacionamentos bem-sucedidos e vidas significativas.

CONCLUSÃO

SOBRE VARINHAS DE CONDÃO, SER HUMANO, RECONEXÃO E MUDANÇA: QUATRO MENSAGENS DE ESPERANÇA

Nós enfatizamos, ao longo deste livro, que a "disciplina sem drama" permite uma interação disciplinar muito mais calma e amorosa. Nós também dissemos que uma abordagem sem drama do "Cérebro por inteiro" não é apenas melhor para os seus filhos, o futuro deles e o seu relacionamento com eles, como realmente torna a disciplina mais efetiva e a sua vida mais fácil, uma vez que aumenta a cooperação que você receberá deles.

Ainda assim, mesmo com as melhores ambições e os métodos mais intencionais, às vezes todo mundo se afasta de uma interação disciplinar sentindo raiva, confusão e frustração. Em nossas páginas de encerramento, queremos oferecer quatro mensagens de esperança e consolo para aqueles momentos difíceis que todos encaramos inevitavelmente, em um momento ou outro, quando disciplinamos nossos filhos.

PRIMEIRA MENSAGEM DE ESPERANÇA: NÃO EXISTE VARINHA MÁGICA

Um dia, o filho de 7 anos de Tina ficou furioso porque ela disse que não daria para ele convidar um amigo para brincar na sua casa, naquele dia. Ele saiu correndo para o quarto e bateu a porta. Menos de um minuto depois, ela ouviu a porta se abrindo e batendo de novo.

Eis como Tina conta a história.

Fui ver como estava meu filho e, colado do lado de fora da porta dele, vi um desenho.

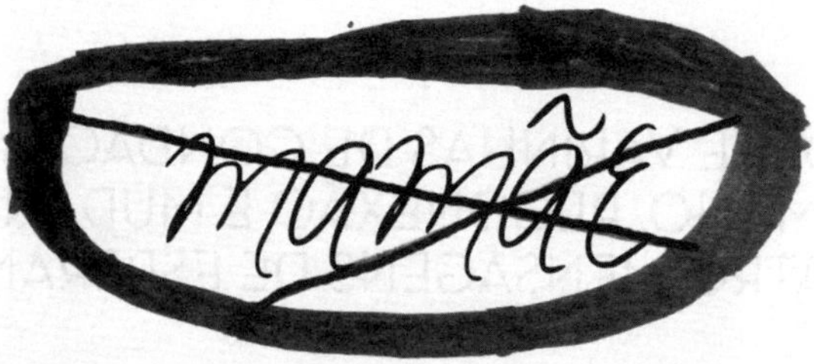

(Você pode ver, pelo desenho, que ele costuma usar seus talentos artísticos para comunicar seus sentimentos sobre seus pais.)

Fui até o quarto dele e vi o que sabia que veria: um amontoado do tamanho de uma criança, na cama, embaixo das cobertas. Sentei ao lado do amontoado e coloquei a mão no que imaginei que fosse um ombro e, de repente, o amontoado se afastou de mim, indo na direção da parede. De debaixo das cobertas, meu filho gritou: "Saia de perto de mim!".

Em momentos como esse, eu consigo me tornar infantil e descer até o nível do meu filho. Até sou conhecida por dizer coisas, como:

"Tudo bem! Se você não quer me deixar cortar esta unha do dedão do pé que está doendo, pode passar a semana toda sentindo dor!".

Mas, nesse dia particular, eu mantive o controle e me segurei muito bem, tentando tratar a situação de uma perspectiva do "Cérebro por inteiro". Primeiro, tentei me conectar reconhecendo os sentimentos dele: "Sei que você está bravo porque Ryan não pode vir hoje aqui em casa".

A resposta dele? "Sim, e eu odeio você!".

Eu continuei calma e disse: "Querido, eu sei que isso é chato, mas, simplesmente, não temos tempo para receber Ryan hoje aqui em casa. Vamos nos encontrar com seus avós para jantar daqui a pouco".

Em resposta, ele se enroscou ainda mais embaixo das cobertas e se afastou o máximo possível de mim. "Eu disse para você ficar longe de mim!".

Tentei uma série de estratégias das que discutimos nos capítulos anteriores. Eu consolei, usando conexão não verbal. Tentei me relacionar com seu cérebro que está mudando, é mutável e complexo. Procurei o porquê e pensei no como da minha comunicação. Validei os sentimentos dele. Tentei me envolver em um diálogo colaborativo e recompus meu não, oferecendo uma visita do amigo no dia seguinte. Mas, naquele momento, ele não conseguia se acalmar e não estava pronto para me deixar ajudá-lo. Nenhum tipo de conexão funcionou.

Momentos como esse realçam uma realidade que é importante que os pais compreendam: às vezes, não há nada que possamos fazer para "consertar" as coisas quando nossos filhos estão com alguma dificuldade. Nós podemos nos esforçar para nos mantermos calmos e amorosos. Nós podemos ficar totalmente presentes. Nós podemos usar toda a nossa criatividade. E, ainda assim, talvez não consigamos melhorar as coisas imediatamente. Às vezes, tudo o que temos a oferecer é nossa presença enquanto eles atravessam suas emoções. Quando comunicam claramente que querem ficar sozinhos, nós podemos respeitar o que eles sentem e o que precisam para se acalmar.

Isso não significa deixarmos uma criança chorando sozinha no quarto por longos períodos de tempo. E não significa que não continuemos tentando estratégias diferentes quando nosso filho precisa de ajuda. No caso de Tina, ela acabou mandando o marido para o quarto do filho, e a mudança de dinâmica o ajudou a começar a se acalmar um pouco, de modo que mais tarde ele e a mãe puderam voltar a se reunir e conversar sobre o que havia acontecido. Mas, por alguns minutos, tudo o que Tina pôde fazer foi dizer: "Eu estou aqui, se você precisar de mim" e, depois, deixá-lo em seu quarto por alguns minutos, fechar a porta com a placa de "antimãe" pendurada e deixá-lo atravessar aquilo da forma como ele precisava fazer, em seu próprio tempo e a seu próprio modo.

O mesmo vale para conflitos entre irmãos. O ideal é ajudar cada um a retornar a um bom estado mental, para, então, trabalhar com eles, individualmente ou em conjunto, e ensinar-lhes boas habilidades e conversas relacionais. Mas, algumas vezes, isso simplesmente não é possível. Se ao menos um deles estiver emocionalmente desregulado, isso pode impedir uma resolução pacífica, já que a reatividade está vencendo a receptividade. Às vezes, o melhor que você pode fazer é separá-los até conseguir reunir a todos novamente após todos se acalmarem. E se um destino cruel decretar que todos estejam presos dentro do carro quando o conflito explodir, talvez você precise apenas reconhecer explicitamente que as coisas não estão indo bem e aumentar o volume da música. Ao fazer isso, você não está se rendendo. Você está apenas reconhecendo que, naquele momento, não haverá disciplina efetiva. Em casos assim, você pode dizer: "Não é uma boa hora para falarmos sobre isso. Você dois estão bravos, e eu estou bravo, então vamos só ouvir um pouco de Fleetwood Mac". (Tudo bem, talvez não seja a melhor opção de música para agradar seus filhos, mas você entendeu a ideia.)

Nós, Dan e Tina, somos ambos experientes psicoterapeutas de crianças e adolescentes e escrevemos livros sobre criação de filhos. As pessoas nos procuram em busca de conselhos sobre como lidar com problemas quando seus filhos estão com dificuldades. E nós queremos deixar claro que, para nós, como para você, há vezes em que simplesmente não há uma varinha mágica para tranportá-los para a paz e a felicidade. Às vezes, o melhor que podemos fazer é comunicar nosso amor, estarmos disponíveis quando eles nos querem por perto e, então, falar sobre a situação quando eles estiverem prontos. É exatamente como diz a oração da serenidade: "Que eu tenha coragem de mudar o que posso mudar, a serenidade para aceitar o que não posso e a sabedoria para saber a diferença".

Então, esta é a nossa primeira mensagem ao concluir o livro: às vezes, não há varinha mágica. E você não é um mau pai ou uma mãe má se faz o melhor e seu filho continua incomodado.

SEGUNDA MENSAGEM DE ESPERANÇA: SEUS FILHOS SE BENEFICIAM MESMO QUANDO VOCÊ SE ATRAPALHA

Assim como você não é um mau pai ou uma mãe má se as suas técnicas de disciplina não são sempre eficientes no momento, você também não é um mau pai ou uma mãe má se comete erros regularmente. Você é humano.

O fato é que nenhum de nós é perfeito, especialmente quando se trata de lidar com o comportamento de nossos filhos. Às vezes, nós nos saímos bem e nos sentimos orgulhosos do quanto continuamos amorosos, compreensivos e pacientes. Em outras vezes, descemos ao nível dos nossos filhos e recorremos à infantilidade que nos incomodou, em primeiro lugar.

Nossa segunda mensagem de esperança é que, quando você responde a seus filhos a partir de um lugar que não é o ideal, pode anotar: ainda assim, você está a eles oferecendo todos os tipos de experiências valiosas.

Por exemplo, você já se pegou tão frustrado com seus filhos que fala, em um tom bem mais alto do que seria necessário: "Pronto! O próximo que reclamar sobre onde está sentado no carro pode ir a pé!". Ou, talvez, quando a sua menina de 8 anos de idade faz beicinho e reclama durante todo o caminho até a escola porque você a obrigou a ensaiar piano, você diz as seguintes palavras sarcásticas e mordazes quando ela desce do carro: "Espero que você tenha um ótimo dia, agora que destruiu a manhã".

Evidentemente, esses não são exemplos de criação ideal de filhos. E, se você é como nós, às vezes pode ser duro pensar que você não lida com as coisas como gostaria.

Então, aqui está a esperança: esses momentos não tão bons não são necessariamente coisas tão ruins para os nossos filhos enfrentarem. Na verdade, eles são incrivelmente valiosos.

Por quê? Porque as nossas respostas atrapalhadas e humanas dão aos filhos oportunidades de lidar com situações difíceis e, assim, desenvolver novas habilidades. Eles precisam aprender a se controlar, embora seu pai ou sua mãe não esteja fazendo um trabalho muito bom em controlar a si mesmo. Essa será a oportunidade de você lhes mostrar como pedir desculpas para consertar erros. Eles descobrem que, quando há conflito e discussão, pode haver reparação, e as coisas ficam boas de novo. Isso os ajuda a se sentirem seguros e não sentirem tanto medo em relacionamentos futuros. Eles aprendem a confiar, e mesmo esperar, que a tranquilidade e a conexão se seguirão ao conflito. Além disso, eles aprendem que suas atitudes afetam as emoções e o comportamento das outras pessoas. Finalmente, eles veem que você não é perfeito, de modo que também não vão esperar perfeição deles mesmos. São muitas lições importantes para se aprender de uma declaração impulsiva dita meio agressivamente pelo pai ou pela mãe de que eles vão devolver todos os presentes, porque seus filhos reclamaram quando solicitados a ajudar na decoração de Natal.

O abuso, evidentemente, é diferente, seja físico ou psicológico. Ou se você estiver prejudicando significativamente o relacionamento ou assustando seu filho, a experiência pode resultar em efeitos substancialmente prejudiciais. Essas são rupturas tóxicas, e rupturas sem reparação. Se você se vê repetidamente nesse tipo de situação, deve procurar ajuda profissional imediatamente para fazer as mudanças necessárias para que seus filhos se sintam seguros e saibam que estão protegidos.

Mas, desde que você alimente o relacionamento e repare com seu filho depois (falaremos mais sobre isso a seguir), você pode se dar uma folga e saber que, embora você desejasse fazer as coisas de um jeito diferente, ainda deu a seu filho uma experiência valiosa ao ensinar a importância da reparação e da reconexão.

Esperamos que esteja claro que não estamos dizendo que os pais devem, intencionalmente, causar rupturas na conexão, nem que não devemos ir em busca do melhor quando respondemos a nossos filhos em uma situação de muito estresse (ou em qualquer outro momento). Quanto mais amorosos e carinhosos conseguirmos ser, melhor. Esses momentos de interações não ideais acontecerão com todos nós, até mesmo conosco, que escrevemos livros sobre o assunto. Só estamos dizendo que podemos oferecer tranquilidade e perdão a nós mesmos quando não estamos agindo como gostaríamos, porque mesmo essas situações oferecem igualmente momentos de valor. É importante ter em mente um objetivo, uma intenção. E sermos gentis conosco mesmos e ter autocompaixão é algo fundamental não apenas para criar um santuário interno, mas também para oferecer a nossos filhos um modelo para serem gentis com eles mesmos, assim como com os outros. Essas experiências conosco dão a eles oportunidades de aprender importantes lições que os prepararão para futuros conflitos e relacionamentos, e os ensinarão como amar. Que tal isso para se ter esperança?

TERCEIRA MENSAGEM DE ESPERANÇA: VOCÊ SEMPRE PODE SE RECONECTAR

Não há jeito de evitarmos conflitos com nossos filhos. Isso vai acontecer, às vezes, diversas vezes por dia. Mal-entendidos, discussões, desejos conflitantes e outros problemas de comunicação levarão a uma ruptura no relacionamento. Rupturas podem resultar de conflitos em torno de algum limite que você esteja estabelecendo. Talvez você decida impor um horário de dormir ou impedir seu filho de ver um filme que você decidiu que não seja bom para ele. Ou talvez a sua filha ache que você está ficando do lado da irmã em uma briga, ou ela fica frustrada por você não jogar mais uma partida de algum jogo.

Qualquer que seja o motivo, rupturas ocorrem. Às vezes elas são maiores, às vezes, menores. Mas não há como evitá-las. Toda criança apresenta um desafio único para manter uma conexão sintonizada, que dependa de nossas próprias questões, do temperamento dele, da combinação entre a nossa história e as características dele, e de quem ele passa nos lembrar em nosso próprio passado não trabalhado.

Na maior parte de nossos relacionamentos adultos, se nos atrapalhamos, acabamos falando a respeito e fazemos reparações. Muitos pais simplesmente ignoram uma ruptura no relacionamento com seus filhos e jamais tratam dela. Isso pode confundir e magoar as crianças, exatamente como pode acontecer com adultos. Você consegue imaginar alguém de quem você gosta sendo reativo, falando com você de maneira agressiva, e depois nunca mais falar a respeito, simplesmente fingindo que nunca aconteceu? Não seria muito bom, seria? O mesmo acontece com nossos filhos.

O segredo, então, é que você repare qualquer quebra no relacionamento o mais rapidamente possível. Você quer restaurar uma conexão colaborativa e carinhosa com ele. Rupturas sem reparação deixam tanto os pais quanto os filhos se sentindo desconectados. E se essa desconexão for prolongada — e especialmente se estiver associada com sua irritação, hostilidade ou raiva —, a vergonha tóxica e a humilhação podem crescer na criança, prejudicando sua jovem noção de *self* e seu estado mental sobre como os relacionamentos funcionam. Portanto, é vital que nós façamos uma rápida reconexão depois de ter havido uma ruptura.

É nossa responsabilidade como pais fazer isso. Talvez nós nos reconectemos perdoando ou pedindo perdão ("Me desculpe. Acho que eu reagi daquele jeito porque estou muito cansado hoje. Mas sei que eu não agi direito. Vou escutar se você quiser conversar sobre como você se sentiu"). Talvez haja riso envolvido, talvez haja lágrimas ("Aquilo não foi muito legal, né? Alguém quer me imitar sendo meio maluca?"). Talvez haja apenas um reconhecimento rápido ("Eu não agi como gostaria. Você me perdoa?"). Como deseja que aconteça, faça acontecer! Ao repararmos e nos reconectarmos assim que possível e de uma maneira sincera e amorosa, nós nos religamos e passamos a mensagem de que o relacionamento importa mais do que qualquer coisa que tenha provocado o conflito. Além disso, ao nos reconectarmos com nossos filhos, nós apresentamos a eles uma habilidade fundamental que lhes permitirá ter relacionamentos muito mais significativos ao crescerem.

Então, esta é a terceira mensagem de esperança: nós sempre podemos nos reconectar. Mesmo que não haja uma varinha mágica, nossos filhos acabarão se tranquilizando e se acalmando. Eles acabarão ficando prontos para sentir nossas intenções positivas e receber nosso amor e consolo. Quando fizerem isso, nós nos reconectamos. E embora atrapalhemos nos poderemos sempre como pais porque somos humanos, podemos sempre reparar as quebras com nossos filhos.

REPARE UMA RUPTURA ASSIM QUE POSSÍVEL

Eu não lidei direito com aquilo; me desculpe por ter falado coisas ruins. Você me perdoa?

Então finalmente, então, tudo volta para a conexão. Sim, nós queremos redirecionar. Nós queremos ensinar. Nossos filhos precisam que os ajudemos a aprender como focar seus desejos de formas positivas, como reconhecer e lidar com limites, como descobrir o que significa ser humano e ser moral, ético, empático, gentil e generoso. Então, sim, o redirecionamento é fundamental. Mas, em última instância, é o relacionamento com seu filho que deve sempre estar em primeiro plano na sua mente. Coloque qualquer comportamento particular em "Banho-Maria" e mantenha sempre o seu relacionamento com ele no fogo mais alto. Depois desse relacionamento sofrer qualquer tipo de ruptura, reconecte-se o mais brevemente possível.

QUARTA MENSAGEM DE ESPERANÇA: NUNCA É TARDE DEMAIS PARA FAZER UMA MUDANÇA POSITIVA

Nossa mensagem final para você é a mais cheia de esperança de todas: nunca é tarde demais para fazer uma mudança positiva. Depois de ler este livro, talvez você sinta que sua abordagem de disciplina, até este momento, contrariou, pelo menos parcialmente, o que é melhor para seus filhos. Talvez sinta que está prejudicando o seu relacionamento com eles pelo modo como os disciplina. Ou talvez perceba que está ignorando e deixando passar oportunidades para construir as partes dos cérebros deles que lhes ajudarão a crescer de maneira ideal. Talvez veja que está usando estratégias disciplinares que simplesmente não funcionam, que estão contribuindo para aumentar o drama e a frustração na sua família, e estão efetivamente impedindo-o de usufruí-los, porque você acaba precisando ter de lidar com os mesmos comportamentos, repetidamente.

Se algum desses for o caso, tenha esperança. Não é tarde demais. A neuroplasticidade, como dissemos, nos mostra que o cérebro é incrivelmente mutável e adaptável durante toda a vida. Você pode mudar a maneira como disciplina em qualquer idade — sua ou a do seu filho. "Disciplina sem drama" mostra como fazer isso, mas não oferece uma fórmula a ser seguida. Não fornecemos uma varinha mágica que resolverá todos os problemas e transformará você em um pai uma ou mãe que nunca erra. A esperança vem do fato de que agora você tem princípios que podem lhe orientar ao disciplinar seus filhos, de modo que você se sinta bem. Você, agora, tem acesso a estratégias que realmente esculpem o cérebro de forma positiva, permitindo que eles sejam emocionalmente inteligentes e façam boas escolhas, fortalecendo seu relacionamento com eles e ajudando-os a se tornarem o tipo de pessoas que você quer que eles sejam.

Quando você responde a seus filhos com conexão — mesmo se sentido frustrado por algo que fizeram de errado —, coloca seu foco principal não na punição ou na obediência, mas em tratar tanto o seu filho quando o relacionamento. Assim, da próxima vez que seu filho pequeno tiver um ataque de birra, seu menino de 7 anos der um soco na irmã ou sua filha em idade escolar retrucar, você pode escolher de uma maneira sem drama, com o "Cérebro por inteiro". Você pode começar com a conexão, e passar para estratégias de redirecionamento que ensinam eles percepção pessoal, a empatia relacional e a importância de assumir a responsabilidade pelas vezes que fazem algo errado.

No caminho, você pode ser mais intencional em relação a como ativa determinados circuitos dos cérebros dos seus filhos. Neurônios que disparam juntos se ligam juntos. Os circuitos que são repetidamente ativados serão fortalecidos e mais desenvolvidos. Então, a questão é: qual parte do cérebro deles você quer fortalecer? Discipline com dureza, gritos, discussões, punições e rigidez, e você ativará a parte reativa do andar de baixo do cérebro dele, fortalecendo aquele circuito e preparando-o para ser ativado facilmente. Ou discipline com conexão tranquila e amorosa, e você ativará o circuito reflexivo, receptivo e regulador da visão mental, fortalecendo e desenvolvendo o andar de cima do cérebro para criar percepção, empatia, integração e reparação. Agora, neste momento, você pode se comprometer em dar a seus filhos essas ferramentas valiosas. Você pode ajudá-los a desenvolver a capacidade de se autorregular, de fazer boas escolhas e de lidar bem consigo mesmos — mesmo em momentos desafiadores e quando você não estiver por perto.

Você não vai ser perfeito e não vai disciplinar a partir de uma perspectiva sem drama do "Cérebro por inteiro" sempre que tiver a chance. Nós também não fazemos isso. Ninguém faz.

Mas você pode decidir dar passos nessa direção. E a cada passo que você der, dará aos seus filhos o presente de um pai ou de mãe que está cada vez mais comprometido com o sucesso e a felicidade deles durante toda a vida, e em fazê-los felizes, saudáveis e totalmente eles mesmos.

MAIS RECURSOS

FICHA PARA GELADEIRA PARA CONECTAR E REDIRECIONAR

PRIMEIRO, CONECTE-SE

POR QUE CONECTAR-SE PRIMEIRO?

- Benefício a curto prazo: a criança passa da reatividade à receptividade.
- Benefício a longo prazo: constrói o cérebro da criança.
- Benefício relacional: aprofunda o relacionamento com seu filho.

PRINCÍPIOS DA CONEXÃO SEM DRAMA

- Abandone o ruído de fundo provocado por experiências passadas e medos futuros.
- Procure o porquê: em vez de focar apenas no comportamento, procure pelo que está por trás das ações: "Por que meu filho está agindo dessa maneira? O que meu filho está comunicando?".
- Pense no "como": o que você diz é importante, mas "como" você diz é tão ou mais importante.

O CICLO DE CONEXÃO SEM DRAMA: AJUDE SEU FILHO A SE SENTIR SENTIDO

- Comunique consolo: fique abaixo da linha do olhar do seu filho, depois, toque-o amorosamente, assentindo com a cabeça ou dando um olhar empático; assim, você consegue neutralizar rapidamente uma situação difícil.

- Valide: mesmo quando não gosta do comportamento, reconheça e até mesmo abrace os sentimentos.
- Pare de falar e escute: quando as emoções do seu filho estão explodindo, não explique, passe sermão ou tente convencê-lo a parar de sentir o que está sentindo com uma conversa. Apenas escute, procurando pelo significado e pelas as emoções que seu filho está comunicando.
- Reflita o que você escuta: depois de ter escutado, reflita o que ouviu, fazendo com que eles saibam que você os escutou. Isso leva à comunicação de conforto, e o ciclo se repete.

ENTÃO, REDIRECIONE

DISCIPLINA 1-2-3, O JEITO SEM DRAMA

- Uma definição: disciplinar é ensinar. Faça as três perguntas:

  1. Por que meu filho está agindo dessa maneira? (O que está acontecendo internamente/emocionalmente?).

  2. Que lição eu quero ensinar?

  3. Como posso ensinar da melhor maneira?

- Dois princípios:

  1. Espere até seu filho estar pronto (e você também).

  2. Seja consistente, mas não rígido.

- Três resultados de visão mental:

  1. Percepção: ajuda as crianças a compreenderem seus próprios sentimentos e suas respostas a situações difíceis.

  2. Empatia: dá às crianças a prática em refletir sobre como suas atitudes impactam os outros.

3. Reparação: pergunte às crianças o que elas podem fazer para acertar as coisas.

Estratégias de redirecionamento sem drama

- Reduzir as palavras.
- Abraçar as emoções.
- Descrever, não passar sermão.
- Envolver seu filho na disciplina.
- Transformar um não em um sim, com condições.
- Enfatizar o positivo.
- Abordar a situação com criatividade.
- Ensinar ferramentas de visão mental.

QUANDO UM ESPECIALISTA EM CRIAÇÃO DE FILHOS PERDE AS ESTRIBEIRAS

VOCÊ NÃO É O ÚNICO.

Só porque escrevemos livros sobre criação de filhos e disciplina, não significa que às vezes não nos atrapalhemos com nossos próprios filhos. Aqui vão duas histórias — uma de cada um de nós — que, ainda que sejam bem engraçadas em retrospecto, mostram que o cérebro reativo (ou cérebro do andar de baixo) pode afetar a todos.

MOMENTO "CREPES DA IRA", DE DAN (ADAPTADO DO LIVRO *MINDSIGHT*)

Um dia, meu filho de 13 anos de idade, minha filha de 9 anos e eu paramos em uma pequena lanchonete para comer alguma coisa, depois do cinema. Como minha filha disse que não estava com fome, meu filho pediu um crepe pequeno do balcão e nós nos sentamos. O crepe simples chegou e começamos a sentir os aromas que vinham da cozinha aberta atrás do balcão, onde meu filho havia feito seu pedido. Depois de ele dar a primeira garfada no crepe, a irmã perguntou se podia experimentar um pedaço. Ele olhou para o pequeno crepe diante dele e disse que estava com fome e que ela podia pedir um para si. Como achei uma sugestão razoável, me ofereci para pedir outro crepe para ela — mas ela disse que só queria um pedacinho para experimentar. Isso também me pareceu razoável, então, sugeri que meu filho desse um pedaço para a irmã.

Se você tem mais de um filho em casa ou cresceu com irmãos, pode ter bastante familiaridade com o jogo de xadrez fraterno, uma partida estratégica sempre presente composta por movimentos que visam à afirmação do poder e à obtenção do reconhecimento e da aprovação dos pais. Mas mesmo que esse não se tratasse de um jogo de afirmação entre irmãos, o custo irrisório de comprar um crepe adicional daquela pequena lanchonete familiar teria sido muito simples de pagar para evitar o que você agora pode adivinhar que estava prestes a acontecer. Em vez de comprar o outro crepe, eu cometi uma mancada paterna e escolhi um lado nesse jogo. Eu insisti com firmeza para que meu filho desse um pedaço do crepe dele para a irmã. Se a situação não era um jogo de xadrez antes, certamente se tornou um depois que eu interferi na interação deles.

"Por que você simplesmente não dá um pedacinho para ela experimentar?", perguntei.

Ele olhou para mim, depois para o crepe e, dando um suspiro, cedeu. Mesmo sendo um jovem adolescente, ainda me escutava. Então, usando a faca como um bisturi, ele cortou o menor pedaço de crepe que você pode imaginar, um pedaço que quase precisava de uma pinça para ser pego. Em outras circunstâncias, talvez eu tivesse dado risada e visto o gesto como um movimento criativo no jogo de xadrez entre irmãos.

Minha filha pegou o espécime, colocou em seu guardanapo e disse que era pequeno demais. E que era: "a parte queimada". Outro ótimo movimento de irmã menor.

Alguém olhando de fora para a mesa pode não ter visto nada fora do normal: um pai e seus dois filhos animados fazendo um lanche. Mas, por dentro, eu estava prestes a explodir. Quando a disputa continuou, transformando-se em uma briga completa, aconteceu alguma coisa dentro de mim. Minha cabeça começou a girar, mas eu disse a mim mesmo para me manter calmo e apelar à razão. Pude sentir meu rosto ficando tenso, meus punhos cerrando e meu coração começou a bater mais rápido, mas eu tentei ignorar esses sinais de que meu cérebro do andar de baixo estava sequestrando o do andar de cima. Foi o que me bastou.

Sentindo-me sobrecarregado pelo nível de ridículo de todo o encontro, eu me levantei, peguei a mão da minha filha e fui para o lado de fora para esperar na calçada em frente à loja até meu filho terminar o crepe dele. Alguns minutos depois, ele saiu e perguntou por que nós havíamos deixado a mesa. Enquanto disparava na direção do carro com minha filha e meu filho apressando o passo para me acompanharem, eu disse que eles precisavam aprender a dividir a comida deles um com o outro. Ele disse, em um tom pragmático, que havia dado um pedaço à irmã, mas, a essa altura, eu estava fervendo de frustração e, nesse ponto, não havia mais como diminuir o fogo da chaleira. Nós entramos no carro e, irritado, eu dei a partida e segui para casa. Eles haviam sido irmãos normais que tinham ido ao cinema e feito um lanche depois. Eu me tornei um pai fora de mim.

Não consegui deixar o assunto de lado. Sentado ao meu lado, no banco do carona, meu filho contrapunha tudo o que eu dizia com alguma resposta racional e pensada, como qualquer adolescente faria. Na verdade, ele pareceu bastante competente em se manter calmo enquanto lidava com o pai agora irracional.

Naquele estado, eu fui ficando cada vez mais irado, e acabei recorrendo a palavrões, xingando-o e até mesmo ameaçando tirar a adorada guitarra dele — todas consequências inadequadas por coisas que ele sequer havia feito.

Não tenho nenhum orgulho em contar essas coisas. Mas Tina e eu sentimos realmente que, como episódios explosivos como esse são muito comuns, é fundamental que reconheçamos que eles existem e nos ajudemos a compreender como a visão mental pode diminuir o impacto negativo deles sobre nossos relacionamentos e em nosso mundo. Por vergonha, frequentemente tentamos ignorar que um ataque de fúria ocorreu. Mas, se possuímos a verdade do que aconteceu, podemos não apenas começar a reparar os danos — que podem ser bastante tóxicos tanto para nós mesmos quanto para os outros —, como realmente diminuir a intensidade desses eventos e a frequência com que eles ocorrem.

Então, quando cheguei em casa, eu me dei conta de que precisava me acalmar e me conectar com meu filho. Eu sabia que a reparação era fundamental, mas meus sinais vitais estavam no teto, e eu precisava equilibrá-los antes de fazer qualquer outra coisa. Sabendo que sair e me exercitar poderia alterar meu estado mental, fui andar de *skate* com a minha filha. Durante esse tempo, ela me ajudou a recuperar a visão mental. Eu consegui mais percepção pessoal (reconhecendo que reagi com meu filho da forma como havia reagido, ao menos parcialmente, porque estava inconscientemente identificando-o com meu próprio irmão mais velho) e empatia em relação a como meu filho havia vivenciado nosso confronto.

Quando finalmente esfriei a cabeça depois de conversar, andar de *skate* e refletir, fui até o quarto dele e perguntei se podíamos conversar. Eu disse que achava que havia extrapolado e que seria útil discutirmos o que havia acontecido. Ele me disse que achava que eu superprotegia sua irmã. E ele estava absolutamente certo. Apesar da vergonha de ter me tornado irracional, de ter criado uma necessidade de falar para me defender, e das minhas reações, eu apenas fiquei em silêncio. Meu filho prosseguiu e me disse que eu ter ficado "chateado" não era necessário porque ele realmente não havia feito nada errado. E ele estava certo. Mais uma vez, senti um impulso defensivo de lhe passar um sermão sobre dividir as coisas. Mas lembrei a mim mesmo de continuar reflexivo e focar na experiência dele, não na minha. A posição fundamental ali era não julgar quem estava certo, mas aceitar e ser receptivo a ele. Você pode imaginar que tudo isso certamente exigiu visão mental. Eu me senti agradecido por minha região pré-frontal estar novamente funcionando.

Depois de escutá-lo, reconheci que, de fato, eu havia tomado o lado da irmã dele (injustamente), que podia ver como ele se sentira injustiçado e que a minha explosão pareceu irracional — porque, de fato, havia sido. Como explicação — não como justificativa —, disse-lhe o que havia acontecido na minha mente, vendo-o como símbolo do meu irmão, para que ambos pudéssemos encontrar um sentido no que havia acontecido. Embora eu provavelmente parecesse atrapalhado e constrangido em sua mente adolescente, percebi que ele sabia que meu comprometimento com nosso relacionamento era profundo e que meu esforço para reparar o dano era genuíno. Minha visão mental havia voltado, nossas duas mentes estavam conectadas novamente, e nosso relacionamento voltou aos trilhos.

TINA AMEAÇA UMA AMPUTAÇÃO

Um dia, quando meu filho mais velho tinha 3 anos de idade, ele bateu em mim. Como mãe jovem e idealista que, naquela época, acreditava que minha melhor alternativa era ter uma conversa racional com um menino de 3 anos de idade, na qual ele magicamente veria as coisas a partir do meu ponto de vista, eu o levei até o primeiro degrau da nossa escada, sentei ao lado dele e sorri. Amorosa (e ingenuamente) eu disse: "As mãos são para ajudar e amar, não para machucar".

Enquanto eu estava dizendo essa bela frase, ele me bateu de novo.

Então, tentei a abordagem da empatia. Ainda ingênua, com a voz talvez parecendo um pouco menos amorosa, eu disse: "Ai! Isto machuca a mamãe. Tome cuidado com o meu corpo".

A esta altura, ele me bateu de novo.

Então, tentei uma abordagem mais firme: "Bater não é legal. Nós não batemos. Se você está bravo, precisa usar suas palavras".

É, você adivinhou. Ele bateu em mim de novo.

Eu me senti perdida. Senti que precisava aumentar a aposta, mas não sabia como. Com a minha voz mais forte, eu disse: "Agora você está em uma pausa para pensar no topo da escada". (O termo técnico e científico para essa estratégia de criação de filhos é "tentativa e erro". Não é exatamente uma criação de filhos intencional.)

Fui com ele até o último degrau da escada. Ele, provavelmente, estava pensando: "Legal! Nós nunca fizemos isso antes... o que será que vai acontecer depois se eu continuar batendo nela?". No topo da escada, eu me abaixei e, agitando o polegar, disse: "Chega de bater!".

Ele não bateu em mim de novo.

Ele me deu um chute na canela.

(Como observo hoje em dia, quando conto mais uma vez essa história, tecnicamente, ele estava obedecendo as minhas instruções de não bater.)

Nesse momento, praticamente todo meu autocontrole havia desaparecido, já que eu não conseguia pensar em mais nenhuma opção viável. Agarrei o braço dele e o puxei até o meu quarto, no andar de cima da casa, gritando: "Agora você vai fazer uma pausa para pensar no quarto da mamãe e do papai!".

Mais uma vez, eu não tinha uma estratégia, um plano ou uma abordagem. E, como resultado disso, meu filhinho continuou a piorar a situação, enquanto sua mãe com o rosto cada vez mais vermelho o puxava de um lado para outro, na casa.

A essa altura, eu alternava entre seduzir, repreender, mandar, reagir e argumentar (muuuuuuuita conversa): "Você não pode machucar a mamãe. Bater e chutar não é algo que a gente faça na nossa família... Blablabá...".

E foi aí que ele cometeu seu maior erro. Ele mostrou a língua para mim.

Como resposta, meu cérebro do andar de cima racional, empático, responsável e solucionador de problemas foi sequestrado pelo meu cérebro do andar de baixo, reativo e primitivo, e eu berrei: "Se você colocar essa língua para fora mais uma vez, eu vou arrancá-la da sua boca!".

Caso você esteja se perguntando, nem Dan nem eu recomendamos em qualquer circunstância ameaçar remover qualquer parte do corpo de seus filhos. Esse não foi um bom momento de criação de filhos.

E também não foi um momento de disciplina eficaz. Meu filho se jogou no chão, chorando. Eu o havia assustado, e ele não parava de dizer: "Você é uma mamãe malvada!". Ele não estava pensando nem um pouco no comportamento dele — ele estava focado, exclusivamente, no meu mau comportamento.

O que eu fiz, em seguida, foi, provavelmente, a única coisa certa que fiz durante toda a interação, e é fundamental toda vez que temos esse tipo de ruptura no relacionamento com nossos filhos: eu reparei com ele. Eu imediatamente me dei conta de como eu havia sido terrível naquele momento reativo e furioso. Se qualquer outra pessoa tivesse ameaçado meu filho como eu havia ameaçado, eu teria enlouquecido. Eu me ajoelhei e fiquei com ele no chão, dei um abraço bem apertado e disse como lamentava o que havia feito.

Deixei que ele falasse o quanto não havia gostado do que acabara de acontecer. Nós contamos novamente a história para ela fazer sentido a ele e eu o consolei.

Eu, normalmente, provoco boas risadas quando conto esta história, porque os pais se identificam muito com esse tipo de momento, e acho que gostam de ouvir que uma especialista em criação de filhos também pode perder completamente as estribeiras. Como explico em minhas palestras, nós precisamos ser pacientes, compreensivos e indulgentes — não apenas com nossos filhos, mas também com nós mesmos. (As pessoas sempre me perguntam o que eu faria diferente, hoje. Veja no Capítulo 6, quando discutimos como tratar de mau comportamento de crianças pequenas em quatro passos — com ilustrações!)

Embora essas histórias sejam um pouco constrangedoras, nós as contamos como provas (sim, engraçadas) de que todos somos potencialmente capazes de sofrer tais desintegrações do andar de baixo quando perdemos o controle e não lidamos bem com nós mesmos. Porém, episódios assim não devem se tornar regulares. Se você se pegar perdendo as estribeiras repetidamente, de forma intensa, recomendamos que considere buscar ajuda profissional para auxiliar você a entender suas próprias necessidades ou feridas emocionais que possam estar contribuindo para as maneiras frequentemente reativas de se relacionar com seus filhos. Mas se você se descontrola raramente, como ocorre com a maioria de nós, isso simplesmente faz parte da criação deles. O segredo é reconhecer quando esses momentos acontecem, encerrá-los o mais rápido possível para minimizar a mágoa que provocam e, então, reparar.

Nós precisamos recuperar o que realmente se perdeu — a visão mental — e usar a percepção e a empatia para nos reconectarmos conosco mesmos e repararmos com aqueles de quem gostamos tanto.

UM RECADO AOS CUIDADORES DE NOSSOS FILHOS

UM RESUMO DA NOSSA ABORDAGEM DA DISCIPLINA

Você é uma pessoa importante na vida de seus filhos. Você está ajudando a determinar quem eles estão se tornando ao moldar o coração, o caráter e até mesmo as estruturas dos cérebros deles! Como compartilhamos este incrível privilégio e esta responsabilidade de ensiná-los como tomar boas decisões e como serem seres humanos gentis e bem-sucedidos, queremos também compartilhar com você a forma como lidamos com desafios comportamentais, na esperança de que consigamos trabalhar juntos para dar a nossos filhos uma experiência consistente e efetiva quando se trata de disciplina.

Eis aqui os oito princípios básicos que nos orientam:

1. Disciplina é fundamental. Nós acreditamos que amar nossos filhos e dar a eles o que precisam inclui estabelecer limites claros e consistentes, e manter altas expectativas para eles — o que os ajuda a alcançar o sucesso em relacionamentos e em outras áreas de suas vidas.

2. Uma disciplina eficaz se baseia em um relacionamento amoroso e respeitoso entre o adulto e a criança. A disciplina jamais deve incluir ameaças ou humilhações, causar dor física, deixar marcas nos filhos ou fazê-los considerar o adulto um inimigo. A disciplina deve passar a sensação de segurança e amor para todos os envolvidos.

3. O objetivo da disciplina é ensinar. Nós usamos momentos de disciplina para construir habilidades para que as crianças consigam lidar melhor consigo mesmas agora, e tomar decisões melhores no futuro. Normalmente, há formas melhores de ensinar do que impor consequências imediatas. Em vez de punição, nós estimulamos a cooperação de nossos filhos, ajudando-os a pensar sobre suas ações e sendo criativos e divertidos. Nós estabelecemos limites tendo conversas para desenvolver consciência e habilidades que levam a um melhor comportamento hoje e amanhã.

4. O primeiro passo na disciplina é prestar atenção às emoções dos filhos. Quando as crianças se comportam mal, isso é resultado de não lidarem bem com grandes sentimentos e ainda não terem a habilidade de tomar boas decisões. Assim, estar atento à experiência emocional por trás de um comportamento é tão importante quanto o comportamento em si. Na verdade, a ciência demonstra que tratar das necessidades emocionais das crianças é, na realidade, a abordagem mais eficaz para modificar comportamentos ao longo do tempo, assim como desenvolver seus cérebros de formas que lhes permitam lidar melhor consigo mesmos, enquanto crescem.

5. Quando as crianças estão irritadas ou tendo um ataque de birra, é quando mais precisam de nós. Nós precisamos mostrar que estamos lá para eles, e que estaremos lá mesmo que eles se apresentem da pior maneira. É assim que construímos confiança e uma sensação de segurança.

6. Às vezes, precisamos esperar até as crianças estarem prontas para aprender. O momento em que as crianças estão irritadas ou descontroladas é o pior momento para tentar lhes ensinar alguma coisa. Essas grandes emoções são uma prova de que nossos filhos precisam de nós. Nossa primeira função é ajudá-los a se acalmar, para que consigam recuperar o controle e lidar bem consigo mesmos.

7. A forma como nós os ajudamos a ficar prontos para aprender é nos conectando com eles. Antes de redirecionarmos seus comportamentos, nós conectamos e consolamos. Exatamente como os tranquilizamos quando eles se machucam fisicamente, fazemos o mesmo quando eles estão emocionalmente incomodados. Nós fazemos isso validando seus sentimentos e dando a eles muita empatia cuidadora. Antes de ensinarmos, conectamos.

8. Depois de conectar, redirecionamos. Depois de sentirem aquela conexão conosco, os filhos estarão mais prontos a aprender, de modo que podemos redirecioná-los com mais eficiência, e conseguimos conversar com eles sobre seus comportamentos. O que esperamos realizar quando redirecionamos e estabelecemos limites? Nós queremos que nossos filhos tenham percepção sobre si mesmos, empatia em relação aos outros e a capacidade de corrigir as coisas quando cometerem erros.

Para nós, a disciplina se resume a uma frase simples: conectar e redirecionar. Nossa primeira resposta deveria ser sempre oferecer uma conexão tranquilizadora — então, podemos redirecionar comportamentos. Mesmo quando dizemos não ao comportamento das crianças, sempre queremos dizer sim para suas emoções e para a maneira como elas vivenciam as coisas.

VINTE ERROS DE DISCIPLINA

QUE ATÉ MESMO ÓTIMOS PAIS COMETEM

Como estamos sempre criando nossos filhos, é preciso fazer muito esforço para olhar objetivamente para nossas estratégias de disciplina. Boas intenções podem ser rapidamente substituídas por hábitos não muito efetivos, e isso pode nos deixar operando cegamente, disciplinando de uma forma que pode não trazer o melhor de nós — ou o melhor de nossos filhos. Eis alguns erros de disciplina comuns cometidos até mesmo pelos pais mais bem intencionados e informados. Esses erros afloram quando perdemos de vista nossos objetivos sem drama do "Cérebro por inteiro". Mantê-los em mente pode nos ajudar a evitá-los ou a recuar quando começamos a seguir por esse caminho.

1. NOSSA DISCIPLINA FICA BASEADA EM CONSEQUÊNCIAS, EM VEZ DE ENSINO.

O objetivo da disciplina não é garantir que toda infração seja imediatamente recebida com uma consequência. O objetivo real é ensinar a nossos filhos como viver bem, no mundo. Mas, muitas vezes, nós disciplinamos no piloto automático e nos focamos demais nas consequências, que se tornam o objetivo final, o foco absoluto. Então, quando disciplinar, pergunte a si mesmo qual é seu verdadeiro objetivo. Descubra uma maneira criativa de ensinar essa lição. Você, provavelmente, pode encontrar uma maneira melhor de ensiná-la, sem o uso de consequências.

2. ACHAMOS QUE, SE ESTAMOS DISCIPLINANDO, NÃO PODEMOS SER CARINHOSOS E CUIDADOSOS.

É realmente possível ser calmo, amoroso e carinhoso enquanto se disciplina um filho. Na verdade, é importante combinar limites claros e consistentes com empatia amorosa. Não subestime o quanto pode ser poderoso um tom de voz quando você tem uma conversa com seu filho sobre o comportamento que deseja mudar. Em última instância, você está tentando se manter forte e consistente em sua disciplina ao mesmo tempo que interage com ele, de uma maneira que comunique carinho, amor, respeito e compaixão. Esses dois aspectos da criação de filhos podem e devem coexistir.

3. CONFUNDIMOS CONSISTÊNCIA COM RIGIDEZ.

Consistência significa trabalhar a partir de uma filosofia confiável e coerente para que nossos filhos saibam o que esperamos dele. Isso não significa manter uma devoção inabalável a alguma espécie de conjunto de regras arbitrárias. Então, às vezes, você pode abrir exceções às regras, fazer vista grossa para alguma infração menor ou dar uma folga ao seu filho.

4. NÓS FALAMOS DEMAIS.

Quando os filhos estão reativos e com dificuldade para escutar, apenas precisamos ficar quietos. Quando falamos sem parar e eles estão incomodados, isso é contraproducente. Apenas estamos lhes dando muitas informações sensoriais que podem desregulá-los ainda mais. Em vez disso, use mais comunicação não verbal. Abrace-os. Esfregue os ombros deles. Sorria ou faça expressões faciais empáticas. Acene positivamente com a cabeça. Então, quando eles começarem a se acalmar e estiverem prontos para escutar, você pode redirecionar usando palavras e tratando da questão em um nível mais verbal e lógico.

5. NÓS FOCAMOS DEMAIS NO COMPORTAMENTO E NÃO O SUFICIENTE NO PORQUÊ POR TRÁS DO COMPORTAMENTO.

Qualquer bom médico sabe que um sintoma é apenas um sinal de que alguma outra coisa precisa ser tratada. O mau comportamento de uma criança, normalmente, é um sintoma de outra coisa. Ele continuará ocorrendo se não nos conectarmos com os sentimentos deles e com as experiências subjetivas que levam a esse comportamento. Da próxima vez que ele se comportar mal, vista seu chapéu de Sherlock Holmes e avalie o comportamento para ver quais sentimentos — curiosidade, raiva, frustração, cansaço, fome, e assim por diante — podem estar provocando esse comportamento.

6. NÓS NOS ESQUECEMOS DE FOCAR EM COMO DIZEMOS O QUE PRECISAMOS DIZER.

O que nós dizemos a nossos filhos importa. É claro que sim. Mas, igualmente importante, é como dizemos. Embora não seja fácil, queremos ser gentis e respeitosos todas as vezes que nos comunicamos com eles. Não conseguiremos acertar sempre nisso, mas esse deve ser nosso objetivo.

7. COMUNICAMOS QUE NOSSOS FILHOS NÃO DEVERIAM TER SENTIMENTOS GRANDES OU NEGATIVOS.

Quando seu filho reage com intensidade quando alguma coisa não acontece da forma como ele gostaria, você abafa essa reação? Nós não temos a intenção de fazer isso, mas frequentemente passamos a mensagem de que só estamos interessados em estar com eles quando estão felizes, e não quando estão expressando emoções negativas. Podemos dizer coisas como: "Quando você estiver pronto para ser legal, pode voltar a ficar com a família". Em vez disso, queremos comunicar que estaremos presentes para eles, mesmo quando estiverem da pior maneira. Mesmo quando dizemos não a determinados comportamentos e à forma como certos sentimentos são expressados, queremos dizer sim às emoções deles.

8. COMO TEMOS REAÇÕES EXAGERADAS, NOSSOS FILHOS FOCAM EM NOSSAS REAÇÕES EXAGERADAS E NÃO EM SUAS PRÓPRIAS ATITUDES.

Quando exageramos na reação na nossa disciplina — se somos punitivos, duros ou intensos demais — nossos filhos param de focar em seus próprios comportamentos e focam no quanto acham que somos maus ou injustos. Então, faça todo o possível para evitar fazer tempestades em copos d'água. Trate o mau comportamento afastando-o de uma situação, se for preciso, mas dê a si mesmo um tempo para se acalmar antes de falar demais, para que você possa estar tranquilo e racional quando responder. Então, você pode manter o foco nas atitudes dele e não nas suas.

9. NÃO REPARAMOS.

Não há como evitarmos conflitos com nossos filhos. E não há como estarmos sempre no controle da situação ou de nós mesmos. Nós seremos imaturos, reativos e agressivos às vezes. O importante é que tratemos do nosso próprio mau comportamento e reparemos as quebras nos relacionamentos o mais brevemente possível, dando e pedindo perdão. Ao repararmos de uma maneira sincera e amorosa, apresentamos a eles uma habilidade fundamental que lhes permitirá viver relacionamentos muito mais significativos durante a vida.

10. BAIXAMOS REGRAS EM MOMENTOS EMOCIONAIS E REATIVOS E DEPOIS NOS DAMOS CONTA DE QUE REAGIMOS EXAGERADAMENTE.

Às vezes, fazemos declarações um pouco "exageradas": "Você não vai poder nadar o resto do verão!". Nesses momentos, dê a si mesmo permissão de corrigir uma situação. Evidentemente, cumprir o que se prometeu é importante para não perder a credibilidade. Mas você pode ser consistente e ainda assim sair do aperto. Você pode, por exemplo, oferecer a carta da "segunda chance" dizendo: "Não gostei do que você fez, mas podemos tentar mais uma vez para você fazer as coisas do jeito certo". Você também pode admitir que exagerou: "Eu fiquei bravo naquela hora e não estava pensando direito. Pensei melhor e mudei de ideia".

11. ESQUECEMOS QUE, ÀS VEZES, NOSSOS FILHOS PODEM PRECISAR DA NOSSA AJUDA PARA FAZER BOAS ESCOLHAS OU SE ACALMAR.

Quando nossos filhos começam a ficar fora de controle, a tentação é exigir que eles "parem com isso imediatamente". Mas, às vezes, especialmente no caso de crianças pequenas, eles não podem ser capazes de se acalmar imediatamente. Isso quer dizer que talvez você precise interferir e ajudá-los a fazer boas escolhas. O primeiro passo é conectar-se com ele — tanto com palavras quanto com comunicação não verbal — para ajudá-lo a compreender que você tem consciência da sua frustração. Apenas depois dessa conexão, ele estará preparado para você redirecioná-lo a fazer escolhas melhores. Lembre-se de que, frequentemente, precisamos esperar antes de responder ao mau comportamento. Quando nossos filhos estão fora de controle, não é o melhor momento de impor uma regra rigidamente. Quando eles estiverem mais calmos e receptivos, serão mais capazes de aprender uma lição.

12. PENSAMOS NA PLATEIA QUANDO ESTAMOS DISCIPLINANDO.

A maioria de nós se preocupa demais com o que os outros pensam, especialmente quando se trata de como criamos nossos filhos. Mas não é justo discipliná-los de maneira diferente quando alguém estiver olhando. Na frente dos sogros, por exemplo, a tentação pode ser de sermos mais duros ou reativos, porque sentimos que estamos sendo julgados como pais. Deixe essa tentação de lado. Chame seu filho para um canto e converse baixinho apenas com ele, sem mais ninguém escutar. Isso não apenas evitará que você se preocupe com a maneira como os outros vão ouvir você, como também auxiliará a ter melhor foco em relação a ele e o ajudará se sintonizar melhor com o comportamento e as necessidades dele.

13. NÓS FICAMOS PRESOS EM LUTAS DE PODER.

Quando nossos filhos se sentem encurralados, instintivamente revidam ou se fecham completamente. Então, evite essa armadilha. Pense em levá-lo para dar uma volta: "Vamos beber alguma coisa primeiro e depois juntamos os brinquedos?". Ou negocie: "Vamos ver se conseguimos descobrir um jeito de nós dois conseguirmos o que precisamos". (Evidentemente, algumas coisas não podem ser negociadas, mas negociação não é sinal de fraqueza, é sinal de respeito por seu filho e os desejos dele.) Você pode até mesmo pedir a ajuda dele: "Você tem alguma sugestão?". Você poderá ficar chocado ao descobrir o quanto ele está disposto a ceder para obter uma solução pacífica a um impasse.

14. NÓS DISCIPLINAMOS EM RESPOSTA A NOSSOS HÁBITOS E SENTIMENTOS, EM VEZ DE RESPONDER AO MOMENTO PARTICULAR DE NOSSO FILHO.

Às vezes, damos uma bronca em nosso filho porque estamos cansados, porque era o que nossos pais faziam ou porque estamos cansados do irmão dele, que está se comportando mal a manhã inteira. Não é justo, mas é compreensível. O que precisamos fazer é refletir sobre nosso comportamento, para realmente estarmos presentes com eles e respondermos apenas ao que estiver acontecendo naquele instante. Esta é uma das tarefas mais difíceis da criação de filhos, mas quanto mais conseguirmos realizá-la, melhor poderemos responder a nossos filhos de maneira amorosa.

15. NÓS CONSTRANGEMOS NOSSOS FILHOS, CORRIGINDO-OS NA FRENTE DOS OUTROS.

Quando você precisar disciplinar seu filho em público, pense nos sentimentos dele. (Imagine como se sentiria se alguém chamasse sua atenção na frente de outras pessoas!). Caso seja possível, saia do ambiente ou chame-o de lado, e sussurre. Isso nem sempre é possível, mas, quando puder, mostre a seu filho o respeito de não acrescentar humilhação ao que você precise fazer para tratar o mau comportamento. Afinal, o constrangimento apenas irá tirar o foco dele da lição que você quer ensinar, e ele dificilmente escutará qualquer coisa que você queira lhe dizer.

16. IMAGINAMOS O PIOR ANTES DE DEIXAR NOSSOS FILHOS SE EXPLICAREM.

Às vezes, uma situação parece ruim e realmente é. Mas, em outras, as coisas não são tão ruins como parecem ser. Antes de dar uma bronca, escute seu filho. Ele pode ter uma boa explicação. É realmente frustrante acreditar que temos uma razão para nossas atitudes e precisar ouvir o outro dizer: “Eu não me importo. Não quero saber. Não há razão ou desculpa”. Você, obviamente, não pode ser ingênuo, e todo pai ou mãe precisa pensar criticamente o tempo todo. Mas antes de condenar uma criança pelo que parece óbvio em um primeiro momento, descubra o que ela tem a dizer. Depois, você pode decidir a melhor maneira de responder.

17. NÓS DESCONSIDERAMOS A EXPERIÊNCIA DE NOSSOS FILHOS.

Quando uma criança reage fortemente a uma situação, especialmente quando a reação parece injustificável e mesmo ridícula, a tentação é dizer algo como: "Você só está cansado", ou "Pare de fazer fiasco", "Não é nada demais" ou "Por que você está chorando por isso?". Mas declarações como essas minimizam a experiência da criança. Imagine alguém dizendo uma dessas frases para você se você estivesse chateado! É muito mais responsivo e efetivo escutar, sentir empatia e realmente compreender a experiência dele, antes de responder. Mesmo que pareça ridículo para você, não se esqueça de que é muito real para o seu filho, então você não quer desprezar algo que seja importante para ele.

18. NÓS ESPERAMOS DEMAIS.

A maior parte dos pais diria que sabe que os filhos não são perfeitos, mas a maioria dos pais também espera que eles se comportem bem o tempo todo. Além disso, pais esperam demais dos filhos quando se trata de lidar com as emoções e fazer boas escolhas — muito mais do que é adequado em termos do desenvolvimento deles. Isto ocorre ainda mais com o primogênito. O outro erro que cometemos ao esperar demais é que partimos do princípio de que apenas porque nosso filho consegue lidar bem com as coisas às vezes, ele consegue lidar bem com as coisas o tempo todo. Especialmente quando são pequenos, a capacidade deles de tomar boas decisões realmente flutua. O fato de conseguirem lidar bem com as coisas uma vez não significa que consigam fazer isso outras vezes.

19. DEIXAMOS "ESPECIALISTAS" SUPERAR NOSSOS INSTINTOS.

Por "especialistas" nos referimos a escritores e outros gurus, assim como amigos e parentes. É importante evitarmos disciplinar nossos filhos com base no que outra pessoa acha que deveríamos fazer. Encha a sua caixa de ferramentas de disciplina de informações de muitos especialistas (e não de alguns especialistas), e então ouça seus próprios instintos ao selecionar e escolher diferentes aspectos de diferentes abordagens que pareçam mais adequadas à sua situação.

20. SOMOS DUROS DEMAIS COM NÓS MESMOS.

Nós acreditamos que os pais mais carinhosos e conscienciosos são os mais duros consigo mesmos. Eles querem disciplinar bem toda vez que seus filhos aprontam. Mas isso simplesmente não é possível. Então, dê uma folga a si mesmo. Ame seus filhos, estabeleça limites claros, discipline com amor e acerte as coisas com eles quando errar. Esse tipo de disciplina é bom para todos os envolvidos.

UM TRECHO DE:

"*O cérebro da criança*: 12 estratégias revolucionárias para nutrir a mente em desenvolvimento do seu filho e ajudar sua família a prosperar"

Daniel J. Siegel, M.D. e Tina Payne Bryson, Ph.D.

Você já teve um dia daqueles, certo? Em que a privação de sono, os tênis enlameados, a manteiga no casaco novo, as batalhas do dever de casa, a massinha de modelar no teclado do seu computador e os refrões de "Foi ela que começou!" fazem que você conte os minutos para chegar a hora de dormir. Nesses dias, quando você (de novo?!!) precisa arrancar uma passa de uva de uma narina, parece que o máximo que pode esperar é sobreviver. No entanto, quando se trata dos seus filhos, você está em busca de muito mais do que a mera sobrevivência. É claro que quer atravessar aqueles difíceis momentos de birra-no-restaurante. Mas quando somos pai, mãe, avô ou outro cuidador comprometido na vida de uma criança, nossa meta principal é criá-la de forma que elas possam prosperar. Queremos que ela desfrute de relacionamentos importantes, seja atenciosa e compassiva, saia-se bem na escola, que se esforce, seja responsável e se sinta bem consigo mesma.

Sobreviva. Prospere.

Conhecemos milhares de pais ao longo dos anos. Quando perguntamos o que é mais importante a eles, versões desses dois objetivos quase sempre ocupam o topo da lista. Eles querem sobreviver a momentos difíceis da criação dos filhos e querem que eles e a família prosperem. Como pais, compartilhamos desses mesmos objetivos para nossas famílias. Em nossos momentos mais nobres, mais tranquilos e mais sãos, cuidamos de alimentar as mentes dos nossos filhos aumentando seus sentimentos de admiração e os ajudar a atingirem seus potenciais em todos os aspectos da vida. Mas, nos momentos mais frenéticos e estressantes do tipo: "subornar o pequeno a sentar na cadeirinha para chegarmos ao jogo de futebol", às vezes tudo o que podemos almejar é deixar de gritar ou ouvir alguém dizer: "Você é muito mau!".

Dê um tempo e pergunte a si mesmo: O que você realmente quer para seus filhos? Quais qualidades espera que eles desenvolvam e levem para suas vidas adultas? Provavelmente, você quer que eles sejam felizes, independentes e bem-sucedidos. Quer que desfrutem de relacionamentos gratificantes e vivam uma vida cheia de significado e sentido. Agora, pense no percentual do seu tempo que dedica a desenvolver intencionalmente essas qualidades em seus filhos. Se é como a maioria dos pais, você se preocupa que passe tempo demais apenas tentando chegar ao fim do dia (e, às vezes, até daqui a 5 minutos) e não dedique tempo suficiente a criar experiências que o ajudem a prosperar, tanto hoje quanto no futuro.

Você talvez se compare com algum tipo de pai ou mãe perfeitos que nunca se esforcem por sobreviver, que aparentemente passem todos os minutos acordados ajudando os filhos a prosperarem. Você conhece o tipo: a presidente da associação de pais e professores da escola que prepara refeições orgânicas e perfeitamente balanceadas, enquanto lê para os filhos em latim sobre a importância de ajudar aos outros, e depois os acompanha ao museu de arte no carro híbrido que toca música clássica e tem aroma de lavanda nas saídas do ar condicionado. Nenhum de nós consegue alcançar esse superpai ou essa supermãe imaginários. Especialmente quando sentimos que grande parte dos nossos dias é passada no modo máximo de sobrevivência, no qual nos vemos sempre de olhos atormentados e com o rosto vermelho, no final de uma festa de aniversário, gritando: "Se houver mais uma briga sobre aquele arco e flecha, ninguém vai ganhar presente!".

Caso alguma dessas coisas pareça familiar, temos uma ótima notícia: os momentos em que você está apenas tentando sobreviver são, na verdade, oportunidades para ajudar seu filho a prosperar. Às vezes, você pode achar que os momentos cheios de amor e importantes (como ter uma conversa significativa sobre compaixão ou caráter) são separados dos desafios da criação dos filhos (como deles precisa executar suas funções individuais ao mesmo tempo que todos trabalham juntos, como um todo. Integração é simplesmente isso: juntar elementos diferentes para produzir um todo que funcione bem. Assim como ocorre com o funcionamento saudável do corpo, nosso cérebro não consegue desempenhar ao máximo suas funções, a menos que suas partes diferentes trabalhem juntas, de maneira coordenada e equilibrada. É isso que a integração faz: coordena e equilibra as regiões separadas do cérebro que conecta. É fácil perceber quando nossos filhos não estão integrados — eles ficam inundados pelas próprias emoções, confusos e caóticos. Não conseguem reagir de maneira tranquila e competente à situação em que se encontram. Birras, ataques de fúria, agressividade e a maior parte das experiências desafiadoras da criação de filhos — e da vida — são resultado de uma perda de integração, também conhecida como desintegração.

Queremos ajudar nossos filhos a se tornarem mais bem integrados para que possam usar todo o cérebro de forma coordenada. Por exemplo, queremos que eles sejam horizontalmente integrados, para que a lógica do cérebro esquerdo possa funcionar bem com a emoção do cérebro direito. Também queremos que eles sejam verticalmente integrados, para que as partes fisicamente mais altas de seus cérebros, que lhes deixa pensar cuidadosamente em suas ações, funcionem bem com as partes mais baixas, mais relacionadas com instinto, reações emocionais e sobrevivência.

A forma como a integração realmente ocorre é fascinante, e é algo de que a maioria das pessoas não tem consciência. Nos últimos anos, cientistas desenvolveram uma tecnologia de tomografia cerebral que permite aos pesquisadores estudarem o cérebro de uma forma que nunca foi possível antes. Esta nova tecnologia confirmou muito do que acreditávamos anteriormente em relação ao cérebro. No entanto, uma das surpresas que abalaram a base da neurociência é que o cérebro, na verdade, é "plástico", ou moldável. Isso quer dizer que o cérebro se modifica fisicamente ao longo das nossas vidas, não apenas na infância, como supúnhamos anteriormente.

O que molda nosso cérebro? A experiência. Mesmo na velhice, nossas experiências realmente modificam a estrutura física do cérebro. Quando passamos por uma experiência, nossas células cerebrais — chamadas neurônios — se tornam ativas, ou "disparam". O cérebro tem 100 bilhões de neurônios, cada um com uma média de dez mil conexões com outros neurônios. As formas nas quais circuitos específicos no cérebro são ativados determinam a natureza da nossa atividade mental, indo desde a percepção de imagens e sons, até o pensamento e o raciocínio mais abstratos. Quando os neurônios disparam juntos, dão origem a novas conexões entre eles. Ao longo do tempo, as conexões que resultam desses disparos levam a uma "reprogramação" no cérebro. Esta é uma notícia extremamente empolgante. Ela significa que não somos prisioneiros para o resto da vida da forma como nosso cérebro funciona neste instante — nós podemos realmente reprogramá-lo para que possamos ser mais saudáveis e mais felizes. Isso vale não apenas para crianças e adolescentes, como também para cada um de nós, em qualquer idade.

Neste exato momento, o cérebro do seu filho está sendo constantemente programado e reprogramado, e as experiências que você lhe proporcionar terão uma grande importância no sentido de determinar a estrutura de seu cérebro. Nada de pressão, certo? Mas não se preocupe. A natureza garantiu que a arquitetura básica do cérebro irá se desenvolver bem se receber comida, sono e estímulos adequados. A genética, é claro, desempenha um grande papel em como as pessoas serão, especialmente em termos de temperamento. Mas descobertas de diversas áreas da psicologia do desenvolvimento sugerem que tudo o que acontece conosco — a música que ouvimos, as pessoas a quem amamos, os livros que lemos, o tipo de disciplina que recebemos, as emoções que sentimos — afeta profundamente a forma como nosso cérebro se desenvolve. Em outras palavras, acima de nossa arquitetura cerebral básica e de nosso temperamento inato, os pais têm muito a fazer para oferecer os tipos de experiências que ajudarão a desenvolver um cérebro resiliente e bem integrado. Este livro mostrará como usar as experiências do dia a dia para ajudar o cérebro do seu filho a se tornar cada vez mais integrado.

Por exemplo, crianças cujos pais conversam com elas sobre suas experiências tendem a ter melhor acesso às lembranças dessas experiências. Pais que falam com os filhos sobre seus sentimentos têm filhos que desenvolvem inteligência emocional e podem compreender melhor os próprios sentimentos e os sentimentos das outras pessoas. Crianças tímidas cujos pais alimentam um sentimento de coragem ao lhes oferecer explorações solidárias do mundo tendem a perder a inibição comportamental, enquanto os que são excessivamente protegidos ou empurrados insensivelmente para experiências causadoras de ansiedade, sem apoio, tendem a manter a timidez.

Há todo um campo da ciência do desenvolvimento infantil e apego dando respaldo a esta visão — e as novas descobertas na área da neuroplasticidade reforçam a perspectiva de que os pais podem moldar diretamente o crescimento do cérebro dos filhos conforme as experiências que oferecerem. Por exemplo, horas diante de telas — jogando videogames, vendo televisão, enviando mensagens de texto — programarão o cérebro de determinadas maneiras. Atividades educativas, esportes e música programarão de outras maneiras. Passar tempo com a família e os amigos e aprender sobre relacionamentos, especialmente com interações frente a frente, programarão o cérebro ainda de outras formas. Tudo o que nos acontece afeta a forma como o cérebro se desenvolve.

É desse processo de programação e reprogramação que se trata a integração: dar a nossos filhos experiência para criar conexões entre diferentes partes do cérebro. Quando essas partes colaboram, criam e reforçam as fibras integrativas que conectam diferentes partes do cérebro. Como resultado, elas ficam conectadas de formas muito mais poderosas e podem funcionar juntas, de uma maneira ainda mais harmoniosa. Assim como cantores individuais de um coral podem tecer suas vozes distintas em uma harmonia que seria impossível para uma única pessoa criar, um cérebro integrado é capaz de fazer muito mais do que suas partes individuais poderiam realizar sozinhas.

É o que queremos fazer com cada um de nossos filhos: ajudar seus cérebros a se tornarem mais integrados para que eles possam usar seus recursos mentais ao máximo. Com uma compreensão do cérebro, é possível sermos mais intencionais no que ensinamos a eles, na forma como respondemos a eles e por quê. Podemos fazer muito mais do que simplesmente sobreviver. Ao oferecer a eles experiências repetidas que desenvolvem integração, enfrentaremos menos crises no dia a dia da criação deles. Mas, mais do que isso, compreender a integração permite que conheçamos nossos filhos mais profundamente, tenhamos respostas mais efetivas a situações difíceis e construamos intencionalmente uma base para uma vida inteira de amor e felicidade. Como resultado disso, não apenas eles prosperam, tanto agora quanto na vida adulta, como nós e toda a família, também.

AGRADECIMENTOS

Somos profundamente gratos a todas as pessoas que nos ajudaram a dar forma a este livro, pelo qual somos tão apaixonados. Nossos professores, colegas, amigos, alunos e familiares contribuíram significativamente para como pensamos e comunicamos essas ideias. Somos especialmente gratos a Michael Thompson, Natalie Thompson, Janel Umfress, Darrell Walters, Roger Thompson, Gina Osher, Stephanie Hamilton, Rick Kidd, Andre van Rooyen, Lara Love, Gina Griswold, Deborah Buckwalter, Galen Buckwalter, Jay Bryson e Liz Olson por seus *feedbacks* a respeito do livro. Agradecemos também a nossos mentores, colegas clínicos e aos alunos do Mindsight Institute (Instituto da Visão Mental), e aos nossos vários seminários e grupos de criação de filhos que nos fizeram perguntas que nos obrigaram a pesquisar e aprender mais, e nos forneceram *feedback* sobre muitas das ideias que são a base da abordagem do "Cérebro por inteiro sem drama" à criação de filhos. Há tantas pessoas que enriquecem nossas vidas e nosso trabalho que não seria possível agradecer a todos individualmente, mas esperamos que todos saibam o quanto são importantes para nós.

Queremos agradecer a nosso amigo e agente literário Doug Abrams, que trouxe ao processo não apenas uma riqueza em conhecimento sobre escrita, como também paixão e comprometimento em fortalecer as famílias a criar filhos felizes e saudáveis. Nós o respeitamos tanto como agente quanto como humanitário. Também somos muito gratos aos esforços e ao entusiasmo de nossa editora, Marnie Cochran, que não apenas nos ofereceu sábios conselhos durante o processo de publicação como também teve muita paciência enquanto trabalhávamos para encontrar a maneira correta de expressar as ideias que são tão importantes para nós. E a nossa incrível ilustradora, Merrilee Liddiard, agradecemos imensamente por trazer seu talento e criatividade ao projeto e ajudar a dar às palavras do cérebro esquerdo uma vida gráfica e visual de cérebro direito.

Além disso, agradecemos a todos os pais e pacientes cujas histórias e experiências nos ajudaram a fornecer exemplos que dão riqueza e senso prático às ideias e teorias que ensinamos. É claro que mudamos seus nomes e os detalhes de suas histórias aqui, mas somos gratos pela força que suas histórias emprestam à comunicação da abordagem "disciplina sem drama.

Queremos registrar nossa gratidão um pelo outro. Nossa paixão coletiva por estas ideias e por compartilhá-las com o mundo torna trabalharmos juntos uma honra significativa. Nós somos gratos a nossas famílias imediatas e estendidas que influenciaram e continuam a influenciar quem somos e a celebrar o que fazemos. Assim como nós moldamos quem nossos filhos são e quem estão se tornando, eles moldaram quem somos como indivíduos e profissionais, e nós somos profundamente tocados pelo significado e a alegria que eles nos trazem. Finalmente, agradecemos nossos parceiros, Caroline e Scott, que contribuíram tanto direta quanto indiretamente na produção deste manuscrito. Eles sabem o que significam para nós, e jamais conseguiríamos articular completamente o quanto são importantes, tanto como parceiros pessoais quanto como profissionais.

O aprendizado na vida é mais bem cultivado em nossos relacionamentos colaborativos com os outros. Nossos principais professores, quando se trata da nossa própria experiência com a criação de filhos, foram nossos filhos — os de Dan, agora com vinte e poucos anos, e os de Tina, adolescentes e pré-adolescentes — que nos ensinaram a importância vital da conexão e da compreensão, da paciência e da persistência. Através das oportunidades e dos desafios de sermos seus pais, nós fomos lembrados através de suas ações e reações, de suas palavras e emoções, que disciplina tem a ver com ensinar, com aprender, com encontrar lições em nossas experiências diárias, não importa o quão difícil seja. O aprendizado é tanto para as crianças quanto para os pais. E tentar criar a estrutura necessária em suas vidas em desenvolvimento como a criação de filhos de uma maneira tranquila, equilibrada e com "pouco drama" nem sempre foi fácil — na verdade, é um dos trabalhos mais desafiadores que qualquer um jamais terá. E, por esses motivos, nós agradecemos tanto a nossos filhos quanto a nossos parceiros através de toda essa jornada, pelas formas poderosas como cada um deles nos ensinou sobre disciplina como uma forma de aprender, de ensinar e de tornar a vida uma aventura educacional e uma celebração da descoberta. Nós esperamos que este livro ofereça um convite para reimaginar a disciplina como uma oportunidade de aprendizado, de modo que você e seus filhos prosperem e apreciem uns aos outros durante todas as suas vidas!

Dan e Tina